Apagando o incêndio

Ben S. Bernanke
Timothy F. Geithner
Henry M. Paulson Jr.

Apagando o incêndio

A crise financeira e suas lições

tradução
Pedro Maia Soares

todavia

Dedicamos este livro aos muitos servidores públicos — de ambos os partidos, e tanto do Legislativo quanto do Executivo — que trabalharam de perto conosco na luta contra a crise financeira global. Cabem agradecimentos especiais aos presidentes George W. Bush e Barack Obama por sua liderança e aos funcionários do Federal Reserve, do Tesouro, da FDIC e de outras agências por sua criatividade e pelo trabalho árduo a serviço de nosso país.

Introdução **9**

1. Lenha seca: As raízes da crise **21**
2. As primeiras chamas: Agosto
de 2007 a março de 2008 **46**
3. O fogo se espalha: Março de 2008
a setembro de 2008 **62**
4. O inferno: Setembro de
2008 a outubro de 2008 **79**
5. Combatendo o fogo: Outubro
de 2008 a maio de 2009 **106**

Conclusão: O próximo incêndio **137**

Agradecimentos **163**
A crise financeira em gráficos: Estratégia
e resultados nos Estados Unidos **165**
Índice remissivo **253**

Introdução

Infernos financeiros épicos não acontecem com frequência. Normalmente, a turbulência nos mercados financeiros se extingue por si mesma. Os mercados se ajustam, empresas vão à falência e a vida continua. Às vezes, os incêndios financeiros são tão sérios que os formuladores de políticas precisam ajudar a apagá-los. Eles concedem empréstimos quando as empresas precisam de liquidez, ou encontram uma maneira segura de liquidar uma empresa problemática, e a vida continua. É extremamente raro que um incêndio saia de controle e ameace consumir o sistema financeiro e o resto da economia, criando extremo transtorno e privação. Isso aconteceu nos Estados Unidos durante a Grande Depressão, e depois não voltou a acontecer durante 75 anos.

Mas aconteceu novamente em 2008. O governo dos Estados Unidos — dois presidentes sucessivos, o Congresso, o Federal Reserve, o Departamento do Tesouro e milhares de funcionários de várias agências — teve de enfrentar a pior crise financeira em gerações. E nós três estávamos em posições de responsabilidade — Ben S. Bernanke, como presidente do Federal Reserve; Henry M. Paulson Jr., como secretário do Tesouro do presidente George W. Bush; Timothy F. Geithner, como presidente do Federal Reserve Bank de Nova York durante os anos Bush e, depois, secretário do Tesouro durante a presidência de Barack Obama. Ajudamos a formular a reação americana e internacional a uma conflagração que sufocou o crédito mundial, devastou as finanças globais e mergulhou a economia americana na recessão mais danosa desde as filas do pão e os cortiços dos anos 1930.

Junto com nossos colegas do Fed, do Tesouro e de outras agências, lutamos contra o fogo com uma extraordinária torrente de intervenções de emergência, passando de empréstimos convencionais e depois não convencionais para resgates pelo governo de grandes empresas e suporte governamental para mercados de crédito vitais. Como o incêndio continuou se alastrando, persuadimos o Congresso a nos dar ferramentas ainda mais poderosas para combatê-lo, inclusive a autorização para injetar centenas de bilhões de dólares de capital diretamente em instituições financeiras privadas. Trabalhando em conjunto com um excelente grupo de funcionários dedicados nos Estados Unidos e em todo o mundo, conseguimos finalmente ajudar a estabilizar o sistema financeiro antes que os canais de crédito congelados e o colapso dos valores de ativos pudessem arrastar toda a economia para uma segunda Depressão. Mesmo assim, a economia sofreu uma grande desaceleração, e um estímulo monetário e fiscal sem precedentes seria necessário para ajudar a impulsionar a recuperação.

Tratou-se de um pânico financeiro clássico, que lembrou as corridas aos bancos e as crises que afligiram as finanças por centenas de anos. Sabemos, a partir dessa longa experiência, que os danos infligidos pelos pânicos financeiros nunca se limitam ao setor financeiro, embora as estratégias para detê-los exijam apoio a esse setor. Os americanos que não são banqueiros nem investidores ainda dependem do funcionamento de um sistema de crédito para comprar carros e residências, tomar empréstimos para pagar a universidade e expandir seus negócios. As crises financeiras que prejudicam o sistema de crédito podem criar recessões brutais que atingem as famílias comuns tanto quanto as elites financeiras. Hoje, grande parte do público americano se lembra das intervenções do governo como um resgate para Wall Street, mas nosso objetivo sempre foi proteger a Main Street* das consequências de um colapso financeiro. A única maneira de conter o dano econômico de um incêndio financeiro é apagá-lo, embora seja quase impossível fazer isso sem ajudar algumas das pessoas que o provocaram.

Dez anos depois, pensamos que seria útil relembrar como a crise se desenrolou e refletir sobre as lições que poderiam ajudar a reduzir os danos causados por crises futuras. Nós três já escrevemos sobre nossas experiências, mas queríamos falar sobre o que fizemos juntos e o que aprendemos juntos sobre a teoria e a prática do combate a incêndios financeiros. Temos origens e formações muito diferentes e personalidades muito distintas. Mal nos conhecíamos antes da crise. Mas encontramos maneiras de colaborar efetivamente enquanto trabalhávamos para apagar o fogo e concordamos que alguns princípios básicos poderiam ser aplicados para combater qualquer incêndio no setor financeiro. As crises financeiras se repetem, em parte, porque as lembranças se apagam. Estamos escrevendo sobre o tema outra vez para ajudar a transmitir algumas das principais lições de nossa experiência, na esperança de manter as memórias vivas e auxiliar os "bombeiros" do futuro a proteger as economias dos estragos das crises financeiras.

Por que essa crise aconteceu e por que de modo tão danoso?

Foi, novamente, um pânico financeiro clássico, uma corrida ao sistema financeiro desencadeada por uma crise de confiança nas hipotecas. Ela foi alimentada, como as crises

---

* No mercado financeiro americano, o termo "Main Street" é utilizado para referir-se aos investidores menores, pequenas e médias empresas, ao contrário de Wall Street, onde atuam os grandes bancos de investimento. [N.E.]

costumam ser, por um boom de crédito, no qual muitas famílias, bem como instituições financeiras, tornaram-se perigosamente superalavancadas, financiando-se quase que inteiramente com dívidas. O perigo aumentou porque um excesso de risco havia migrado para instituições financeiras que operavam fora das restrições e das proteções do sistema bancário tradicional, e porque grande parte da alavancagem era em forma de captações instáveis de curto prazo que poderiam desaparecer ao primeiro indício de problemas. Essas vulnerabilidades puderam florescer graças à burocracia reguladora financeira fragmentada dos Estados Unidos, uma mixórdia de agências, autoridades e regulamentações que por décadas não conseguiram acompanhar a evolução das realidades do mercado e das rápidas inovações financeiras. E uma dessas inovações — a securitização, mecanismo usado por Wall Street para fatiar e picar hipotecas para transformá-las em produtos financeiros complexos que se tornaram onipresentes nas finanças modernas — ajudou a transformar o pânico sobre os riscos embutidos nas hipotecas subjacentes em pânico sobre a estabilidade de todo o sistema.

Esses problemas não pareciam prementes durante o boom, quando o sistema financeiro aparentava ser extraordinariamente estável, a sabedoria convencional sustentava que os preços dos imóveis continuariam a subir indefinidamente, e muita gente em Wall Street, em Washington e nas universidades acreditava que crises financeiras sérias eram coisa do passado. Mas depois que a bolha imobiliária estourou, o medo das perdas criou uma debandada financeira à medida que investidores e credores reduziam freneticamente seu contato com qualquer coisa associada a títulos lastreados em hipotecas, provocando queimas de estoque (em que investidores necessitados de liquidez são forçados a vender seus ativos a qualquer preço) e chamadas adicionais de margem (em que investidores que compraram ativos a crédito são forçados a colocar mais dinheiro), que por sua vez desencadearam mais queimas de estoque e chamadas adicionais de margem. O pânico financeiro paralisou o crédito e abalou a confiança na economia em geral, e as consequentes perdas de emprego e execuções de hipotecas criaram assim pânico extra no sistema financeiro.

Uma década depois, aquele círculo vicioso de medo financeiro e dor econômica começou a se apagar da memória coletiva. Mas é difícil inflacionar quão caótico e assustador ele foi. Em um período de um mês, a partir de setembro de 2008, ocorreram a súbita estatização das gigantes de hipotecas Fannie Mae e Freddie Mac, a maior e mais surpreendente intervenção governamental nos mercados financeiros desde a Depressão; a falência do venerável banco de investimento Lehman Brothers, a maior falência da história dos Estados Unidos; o colapso da corretora Merrill Lynch nos braços do Bank of America; um resgate governamental de 85 bilhões de dólares da seguradora AIG para evitar uma falência ainda maior que a do Lehman; as duas maiores falências de bancos garantidos pelo governo federal na história americana, as do Washington Mutual e do Wachovia; a extinção do modelo de banco de investimento que se tornou sinônimo da moderna Wall Street; as primeiras garantias do governo para mais de 3 trilhões de dólares em fundos de investimentos líquidos de curto prazo; o respaldo de 1 trilhão em commercial paper;* e a aprovação do Congresso, após uma rejeição inicial que esmagaria o mercado, de um arsenal de 700 bilhões de dólares em apoio governamental para todo o sistema financeiro. Isso tudo aconteceu durante o período final de uma campanha presidencial. Vladímir Lênin supostamente disse que há certas décadas em que

---

* "Commercial paper": nota promissória de curto prazo emitida por uma empresa para captar recursos. [N. T.]

nada acontece, e certas semanas em que décadas acontecem: foi como nos sentimos durante a crise.

De início, os poderes dos gestores de crises do governo mostraram-se insuficientes para conter o pânico, em parte porque muitos dos problemas começaram fora da principal jurisdição do Fed, que abrange os bancos comerciais. Mas persuadimos finalmente o Congresso a nos dar o poder de que precisávamos para restaurar a confiança no sistema, e o estouro da boiada acabou sendo contido. Em um momento de intenso partidarismo e ceticismo generalizado em relação ao governo, a administração republicana e depois a democrata trabalharam em conjunto com servidores públicos apartidários e (às vezes) líderes legislativos de ambos os partidos para neutralizar a mais séria ameaça ao capitalismo em gerações.

Todos acreditamos no poder do livre mercado, e todos relutamos em resgatar banqueiros e investidores imprudentes de seus próprios erros. Quando possível, o governo americano impôs condições duras às empresas que recebiam ajuda; às vezes, o imperativo de persuadir instituições mais fortes, bem como as mais fracas, a participar dos esforços para fortalecer o sistema e resgatar a confiança conduzia a programas com termos menos duros. Mas sabíamos que recuar e deixar a natureza seguir seu curso não era uma escolha razoável. A mão invisível do capitalismo não pode deter um colapso financeiro em estado avançado; somente a mão visível do governo pode fazer isso. E colapsos financeiros em estado avançado criam recessões brutais que matam negócios, limitam oportunidades e frustram sonhos.

Na verdade, os choques financeiros de 2008 foram, sob muitos aspectos, maiores do que os choques anteriores à Grande Depressão, bem como o impacto econômico inicial. No fim do ano, mesmo depois de uma série de intervenções financeiras extremamente agressivas, a economia americana estava perdendo 750 mil empregos por mês e encolhendo a uma taxa anual de depressão de 8% ao ano. Mas a contração econômica popularmente conhecida como a Grande Recessão já havia terminado em junho de 2009, e a recuperação que se seguiu tem agora dez anos e continua, numa impressionante reviravolta em comparação com crises anteriores ou com outras nações desenvolvidas após essa crise. O mercado acionário, o mercado de trabalho e o mercado imobiliário americanos se recuperaram das profundezas da queda e subiram para novos patamares. Alguns especialistas previram que a estratégia que adotamos terminaria em hiperinflação, estagnação econômica e ruína fiscal, e que os esforços do governo para salvar bancos em dificuldades e, em última análise, todo o sistema financeiro custariam aos contribuintes trilhões de dólares sem resolver os problemas subjacentes. Mas conseguimos fazer a economia crescer e o setor financeiro voltar a funcionar com relativa rapidez, e os vários programas financeiros acabaram gerando um lucro considerável para o contribuinte americano. A crise foi devastadora, causando cicatrizes profundas e duradouras nas famílias, na economia em geral e no sistema político americano. Mas o dano teria sido muito pior sem os esforços de resgate conjuntos e potentes que os Estados Unidos conseguiram mobilizar.

Estamos mais seguros agora?

Os Estados Unidos e o mundo realizaram amplas reformas financeiras, que devem reduzir a probabilidade de outro desastre no futuro próximo. Em parte graças a essas reformas, as instituições financeiras têm mais capital, menos alavancagem, mais liquidez e menos dependência de captações de curto prazo. Em suma, nossos protocolos para incêndios financeiros são mais fortes hoje. Infelizmente, a prevenção nunca é infalível, assim como nenhum edifício é à prova de fogo. E especialmente nos Estados Unidos, onde as intervenções do governo provocaram uma reação pública negativa tão forte, os políticos limitaram a capacidade do "corpo de bombeiros" de reagir à próxima crise, tirando poderes importantes dos gestores de crises na esperança de evitar resgates futuros. Na realidade, é provável que essas limitações, embora bem-intencionadas, piorem a próxima crise e o dano econômico resultante seja mais grave. A crença de que a legislação que pretende proibir os socorros os impedirá em todos os cenários futuros é uma ilusão poderosa, e perigosa.

A reação negativa foi inevitável e compreensível. As ações do governo para deter o pânico e consertar o sistema financeiro quebrado, apesar de bem-sucedidas, não impediram que milhões de pessoas perdessem seus empregos ou suas casas. Essas ações beneficiaram inevitavelmente muitos indivíduos que haviam participado do sistema quebrado, e até mesmo alguns que ajudaram a incendiá-lo. Contudo, da próxima vez que houver um incêndio financeiro, o país pode lamentar não ter um corpo de bombeiros mais bem preparado, com bombeiros mais bem equipados. A crise foi tão danosa em parte porque o governo não dispunha das ferramentas necessárias para atacá-la com força esmagadora desde o início. Tememos que, se Washington não fizer mudanças significativas, os primeiros "socorristas" do futuro começarão com ferramentas em menor quantidade e até mesmo menos efetivas — e assim como fizemos, eles terão de pressionar os políticos para melhorar o corpo de bombeiros quando o fogo já estiver queimando.

Queremos que os Estados Unidos estejam prontos para o fogo da próxima vez, para tomar emprestada uma frase de James Baldwin, porque mais dia menos dia o fogo virá. É por isso que achamos tão importante tentar entender a última crise — como ela começou, como se espalhou, por que foi tão ardente, como nós e nossos colegas lutamos para combatê-la, o que funcionou e o que não funcionou. Tememos que uma nação que não entende as lições desse colapso esteja fadada a suportar algo ainda pior.

Algumas dessas lições são sobre previsão e prevenção, porque a melhor maneira de minimizar os danos de uma crise financeira é não ter uma crise financeira. A maioria das crises segue um padrão semelhante, por isso é possível tentar identificar sinais de alerta, como a alavancagem excessiva no sistema financeiro, especialmente quando é demasiado dependente de captações de curto prazo, sobretudo em pontos do sistema com protocolos para incêndios fracos e acesso limitado ao quartel dos bombeiros. Mas é também importante ter humildade quanto à capacidade dos seres humanos de antecipar pânicos, porque isso exige que eles antecipem o comportamento de outros seres humanos interagindo em sistemas complexos. Os sistemas financeiros são inerentemente frágeis e o risco financeiro tende a desviar de obstáculos regulatórios, como um rio que corre em torno das rochas. Não há maneira segura de evitar um pânico, porque não há uma maneira segura de evitar excesso de confiança ou confusão. Os seres humanos são humanos, e é por isso que achamos que faz sentido pensar nas crises como os budistas pensam na morte: com incerteza sobre o momento e as circunstâncias, mas com certeza de que mais dia menos dia acontecerá.

A crise também nos deu muita experiência na arte e na ciência de reagir a crises. Por mais difícil que seja prever crises com antecedência, também é difícil saber, no início de uma crise, se é apenas fogo de palha ou o começo de uma conflagração imensa. Em geral, é saudável permitir que empresas falimentares entrem em falência, e os formuladores de políticas não deveriam reagir de forma exagerada a todos os bolsões de ar no mercado ou reveses de um grande banco como se fossem precursores de uma catástrofe. A reação rápida demais pode incentivar os tomadores de risco a acreditar que nunca enfrentarão as consequências de suas apostas ruins, criando um "risco moral" que pode promover uma especulação ainda mais irresponsável e preparar o cenário para futuras crises. Mas depois que fica claro que a crise é realmente sistêmica, a reação tímida é muito mais perigosa do que a reação exagerada: tarde demais cria mais problemas do que cedo demais, e meias medidas podem simplesmente jogar gasolina nas chamas. A prioridade máxima numa crise épica deve ser sempre debelá-la, embora seja provável que isso venha a criar algum risco moral; as desvantagens de encorajar a tomada de risco indisciplinada no futuro, embora reais, empalidecem em comparação com as desvantagens de permitir um colapso sistêmico no presente. Quando o pânico ataca, os formuladores de políticas precisam fazer todo o possível para reprimi-lo, independentemente das ramificações políticas, de suas convicções ideológicas, do que tenham dito ou prometido no passado. As políticas de resgate financeiro são terríveis, mas as depressões econômicas são piores.

Não temos soluções fáceis para melhorar as políticas de resposta a crises, mas esperamos poder ajudar a fornecer algum contexto para as escolhas que fizemos e atualizar o manual para "socorristas" em crises futuras. Tentaremos abordar algumas das questões persistentes sobre nossas decisões, como por que o governo conseguiu resgatar a AIG e não o Lehman Brothers, e por que não tentamos desmembrar os megabancos de Wall Street depois que a crise terminou. Também discutiremos algumas outras lições da crise, entre elas, a importância de unir esforços para estabilizar o sistema financeiro com programas de estímulo que estabilizem a economia em geral e a necessidade de regulamentação governamental de instituições financeiras que não sejam bancos comerciais tradicionais, mas que possam representar riscos semelhantes ao sistema.

Falaremos sobre os desafios da tomada de decisões na neblina de uma guerra financeira e sobre como é importante ter equipes de profissionais experientes e dedicados no Tesouro, no Fed, na Federal Deposit Insurance Corporation (FDIC) e em outras agências dispostas a trabalhar de forma cooperativa, em vez de competitiva. Vamos discutir o poder e os limites das reformas posteriores à crise e como acreditamos que poderiam ser melhoradas. E mesmo que nenhum de nós seja político, temos algumas coisas a dizer sobre o processo político, que muitas vezes achamos deprimente e frustrante, mas às vezes bastante inspirador.

O exemplo de liderança no processo político vem de cima. Em um momento extraordinariamente perigoso em nossa história, os presidentes Bush e Obama tiveram a coragem política de apoiar intervenções tremendamente impopulares, mas fundamentais, no sistema financeiro. E embora tivéssemos nossa parcela de reclamações em relação ao Congresso, os líderes legislativos republicanos e democratas se uniram quando se tratou de apoiar os esforços politicamente tóxicos de estatizar Fannie Mae e Freddie Mac e depois resgatar todo o sistema financeiro, as duas últimas medidas legislativas importantes a serem aprovadas com apoio bipartidário significativo. A crise de 2008 e a dolorosa recessão que se seguiu prejudicaram a confiança nas instituições públicas, mas acreditamos que a reação dos Estados Unidos à crise demonstrou o que é possível fazer quando funcionários de todos os níveis do governo trabalham juntos sob intensa pressão pelo bem público.

Entendemos por que muitos americanos não consideram a reação do governo à crise bem-sucedida ou mesmo legítima. Ela parecia confusa e inconsistente, porque muitas vezes o era; estávamos tateando no escuro, tentando abrir caminho nas terras ignotas do mapa financeiro. De início, seguimos um manual tradicional, mas o sistema financeiro moderno é muito mais complexo do que costumava ser, por isso tivemos de fazer muita experimentação e intensificação. Lutamos para combater o fogo com ferramentas que não considerávamos suficientes para a tarefa, e depois lutamos para convencer os políticos a nos fornecer ferramentas mais poderosas. E embora não houvesse palavras mágicas que pudéssemos ter dito para persuadir o público a aprovar salvamentos bancários ou outras políticas controversas, nos esforçamos constantemente para comunicar o que estávamos fazendo e por quê.

Esperamos poder fazer um trabalho melhor agora. A história da crise é uma história dolorosa, mas, de certa forma, uma história auspiciosa. Acreditamos que também pode ser uma história útil.

I.
Lenha seca

As raízes da crise

A faísca que deflagrou o incêndio financeiro de 2008 veio de empréstimos irresponsáveis no setor de hipotecas subprime dos Estados Unidos. Mas a turbulência naquele canto caótico, embora relativamente pequeno, dos mercados de crédito não poderia ter criado um inferno global se a lenha seca não tivesse se acumulado em todo o sistema financeiro. O colapso do subprime foi a causa imediata da crise, mas havia causas subjacentes mais profundas que tornaram um sistema frágil vulnerável a desastres. Para entender as raízes da crise, é importante saber por que a faísca acendeu, mas também saber o que tornou a floresta tão inflamável. E a compreensão das raízes dessa crise é importante para entender como reduzir a probabilidade e a intensidade das crises futuras.

A história não se repete, mas, como Mark Twain supostamente disse, muitas vezes rima. Essa crise seguiu o padrão de crises épicas do passado — mania seguida de pânico seguido de crash, na formulação do historiador econômico Charles Kindleberger — com toques modernos que tornaram o pânico ainda mais difícil de antecipar e conter. Tudo começou, como em todas as grandes crises, com um frenesi de empréstimos, um boom de crédito durante um período de excesso de confiança que colapsou quando a confiança desapareceu. E o sistema financeiro refletiu o excesso de confiança do boom. As instituições financeiras assumiram uma alavancagem arriscada demais. Grande parte dessa alavancagem estava na forma de dívidas de curto prazo "resgatáveis" que podiam desaparecer sempre que os credores ficassem tensos. Grande parte do risco migrou para instituições de fora do sistema bancário tradicional, onde a supervisão e a regulamentação eram inadequadas e a rede de segurança projetada para proteger os bancos em uma emergência era inacessível. E uma ampla gama de instituições financeiras estava exposta demais a hipotecas através de canais diretos e indiretos, inclusive os onipresentes títulos lastreados em hipotecas que eram considerados seguros durante a bolha imobiliária, mas que se tornaram tóxicos quando a bolha estourou. Isso ajudou a espalhar o pânico entre os investidores, de títulos garantidos por hipotecas subprime de baixa qualidade a todos os títulos hipotecários, e depois para instituições que se acreditava estarem expostas a esses títulos e até mesmo para instituições que se acreditava estarem expostas a outras instituições expostas a esses títulos. O pânico é contagioso.

Esses problemas, vistos em retrospectiva depois de uma década, podem parecer óbvios, mas não foram amplamente compreendidos na época. Enquanto todas as crises começam com booms de crédito, nem todos os booms de crédito terminam em crises, e o sistema financeiro parecia mais estável do que nunca nos primeiros anos do século XXI: 2005 foi o primeiro ano sem uma falência bancária nos Estados Unidos desde a Grande Depressão. O boom estava mascarando alguns graves desafios econômicos de longo prazo para os Estados Unidos — aumento da desigualdade de renda, salários persistentemente estagnados, crescimento lento da produtividade, um declínio preocupante da participação no trabalho de homens em idade ativa —, mas, em geral, a economia americana parecia em boa forma. Havia também uma confiança generalizada de que, se a economia tropeçasse, o sistema financeiro seria resiliente. Afinal de contas, ele resistira razoavelmente bem a uma série de recessões modestas e a outros testes nas décadas anteriores, e os bancos pareciam ter muito capital para absorver perdas em caso de recessão. Na época, economistas sérios argumentavam que inovações financeiras, como os derivativos, graças a sua suposta capacidade de diversificar melhor os riscos, tornavam as crises uma coisa do passado.

Mas crises financeiras nunca serão uma coisa do passado. Longos períodos de estabilidade podem criar um excesso de confiança que gera instabilidade, como observou o economista Hyman Minsky. É durante esses períodos de boom, quando a liquidez parece ilimitada e os valores dos ativos parecem destinados a continuar subindo, que a tomada de risco tende a se tornar excessiva, representando perigos que podem se estender muito além dos tomadores de risco.

Antes da crise, nenhum de nós avaliou plenamente as vulnerabilidades que estavam se acumulando em nosso sistema financeiro. Mas nenhum de nós jamais acreditou que as crises financeiras estavam obsoletas, talvez porque tivéssemos passado boa parte de nossas carreiras pensando nelas — Ben na academia, Tim no governo e Hank (Henry M. Paulson Jr.) nos mercados. Como professor de economia da Universidade Princeton, Ben fora um estudioso da Grande Depressão, o principal exemplo histórico de instabilidade financeira que afunda a economia. Como funcionário de carreira no Tesouro e depois no Fundo Monetário Internacional, Tim havia visto os desafios de lidar com crises financeiras no México, na Ásia e no resto do mundo. E na qualidade de CEO do Goldman Sachs, Hank convivera com episódios como o colapso do hedge fund Long-Term Capital Management e a inadimplência russa. Todos nós aprendemos com que rapidez mercados superaquecidos podem entrar em colapso, e embora não estivéssemos tão preocupados quanto deveríamos estar, não achávamos que as inovações financeiras e a sofisticação das finanças modernas nos houvessem imunizado contra crises.

O sistema financeiro é vital para a economia. Mas o financiamento, pelo menos como está organizado nas economias modernas, é inerentemente frágil. Antes de discutirmos os fatores específicos que tornavam o sistema excepcionalmente vulnerável ao pânico há uma década, vale a pena expor de forma breve por que o sistema é, era e sempre será vulnerável ao pânico.

O jogo da confiança

A vulnerabilidade básica do sistema financeiro decorre do fato de que os bancos exercem duas funções econômicas importantes que vez ou outra entram em conflito. Eles dão às pessoas um lugar facilmente acessível para guardar seu dinheiro, que proporciona mais segurança e uma taxa de juros mais alta do que um colchão; e eles fornecem empréstimos com esse dinheiro para financiar investimentos mais arriscados em imóveis, carros e empresas que melhoram os padrões de vida e fazem as economias andarem. Em outras palavras, eles tomam emprestado a curto prazo para emprestar a longo prazo, um processo conhecido como "transformação de prazos". Trata-se de uma maneira eficiente de alocar capital para usos produtivos, dando à sociedade como um todo a capacidade de injetar recursos em investimentos duradouros e ilíquidos que criam prosperidade e progresso, ao mesmo tempo que dão aos membros da sociedade acesso ao seu dinheiro quando precisam.

Mas a transformação de prazos comporta alguns riscos. Todas as instituições que tomam emprestado a curto prazo e emprestam a longo prazo são vulneráveis a uma "corrida aos bancos", como na famosa cena da Bailey Bros. Building & Loan Association em *A felicidade não se compra*. No papel de George Bailey, James Stewart teve de explicar aos moradores de Bedford Falls que clamavam por seu dinheiro que muito pouco do dinheiro que depositantes e outros credores de curto prazo emprestam a um banco é mantido no banco. Isso pode ser um problema naquelas raras situações em que os credores perdem a confiança no banco e ao mesmo tempo exigem seu dinheiro de volta. E nessas raras ocasiões, trata-se de um problema sério, porque a maior parte do dinheiro já foi emprestada. Até mesmo um banco solvente, com ativos mais valiosos do que seus passivos, pode entrar em colapso se esses ativos forem ilíquidos demais para cobrir as demandas imediatas de dinheiro dos credores.

Os Estados Unidos, como a maioria dos países, tentaram reduzir esse risco com regulamentações que limitam os riscos que os bancos estão autorizados a assumir, juntamente com o seguro fornecido pelo governo para os depositantes, o qual reduz o incentivo à corrida ao banco caso ele pareça instável. Mas a maioria dos bancos que aceitam depósitos ainda depende de outras formas de financiamento que não contam com seguro para depósitos bancários e são sensíveis ao aperto de liquidez. E na era moderna, uma corrida a um banco não requer mais uma corrida física a um banco concreto, mas apenas um clique num mouse. Isso torna os bancos e outros intermediários financeiros particularmente sensíveis a surtos de medo. As regulamentações prudenciais podem restringir esse risco, mas não podem eliminá-lo, não enquanto os bancos estiverem no negócio de transformação de prazos e fazendo empréstimos inerentemente arriscados para indivíduos e empresas.

A questão mais geral é que as instituições financeiras, ao contrário de outras empresas cujo sucesso depende principalmente do custo e da qualidade de seus bens e serviços, dependem da confiança. É por isso que a palavra "crédito" vem do latim *creditum* (crença, confiança), que dizemos que podemos "bancar" coisas que sabemos serem verdadeiras e que algumas instituições financeiras são chamadas de "fiduciárias". Essa é a razão pela qual a arquitetura tradicional dos bancos costumava apelar para imponentes fachadas e pilares de granito a fim de projetar uma aura de estabilidade e permanência diante da fragilidade financeira. Nenhuma instituição financeira pode funcionar sem confiança, e a confiança é evanescente. Ela pode ir embora a qualquer momento, por razões racionais ou irracionais. Quando vai embora, em geral vai com rapidez e dificilmente volta.

Uma crise financeira é uma corrida bancária em grande escala, uma crise de confiança em todo o sistema. As pessoas ficam assustadas e querem seu dinheiro de volta, o que torna o dinheiro restante no sistema menos seguro, o que faz, por sua vez, com que mais pessoas desejem seu dinheiro de volta, um círculo vicioso que se retroalimenta de medo, queimas de estoque, escassez de capital, chamadas adicionais de margem e contrações de crédito que podem produzir uma corrida desenfreada para as saídas. Depois que uma debandada começa, torna-se racional correr para evitar ser atropelado, e a hesitação pode ser mortal. A percepção e a realidade são ambas importantes, porque os corredores continuarão correndo até que voltem a confiar que não apenas não têm uma razão racional para correr, mas que também os outros terão confiança para parar de correr. O medo está profundamente enraizado na psique humana, e a mentalidade de rebanho é poderosa, o que torna a corrida difícil de prever e difícil de parar. O potencial para o pânico nunca pode ser totalmente erradicado.

Em outras palavras, o mundo enfrentará a ameaça de crises financeiras enquanto a tomada de risco e a transformação de prazos continuarem no centro das finanças, e enquanto os seres humanos permanecerem humanos. Infelizmente, o desastre sempre será possível.

Então, o que fez esse desastre em particular acontecer?

A origem da faísca

Os anos anteriores à crise testemunharam uma rápida acumulação de dívidas nos Estados Unidos. Famílias comuns assumiram perigosamente um excesso de dívidas. A proporção da dívida das famílias em relação ao PIB subiu tão depressa que Tim começou a chamar o gráfico que usava para segui-la de "Monte Fuji". Bancos comerciais, bancos de investimento, companhias de seguros, bancos hipotecários, financiadoras, fundos de pensões e fundos mútuos dos Estados Unidos e de todo o mundo forneceram esses créditos; além disso, muitas vezes tomaram emprestado para fornecer esse crédito, acumulando 36 trilhões de dólares em ativos alavancados financiados com recursos frágeis. Enquanto nação, os Estados Unidos estavam vivendo além de sua capacidade — e vivendo das poupanças de outros países. Uma avalanche de dinheiro estrangeiro estava entrando no país, uma vez que investidores globais, frustrados com as baixas taxas de juros e as escassas oportunidades de investimentos domésticos, buscavam no exterior melhores e mais seguros rendimentos. Ben chamou essa demanda aparentemente insaciável por ativos que gerassem retornos decentes de um "excesso de poupança global", e isso criou uma grande quantidade de lenha seca.

A maior parte do boom de crédito ocorreu no mercado de hipotecas americano. A dívida hipotecária por família dos Estados Unidos cresceu 63% de 2001 a 2007, muito mais rápido do que a renda familiar. Parte dessa nova dívida foi benéfica, ajudando as pessoas a comprarem casas ou obterem dinheiro com a hipoteca de suas casas por bons motivos. Mas alguns dos novos empréstimos desviaram-se para território perigoso e inexplorado, onde os padrões de subscrição, sobretudo para hipotecas subprime de risco mais alto para clientes de renda mais baixa, se desgastaram drasticamente. Muitos credores aprovavam quase todas as pessoas que solicitavam financiamentos, concedendo empréstimos que cobriam quase o valor total de aquisição de uma nova casa, independentemente de seu histórico de crédito — tivessem ou não um emprego, fornecessem ou não algum documento que comprovasse suas rendas ou demonstrassem ou não qualquer esperança realista de cumprir com seus pagamentos mensais. Havia empréstimos "NINJA" para os mutuários sem comprovação de renda, emprego ou ativos; "empréstimos de mentirosos" para gente que inflava seu salário anual ou mentia sobre seus ativos; "ARMs explosivas"* com taxas-isca que disparavam após dois ou três anos — qualquer coisa para obter uma assinatura na linha pontilhada.

Normalmente, os credores têm fortes incentivos para ter cuidado com o quanto emprestam e para quem, porque precisam ser reembolsados para ganhar dinheiro. Mas nos anos que antecederam a crise, as instituições financeiras de Wall Street reagiram ao feroz apetite global por ativos seguros empacotando hipotecas em títulos lastreados em hipotecas cada vez mais elaboradas que pudessem vender a investidores que buscavam retornos mais altos. Essa demanda dos investidores deu a essas instituições de Wall Street um apetite igualmente feroz por hipotecas que poderiam servir de matéria-prima para esses papéis. E os geradores de empréstimos, que sabiam que poderiam vender suas hipotecas sem reter qualquer risco de inadimplência, tinham pouco incentivo para buscar tomadores dignos de crédito. Muitos deles até recebiam bônus determinados pelo volume de empréstimos gerados e não por sua qualidade. Esses empréstimos se tornaram alimento de uma usina lucrativa que dividia os fluxos de pagamento das hipotecas em diferentes graus de risco e depois as reembalava em títulos complexos, até que o risco era cortado em fatias tão finas que parecia desaparecer. Claro que não desaparecia. Era apenas escondido, diluído e espalhado pelo mundo.

* "ARMs": taxas hipotecárias ajustáveis. [N. T.]

O modelo hipotecário "gerar para distribuir" criou incentivos ruins para os geradores de hipotecas, e alguns analistas culparam-no por toda a crise. Conforme essa visão, o desastre poderia ter sido evitado se os credores fossem obrigados a manter uma parte maior dos empréstimos que geraram, porque não teriam sido tão imprudentes se tivessem mais do seu próprio dinheiro em jogo. Mas os inegáveis problemas desse modelo não contam toda a história, já que muitos desses financiadores e suas empresas controladoras mantiveram muitos de seus empréstimos, bem como títulos garantidos por seus empréstimos, e os aceitaram como garantia sólida em mercados de empréstimos a curto prazo. Instituições como a Countrywide Financial, o maior e mais agressivo credor hipotecário do país, tinham muito dinheiro no jogo; elas tropeçaram porque não distribuíram o *suficiente* dos empréstimos arriscados que geraram. Eram como traficantes de drogas que se drogassem com seu próprio suprimento, acreditando de fato que os preços estratosféricos do mercado imobiliário desafiariam a gravidade indefinidamente.

Em última análise, o motor básico do boom dos empréstimos hipotecários foi o otimismo excessivo em relação ao mercado imobiliário. O aumento dos preços dos imóveis promoveu condições de empréstimo fáceis, as quais, por sua vez, ajudaram a elevar os preços ainda mais. Havia uma suposição generalizada de que os tomadores de empréstimos podiam comprar mais imóveis do que poderiam pagar sem risco significativo, porque, se tivessem problemas para fazer os reembolsos, sempre poderiam refinanciar ou vender com lucro — e, durante anos, essa suposição cor-de-rosa esteve correta. Um estudo publicado em 2014 na *American Economic Review* revelou que até mesmo corretores de hipotecas e banqueiros de Wall Street investiram seu próprio dinheiro em imóveis durante todo o boom. Eles embarcaram na mania tanto quanto os compradores de seus títulos lastreados em hipotecas. Os executivos do venerável banco de investimento Lehman Brothers, com 150 anos de idade, também foram iludidos, concluindo uma compra absurdamente equivocada de 22 bilhões de dólares da imobiliária Archstone-Smith Trust depois que a quebradeira já havia começado. A mania era ampla e profunda.

De qualquer modo, a baixa qualidade de muitas das novas hipotecas teria um grande impacto na estabilidade do sistema financeiro. As perdas diretas nas hipotecas teriam sido um problema em si, embora provavelmente administrável. Mas o boom da securitização embutiu essas hipotecas em títulos que se tornaram uma forma comum de moeda e garantia em todo o sistema financeiro. Esses títulos recebiam com frequência notas de aprovação AAA das agências de classificação de crédito que dependiam dos emissores dos títulos para receber seus honorários, e os mercados muitas vezes os tratavam como se fossem quase tão seguros quanto os títulos do Tesouro. Os modelos defeituosos que justificavam essas classificações AAA dependiam, em parte, da crença de que, mesmo que os preços dos imóveis caíssem em uma região do país, eles nunca despencariam em todo o país ao mesmo tempo. Isso tinha sido verdade desde a Segunda Guerra Mundial, em parte como consequência de políticas tributárias e programas governamentais destinados a promover e expandir a propriedade imobiliária. Mas a suposição otimista de que os títulos estruturados a partir de hipotecas geograficamente diversificadas continuariam a evitar o risco de inadimplência em massa mostrou-se errada. No fim das contas, os preços dos imóveis caíram mais de 30% em todo o país, e o percentual de hipotecas subprime inadimplentes ou próximas da inadimplência subiu de 6% para mais de 30%. A carnificina foi pior nos *"sand states"** como Flórida e Nevada, onde a alta nos preços foi maior, mas foi ruim em quase toda parte.

---

* Estados com abundância de praias ou desertos. [N.T.]

Mais uma vez, o perigo sistêmico não decorria apenas do fato de que as hipotecas eram menos seguras do que pareciam. O perigo sistêmico também existia porque os títulos que elas sustentavam haviam passado a lastrear grande parte das finanças modernas, o que tornava a saúde de todo o sistema financeiro dependente da condição percebida do mercado de hipotecas de uma maneira que poucas pessoas reconheceram na época. Essa dependência teria sido perigosa, mesmo se os títulos tivessem sido simples, transparentes e negociados em bolsas públicas. Mas "obrigações de dívida colateralizada" (CDOs), "CDOs-ao quadrado" e outros novos produtos da engenharia financeira eram muitas vezes complexos, opacos e tinham embutidos uma alavancagem oculta. Esses produtos deveriam ajudar a reduzir o risco, espalhando-o e adaptando-o às necessidades do investidor, mas, na confluência de forças no fim do longo boom do crédito, eles tornaram o sistema geral mais vulnerável a uma crise de confiança e mais difícil de estabilizar após o início da crise. Depois que as hipotecas começaram a desandar e os complexos títulos construídos a partir de hipotecas começaram a parecer arriscados, parecia mais fácil e seguro vendê-los em massa do que tentar descobrir o quão arriscado era cada título. Enquanto isso, o mercado de compra e venda de derivativos — ativos financeiros cujos valores estavam amarrados de maneiras complexas aos valores de outros ativos — era uma bagunça arcaica de milhões de contratos entre milhares de contrapartes privadas, onde às vezes parecia quase impossível descobrir quem detinha o que e quem devia o que a quem. Isso significava que numa crise os investidores e credores não saberiam ao certo a qual magnitude de riscos estavam submetidos ou o que estava acontecendo com suas contrapartes. E a incerteza é como gasolina no fogo do pânico.

Ainda assim, na época, o mercado de hipotecas subprime não parecia uma ameaça que pudesse incendiar o sistema financeiro. As hipotecas subprime constituíam menos de $\frac{1}{7}$ de todas as hipotecas pendentes nos Estados Unidos. E as inadimplências e os atrasos de pagamento que desencadearam a crise estavam concentrados principalmente em hipotecas subprime com taxas de juros ajustáveis, as quais representavam menos de $\frac{1}{12}$ de todas as hipotecas. Cálculos simples sugeriam que mesmo que todos os detentores de hipotecas subprime deixassem de pagar, as perdas seriam modestas e facilmente absorvidas pelo colchão de capital da maioria dos grandes bancos e outros credores. O que tais cálculos não previram — o que quase ninguém previu — foi o modo como as hipotecas estavam prestes a se tornar um vetor de pânico em todo o sistema financeiro.

Gravetos

Em julho de 2006, quando Hank deixou o Goldman Sachs e se mudou para Washington, DC, a instituição tinha 60 bilhões de dólares em títulos desonerados do Tesouro, num "cofre virtual", para não serem usados como garantia e para não serem arriscados em negociações. O Goldman aprendera que os bons tempos nunca duram para sempre, que os pânicos podem arrastar os responsáveis junto com os imprudentes e que, numa crise, a liquidez é rainha.

Essa não era a atitude predominante em Wall Street nos primeiros anos do século XXI. As instituições financeiras estavam exagerando no risco e na alavancagem, tomando empréstimos pesados nos mercados de crédito de curto prazo — especialmente "tri-party-repo" [acordos de financiamento e recompra de títulos tripartido] e "asset-backed commercial paper" [commercial paper lastreados por ativos] — para financiar apostas em ativos relacionados a hipotecas e outras formas de crédito privado. Alguns executivos preocupavam-se com o colapso da gestão de riscos, mas esses receios podiam sair caro durante o boom. Como observou o CEO do Citigroup Chuck Prince, em 2007: "Enquanto a música estiver tocando, você precisa se levantar e dançar".

Nem todas as bolhas ameaçam a estabilidade do sistema financeiro como um todo. Quando a bolha das empresas ponto com do fim da década de 1990 estourou, os investidores em ações de empresas falidas da internet como a Pets.com perderam seu dinheiro, mas não houve muito efeito cascata, apenas uma leve recessão. Os problemas de verdade surgem quando as bolhas são financiadas com dinheiro emprestado, especialmente quando essa dívida pode ser executada. E a alavancagem pode ser atraente, porque é o máximo multiplicador de lucro. Se você gastar cem dólares para comprar um ativo sem alavancagem, e depois vendê-lo por 120, seu lucro é de 20%. Mas se você gastar apenas cinco dólares do seu próprio bolso, tomar emprestado os outros 95 para comprar o mesmo ativo e depois vendê-lo pelos mesmos 120 dólares, o milagre da alavancagem produzirá um lucro de 400%.

A desvantagem é que a alavancagem tem o mesmo efeito multiplicador nas perdas, aumentando drasticamente o "risco de aniquilação". Se você comprar o mesmo ativo de cem dólares com a mesma alavancagem, mas o valor do ativo cair para menos de 95, você perde todo o investimento. E se o seu credor exigir de repente o pagamento do empréstimo, ou forçar você a colocar uma garantia adicional, você poderá ter um problemão, sobretudo se não tiver um cofre cheio de títulos do Tesouro somente para uso em emergências. Você pode ter de vender o ativo imediatamente para evitar a inadimplência, e se outros com ativos semelhantes fizerem queimas de estoque semelhantes, o preço dos ativos cairá ainda mais, provocando mais queimas de estoque, chamadas adicionais de margem e inadimplência, e assim por diante, ladeira abaixo. Se você for uma instituição financeira, seus credores podem se desiludir com seu commercial paper, parar de renovar seus empréstimos de overnight repos ou forçá-lo a colocar mais garantias, os equivalentes modernos de corridas bancárias. Foi assim que o pânico se espalhou depois que a bolha imobiliária estourou.

Antes da crise de 2008, muitas instituições financeiras de grande porte estavam cada vez mais alavancadas, em alguns casos tomando empréstimos de mais de trinta dólares para cada dólar de capital acionário que permitiam proteção muito limitada contra perdas. Uma quantidade crescente dessa alavancagem estava alocada em dívidas de curto prazo que se assemelhavam a depósitos bancários não garantidos, o tipo de dívida executável que os credores inquietos podem cobrar no primeiro indício de perigo. E muitas dessas instituições altamente alavancadas que se financiavam com crédito overnight tornaram-se tão grandes, tão interconectadas e tão fortemente enredadas no tecido das finanças modernas que representariam um perigo para o sistema se algum dia se desmanchassem.

Isso tudo eram gravetos que deixaram o sistema financeiro inflamável. O que tornou a situação ainda mais explosiva — e muito mais difícil de prever ou evitar — foi o fato de que muitas dessas instituições não eram tecnicamente "bancos". Elas se comportavam como bancos, tomando empréstimos de curto prazo e emprestando a longo prazo, mas operavam fora do sistema bancário comercial, sem a supervisão e a rede de segurança que nosso sistema oferece para instituições com estatuto de bancos comerciais. Elas estavam sujeitas a restrições frouxas ou, às vezes, inexistentes em sua tomada de risco; não eram financiadas com depósitos segurados; e não tinham acesso permanente à janela de desconto do Fed, que disponibilizava empréstimos emergenciais para os bancos comerciais sempre que eram necessários. Antes da crise, mais da metade da alavancagem nas finanças americanas havia migrado para esses "bancos-sombra" ou instituições financeiras não bancárias (*nonbanks*) — bancos de investimento como Bear Stearns e Lehman, as gigantes hipotecárias Fannie Mae e Freddie Mac, companhias de seguros como a AIG, fundos de investimentos líquidos de curto prazo, braços financeiros de empresas como GE Capital e GMAC, e até afiliadas não bancárias de bancos comerciais tradicionais. Todas essas instituições se engajaram na frágil alquimia da transformação de prazos — mas sem a segurança dos depósitos segurados que nunca são retirados, sem restrições reguladoras efetivas sobre sua alavancagem e sem a capacidade de recorrer ao Fed se o financiamento evaporasse.

Essa falta de supervisão sobre as instituições financeiras não bancárias era particularmente perigosa, mas todo o sistema regulatório financeiro americano estava frágil e fragmentado e constituía um conjunto de burocracias sobrepostas com rivalidades tribais. Ainda que os bancos comerciais tivessem vigilância mais formal, a responsabilidade de supervisioná-los estava dividida entre o Fed, o Office of the Comptroller of the Currency (OCC), a Federal Deposit Insurance Corporation (FDIC), o Office of Thrift Supervision (OTS), agências reguladoras estrangeiras que ajudavam a supervisionar afiliadas americanas de bancos estrangeiros e várias comissões bancárias estaduais de níveis variados de vigilância e competência. Em alguns casos, os próprios bancos escolhiam seus supervisores, mudando sua forma jurídica — a Countrywide se reorganizou como instituição de poupança para desfrutar da supervisão notoriamente branda do OTS —, e com frequência tinham vários supervisores com limites de autoridade pouco claros.

Fora dos bancos comerciais, a supervisão era ainda menos rigorosa. As gigantes das hipotecas Fannie Mae e Freddie Mac, conhecidas como instituições patrocinadas pelo governo (government-sponsored entreprises, GSEs), tinham sua própria agência reguladora em Washington, em grande parte ineficaz.

A Comissão de Valores Mobiliários (Securities and Exchange Commission, SEC) supervisionava os bancos de investimento, mas não tentou lhes restringir a alavancagem ou limitar a dependência deles das captações de curto prazo. A SEC concentrava-se principalmente na proteção ao investidor, assim como a Comissão de Negociação de Futuros de Commodities (Commodity Futures Trading Commission, CFTC), cuja abrangência incluía muitos mercados de derivativos. A Comissão Federal de Comércio, o Fed e uma série de outras agências federais e estaduais tinham várias responsabilidades de proteção ao consumidor financeiro, mas essa não era a principal prioridade de ninguém.

Outra lacuna crítica era que nenhuma dessas agências era responsável por analisar o risco sistêmico ou oferecer proteção contra ele. Não havia uma única agência reguladora responsável por salvaguardar ou mesmo monitorar a segurança e a solidez do sistema como um todo, em vez da segurança e solidez de cada uma das instituições; não havia um único supervisor que tivesse visão de todo o sistema de bancos e instituições financeiras não bancárias. Ninguém estava avaliando a segurança geral de derivativos, fundos overnight ou outras ameaças potenciais à estabilidade que atravessam as fronteiras institucionais ou regulatórias. E enquanto a FDIC tinha autoridade em situações emergenciais para liquidar os bancos comerciais falidos de maneira rápida e ordenada, ninguém tinha autoridade para intervir a fim de evitar uma falência caótica de um grande *nonbank* durante uma crise.

Estávamos apreensivos com isso, e nós três criamos novos comitês de risco e forças-tarefa dentro de nossas instituições antes da crise para tentar concentrar a atenção nas ameaças sistêmicas. Tentamos opor resistência aos ventos predominantes do excesso de confiança, rejeitamos a noção de que as crises eram vestígios do passado e pedimos uma gestão de riscos mais robusta e humilde em relação aos "riscos de cauda" (probabilidade de perdas imensas). Mas não fomos suficientemente criativos ou fortes para conter esses riscos, e nenhum de nós reconheceu que eles estavam prestes a sair do controle. Toda a nossa experiência com crises não foi suficiente para anteciparmos a pior crise de nossa vida. Mais tarde, quando perguntaram a Ben o que o surpreendera mais, ele respondeu: "a crise". Apesar de toda a nossa preocupação com a incapacidade do governo de garantir a segurança e a solidez de nosso sistema complexo e confuso, não achamos que ele estava à beira do pânico. Temíamos que algo terrível pudesse acontecer, mas mesmo nos meses que antecederam a crise, não previmos como o cenário se desenrolaria. Por exemplo, nós e a maioria dos outros não esperávamos que as captações de depósitos de curto prazo sofressem um aperto de liquidez, porque grande parte dessa captação era garantida, proporcionando proteção para os investidores em caso de inadimplência. Não prevíamos que, em condições de pânico, os investidores não considerariam que mesmo colaterais de alta qualidade — que eles seriam forçados a vender rapidamente num mercado em rápida deterioração — fossem uma garantia adequada.

Essas falhas de antecipação foram, em parte, uma falha de imaginação e, em parte, uma falha de organização institucional dentro do governo. Não havia uma agência abrangente responsável por monitorar ou abordar o risco sistêmico. O sistema regulador era tão fragmentado que muito do que acontecia estava fora da vista dos supervisores, ou era considerado problema de outrem. E essa crise, em especial, foi difícil de prever porque não foi resultado de apenas um ou dois fatores evidentes, mas de várias interações complexas entre muitas tendências em evolução: a explosão da alavancagem financeira, a dependência em depósitos de curto prazo altamente expostos a uma corrida aos bancos, a migração do risco para o sistema bancário paralelo, o surgimento de instituições "grandes demais para falir" e a onipresença de derivativos obscuros lastreados por hipotecas de baixa qualidade. Cada um desses fatores desempenharia um papel independente no que se desenrolava, mas suas interações contínuas criavam um pânico particularmente perigoso.

É claro que não estávamos sozinhos em nossas falhas; a crise pegou quase todos de surpresa. Uma lição para a detecção de crise é que é incrivelmente difícil prever um colapso financeiro. Algumas pessoas podem ser prescientes quanto a algumas coisas, mas não se pode contar com a presciência como uma estratégia realista para evitar crises.

É difícil consertar alguma coisa antes que quebre

O sistema financeiro é inerentemente frágil, mas os formuladores de políticas, entre eles os legisladores, podem tornar o sistema mais ou menos frágil. Com o benefício de olhar à distância, fica claro que o governo não conseguiu conter os excessos que ajudariam a desencadear a crise.

Agora é evidente, por exemplo, que o governo permitiu que as grandes instituições financeiras assumissem uma alavancagem arriscada demais, sem insistir que elas retivessem capital suficiente, o outro lado da alavancagem; quanto mais uma instituição depende de empréstimos, menores são seus níveis de capital e maior a exposição a choques. O capital é o colchão que pode ajudar uma instituição a suportar perdas, manter a confiança e permanecer solvente durante uma crise — e, em retrospecto, as instituições financeiras americanas precisavam de muito mais. Mas isso é em retrospecto. Na época, os bancos estavam excedendo facilmente as condições de capital exigidas por lei, e as agências reguladoras não achavam que poderiam demandar que eles aumentassem mais. O Fed de Nova

York pediu aos bancos sob sua supervisão que realizassem testes de estresse, fazendo modelos do impacto potencial de recessões e outros tipos de choques, mas as coisas caminhavam bem havia tanto tempo que eles não conseguiram nem mesmo imaginar resultados sombrios. Nenhum banco criou uma hipótese que abalasse significativamente sua reserva de capital. Este é o lado negativo de um longo período de calma: pode levar à complacência.

Mais tarde, ficaria claro que o regime de capital para os bancos, voltado para o passado e projetado para proteger contra os tipos de perdas criadas por recessões recentes relativamente moderadas, não era conservador o suficiente. As agências reguladoras permitiram que os bancos incluíssem capital de baixa qualidade em excesso, em seus índices regulatórios, em vez de insistirem em capital social que absorve perdas. E os supervisores falharam ao não reconhecer a quantidade de alavancagem que os bancos haviam escondido em complexos derivativos e estruturas fora do balanço, o que os fazia parecer mais capitalizados do que de fato estavam. Em geral, isso não foi consequência de fraude intencional dos bancos; com frequência, os próprios bancos não conseguiam avaliar o alcance total de sua exposição a riscos. E a maioria dos banqueiros estava tão excessivamente confiante quanto seus clientes em relação aos riscos no mercado imobiliário.

Mas o regime de capital existente para os bancos comerciais, embora fosse fraco demais, era forte o suficiente para gerar trilhões de dólares em alavancagem para as instituições financeiras não bancárias que não estavam submetidas a ele. O escrutínio mais rigoroso dos níveis de capitalização dos bancos — ou mesmo dos níveis de sua liquidez, ou da dependência dos bancos nas captações de curto prazo — poderia ter aumentado ainda mais a alavancagem do sistema bancário paralelo subcapitalizado, fora da jurisdição das agências reguladoras e do alcance da rede de segurança do Fed. O risco, como o amor, sempre acaba dando um jeito. Esse é o paradoxo, e o perigo inerente, de um sistema regulatório fragmentado que estabelece padrões diferentes para instituições que se denominam bancos e para instituições que são descritas por outro nome. As instituições mais vulneráveis nessa crise não eram tecnicamente "bancos", embora compartilhassem muitos aspectos do modelo de negócios dos bancos. E o problema mais prejudicial das regras de adequação de capital dos Estados Unidos não era que fossem fracas demais, mas que fossem aplicadas de forma demasiado restrita. As instituições com os investimentos mais imprudentes relacionados a hipotecas e as bases de captações menos estáveis também tinham menores reservas de capital, mas estavam operando em grande parte fora do alcance do sistema regulatório.

Idealmente, deveria haver um sistema regulatório mais forte e mais abrangente, bem como reguladores mais rígidos e proativos, porém durante o boom não havia muito apetite político para promover qualquer regulamentação financeira mais forte. O relatório anual da FDIC para 2003 ostentava uma foto de agentes reguladores federais e lobistas de bancos levando motosserras e tesouras de poda para a burocracia, refletindo assim as atitudes desdenhosas da época a respeito dos burocratas que se intrometiam nos mercados. E se o clima predominante era inóspito para a aplicação mais rigorosa das regulamentações bancárias existentes, ele era francamente hostil a reformas que modernizassem esses regulamentos ou os estendessem às instituições financeiras não bancárias. O setor financeiro, com lucros abundantes, defendia suas prerrogativas investindo mais dinheiro do que nunca em lobbies em Washington e em contribuições de campanha. O Congresso aprovara uma importante desregulamentação financeira com a Lei Gramm-Leach-Bliley de 1999, e a principal questão antes da crise era se haveria mais desregulamentação, e não a volta da regulamentação.

Nós três aprendemos, assim como alguns de nossos predecessores, que a reforma é extremamente difícil de ser alcançada sem uma crise para justificá-la, lição exemplar dada por Fannie Mae e Freddie Mac. Essas duas instituições possuíam ou garantiam metade das hipotecas residenciais nos Estados Unidos. Cada um de nós manifestou preocupação, antes da crise, porque elas estavam seriamente subcapitalizadas e submetidas a pouca regulamentação. Os participantes do mercado calculavam que o governo que as licenciara as resgataria caso ficassem em apuros, por isso as instituições se sentiam seguras acumulando alavancagem — um exemplo concreto de risco moral. Ben trabalhou em reformas para fortalecer a supervisão delas e controlar a tomada de risco durante seu mandato de presidente do Conselho de Assessores Econômicos da Casa Branca de Bush em 2005, mas Fannie e Freddie tinham amigos poderosos no Capitólio, e as reformas não deram em nada. Hank reviveu o sonho da reforma quando chegou a Washington em 2006 e acabou elaborando um acordo bipartidário com o democrata Barney Frank que limitaria as especulações de Fannie e Freddie ao mesmo tempo que criaria uma agência reguladora mais poderosa e padrões regulatórios mais rígidos. O projeto foi aprovado na Câmara, mas ficou parado no Senado. A reforma teria de esperar até que as instituições estivessem à beira do colapso.

O boom era um momento desalentador para tentar melhorar a estabilidade do sistema financeiro, em parte porque o sistema parecia bem saudável. Hank comandou uma iniciativa do Tesouro para criar um plano de reorganização do sistema regulatório — plano esse que proporcionaria um esquema para a reforma após crise, mas quando ele apareceu, foi amplamente ignorado. Ben montou uma unidade de estabilidade financeira no Fed, em Washington, e implantou uma orientação de supervisão mais rígida para limitar a exposição dos bancos a imóveis comerciais e outros riscos. E Tim lançou uma série de iniciativas com outros órgãos reguladores dos Estados Unidos e do exterior, destinadas a melhorar a gestão de riscos e concentrar mais a atenção no risco de uma crise. Em 2005, o Fed liderou uma iniciativa com outros reguladores para forçar os principais negociadores de derivativos de Wall Street a atualizarem sua antiquada infraestrutura de retaguarda, modernizando um sistema em que os pedidos de derivativos eram rotineiramente enviados por fax para aparelhos aos quais ninguém mais prestava atenção e os negócios muitas vezes não eram confirmados por meses. Essas mudanças mitigaram uma fonte potencial de confusão e pânico, mas não reduziram a alavancagem geral do sistema. As instituições relutavam em reduzir sua exposição a derivativos de risco porque não queriam perder participação no mercado; as recomendações de cautela não chegavam a fazer frente ao humor prevalecente de otimismo. E o Velho Oeste com encanamento melhor ainda era o Velho Oeste.

Nossos modestos esforços para introduzir responsabilidade ao sistema equivaliam a tentar fechar a porta do estábulo muito depois de o cavalo ter escapado. Por exemplo: o Fed finalmente agiu para reprimir empréstimos sem documentação e outros horríveis abusos de hipotecas depois que Ben assumiu sua presidência, mas a crise já havia começado quando os novos regulamentos entraram no processo de elaboração de regras. Os órgãos reguladores federais também tinham menos alcance do que gostariam para conter os empréstimos irresponsáveis; em 2005, bancos e instituições de poupança sob supervisão federal originaram apenas 20% de todas as hipotecas subprime. E depois que os empréstimos duvidosos eram feitos e securitizados, não havia como os reguladores os desfazerem ou dessecuritizá-los, ou evitar que o medo em relação a eles se espalhasse por todo o sistema financeiro.

Deveríamos ter pressionado antes e com mais força em defesa da reforma, mas medidas enérgicas em relação aos empréstimos hipotecários teriam exigido uma derrota da tradição política americana, para não mencionar a influência do setor imobiliário americano. Havia um velho consenso bipartidário de que a casa própria era essencial para o sonho americano, e o boom hipotecário foi amplamente saudado por estender esse sonho a mais americanos do que nunca, empurrando as taxas de propriedade imobiliária do país para um recorde de 69% no auge do boom americano. Os empréstimos subprime foram elogiados por democratizar o crédito, beneficiando, sobretudo, as famílias de baixa renda e as minorias que haviam ficado de fora do sonho. Houve pouco apoio em Washington para reprimir a aprovação letárgica de crédito que estava transformando locatários em proprietários, embora alguns desses novos compradores estivessem sendo explorados.

Em geral, o regime regulatório que evoluíra junto com o sistema financeiro nas décadas posteriores à Depressão poderia ter evitado as explosões simultâneas de alavancagem financeira, captações de curto prazo, serviços bancários paralelos e até mesmo os derivativos opacos lastreados em hipotecas que provocaram pânico em todo o sistema. Mas o regime regulatório americano existente não foi capaz de desarmar aquelas bombas, e a política do boom não era conducente à reforma do sistema. Não havia clima para esforços legislativos ou reguladores que reduzissem o risco de uma crise que ainda parecia remota. E mesmo que os formuladores de políticas tivessem sido clarividentes a respeito desse risco, é difícil ver como adultos com consentimento, flagrados em uma mania, poderiam ter sido persuadidos a mudar seus comportamentos arriscados, porém legais.

Ninguém notou a faísca

De qualquer forma, não éramos clarividentes.

Na primavera de 2007, estava claro que o boom imobiliário havia acabado e que o mercado de hipotecas subprime estava em declínio. Mas o mercado de trabalho ainda estava forte e os níveis de capitalização dos bancos ainda pareciam fortes. Não acreditamos que o estouro da bolha teria um grande impacto financeiro ou econômico além do mercado imobiliário. "O impacto na economia e nos mercados financeiros dos problemas do mercado subprime provavelmente ficará contido", declarou Ben ao Congresso em março de 2007. Hank também descreveu os problemas do subprime como "amplamente contidos" naquela primavera. A economia parecia saudável e o crescimento permaneceu satisfatório durante a maior parte do ano.

Em março de 2007, Tim fez um discurso em Charlotte alertando sobre "o que poderíamos chamar de cauda adversa, ou o extremo negativo". Ele sugeriu que um colapso nos mercados subprime poderia produzir "dinâmica de feedback positivo", um círculo vicioso em que temores de inadimplência e incerteza sobre as exposições poderiam levar a queimas de estoque, o que poderia levar a chamadas adicionais de margem, uma vez que as garantias lastreadas em hipotecas pareciam mais fracas e as contrapartes, menos dignas de crédito, o que poderia levar a mais queimas de estoque. Foi exatamente isso que acabou acontecendo. Mas Tim concluía que não era uma hipótese muito provável: "No momento, porém, há poucos sinais de que as perturbações neste único setor dos mercados de crédito terão um impacto duradouro sobre os mercados de crédito como um todo".

No verão de 2007, no entanto, esse círculo vicioso começava a dar as caras. A credora hipotecária subprime Countrywide Financial começou a ficar sem dinheiro e sua maior rival faliu. Dois hedge funds financiados pelo Bear Stearns — entre eles o Enhanced Leverage Fund [Fundo de Alavancagem Aumentada], assim batizado na época em que o aumento da alavancagem era algo para se gabar — entraram em colapso depois que suas carteiras de hipotecas faliram.

Em face do que sabíamos na época, parecia razoável nossa suposição de que a carnificina no subprime traria alguma disciplina saudável a uma fatia caótica dos mercados de crédito sem danos muito maiores. Mas tratava-se de uma suposição razoável demais. Nossas análises sobre o tamanho modesto e o alcance do subprime deixaram de fora a variável inquantificável do medo. Não previmos que a complexidade e a opacidade dos títulos lastreados em hipotecas levariam credores e investidores a fugir de qualquer coisa e de qualquer pessoa associada a hipotecas, e não apenas hipotecas subprime. Não antecipamos que as más notícias sobre um segmento do mercado imobiliário poderiam criar o que o economista Gary Gorton apelidou de efeito *E. coli*, em que rumores sobre alguns incidentes de hambúrguer contaminado levam os consumidores a fugir de qualquer carne, em vez de tentar descobrir qual carne, em que lojas e em que partes do país está realmente contaminada.

O subprime era um problema, mas se não tivesse deflagrado um pânico financeiro, teria sido um problema apenas para tomadores subprime e credores subprime. Mais da metade das perdas habitacionais nos Estados Unidos aconteceria *depois* das falências e quase falências de setembro de 2008. Sem o pânico, os problemas relativamente isolados do subprime teriam sido contidos. O medo transformou aquelas faíscas isoladas num inferno.

Mas as raízes psicológicas do inferno não o tornaram menos perigoso. A prevenção de incêndio havia falhado. Agora o destino do sistema dependeria do combate ao fogo.

2.

As primeiras chamas

Agosto de 2007 a março de 2008

Em 9 de agosto de 2007, o BNP Paribas, o maior banco da França, anunciou o congelamento dos saques de três fundos que detinham títulos garantidos por hipotecas subprime americanas, culpando a "evaporação completa da liquidez" nos mercados desses títulos. Sabíamos o suficiente sobre crises para saber que isso parecia uma crise, embora não tivéssemos ideia de que se transformaria na pior crise em gerações.

O que tornou a notícia tão desconcertante não foi apenas que os títulos lastreados em hipotecas subprime estavam perdendo valor, mas o BNP Paribas ter afirmado que não tinha ideia de como atribuir a eles qualquer valor, porque ninguém os estava comprando, "independentemente de sua qualidade". Esse tipo de medo e de incerteza incipientes é o material de que os pânicos são feitos. Os bancos estavam acumulando dinheiro, as taxas que cobravam uns dos outros para emprestar estavam aumentando e investidores nervosos começaram a tirar dinheiro de outros fundos para garantir que esse dinheiro não fosse também congelado.

Na fase inicial de qualquer crise, os formuladores de políticas precisam calibrar o vigor com que devem reagir a uma situação que ainda não entendem por completo. Os governos que costumam passar ao resgate no primeiro sinal de problemas podem criar um verdadeiro risco moral ao encorajar a especulação irresponsável, apoiar "bancos zumbis" não viáveis e predispor o sistema financeiro a cair de um penhasco mais alto no futuro. Mas a falta de reação pode ser ainda mais onerosa e mais prejudicial do que o exagero. A pesquisa acadêmica de Ben mostrou que a inércia dos tímidos banqueiros centrais foi que tornou grande a Grande Depressão. Tim havia visto, enquanto lutava contra as crises financeiras na América Latina e na Ásia, que o atraso do governo e as meias medidas podem acelerar os pânicos. Infelizmente, as crises não se anunciam como queimadas idiossincráticas que se extinguirão ou pesadelos sistêmicos com o potencial de incendiar o núcleo do sistema financeiro. Os formuladores de políticas precisam descobrir o que têm pela frente à medida que avançam.

Os estágios iniciais de uma crise financeira não são fáceis de recordar. Hoje, os americanos se lembram das intervenções do governo para resgatar o Bear Stearns, Fannie Mae e Freddie Mac, a AIG e todo o sistema financeiro, mas na primeira fase do combate a incêndios dissemos não em voz baixa às instituições que pediam ajuda. De início, o Federal Reserve respondeu com empréstimos tradicionais e depois menos tradicionais de banco central para tentar restaurar a liquidez do sistema. As escaladas mais dramáticas viriam mais tarde, depois que o fogo começou a se alastrar. A estabilidade do sistema financeiro começou a se erodir muito antes que a maioria das famílias pudesse sentir o impacto da Grande Recessão, e até mesmo nossas modestas intervenções iniciais foram criticadas como reações exageradas e equivocadas que iriam salvar os imprudentes e elevar o risco moral.

Nós três trabalhamos como equipe durante a crise, conversando uns com os outros todos os dias, geralmente várias vezes. Como o problema inicial era a falta de liquidez, e tendo em vista que, na época, o Tesouro tinha autoridade financeira muito limitada, quase toda a ação inicial tinha de vir do Fed.

O manual de estratégias de Bagehot

Em tempos normais, o papel principal de um banco central é reduzir ou aumentar as taxas de juros, dando à economia um impulso para promover o crescimento ou acionando os freios para evitar a inflação. Mas quando a confiança se desgasta e os mercados de crédito congelam, os bancos centrais também podem ser o "credor de última instância", fornecendo liquidez às instituições solventes quando os credores privados não o fizerem. A função de credor de última instância do Federal Reserve, conhecida como "janela de desconto", oferece liquidez de emergência a qualquer banco comercial que enfrente uma crise de liquidez. O acesso à janela de desconto destina-se a permitir que os bancos atendam aos saques por parte de credores privados sem precisar se desfazer de seus ativos numa queima de estoque desestabilizadora. Juntamente com o seguro de depósito, bem como as ferramentas da FDIC para administrar de forma ordenada a falência de uma instituição de depósitos insolvente, o governo federal tinha proteções razoavelmente fortes para o sistema bancário tradicional.

Infelizmente, esse sistema não dominava mais as finanças americanas e não era o epicentro de seus problemas. Mas nos primeiros momentos da crise, a janela de desconto era o lugar natural para começar.

Em 1873, o jornalista britânico Walter Bagehot escreveu *Lombard Street*, a bíblia dos bancos centrais, que ainda constitui uma parte basilar do manual de respostas às crises. Bagehot reconhecia que a única maneira de impedir uma corrida aos bancos é mostrar ao mundo que não há necessidade de correr e tornar o crédito facilmente disponível para as instituições solventes, até que o pânico desapareça: "Empreste sem restrições, ousadamente, para que o público sinta que você pretende continuar emprestando". Os empréstimos devem ser caros o suficiente para que permaneçam atraentes apenas enquanto durar a crise — Bagehot aconselhava "uma taxa de penalização" — e devem ter garantias sólidas para proteger o banco central em caso de inadimplência. Mas o objetivo deve ser o de disponibilizar dinheiro público quando o dinheiro privado não estiver disponível, a fim de combater o pânico e estabilizar o crédito. A pesquisa de Ben mostrara que canais de crédito entupidos podem devastar uma economia, e que a relutância do Fed em fornecer liquidez nos anos 1930 ajudou a criar a Grande Depressão.

A notícia sobre o BNP Paribas criou uma crise clássica de liquidez: o dinheiro fugiu para ativos mais seguros à medida que credores inquietos se tornaram mais exigentes quanto à garantia e encurtaram os prazos dos empréstimos. O Banco Central Europeu (BCE) injetou rapidamente 130 bilhões de dólares em mercados de crédito congelados ao comprar títulos no mercado aberto. O Fed entrou com mais 62 bilhões ao comprar títulos do Tesouro e emitiu uma declaração encorajando os bancos a tomar emprestado da janela de desconto. Mas até mesmo essas etapas iniciais do manual foram criticadas como excessivas e prematuras. O presidente do Banco da Inglaterra Mervyn King criticou o BCE e o Fed por reagirem de forma exagerada aos sinais passageiros dos mercados. Um mês depois, o Banco da Inglaterra forneceria liquidez semelhante após a primeira corrida aos bancos do país em 150 anos. Dentro do Fed, vários membros do Comitê Federal do Mercado Aberto (Federal Open Market Committee, FOMC) queriam anexar condições severas para empréstimos da janela de desconto a fim de evitar risco moral. Mas Ben e Tim não queriam aumentar o estigma que os bancos já associavam aos empréstimos do Fed. Não queríamos que os bancos ficassem longe da janela de desconto; queríamos que eles pegassem o dinheiro do Fed e o emprestassem.

A infusão geral de liquidez ajudou a acalmar um pouco os mercados, mas, mesmo sem condições onerosas, a mensagem convidativa do Fed não atraiu os bancos para a janela de desconto. Os empréstimos são supostamente confidenciais, mas os bancos temiam parecer fracos e desesperados se os mercados soubessem que haviam pagado uma taxa de penalização. Essa é a essência do problema do "estigma", que faz com que as instituições relutem em receber ajuda do governo, mesmo quando essa ajuda é essencial para a estabilidade do sistema mais amplo. O Fed tentou tornar os empréstimos da janela de desconto mais atrativos, reduzindo a taxa de penalização e estendendo o período de tempo pelo qual os bancos poderiam tomar empréstimos. O Fed nunca havia perdido um dólar em um empréstimo da janela de desconto, então isso parecia uma escalada extremamente modesta. Mas muitos "falcões da inflação"* e outros céticos dentro e fora do Fed pensavam que o banco central deveria deixar que o mercado se ajustasse por conta própria, em vez de interferir num processo de desalavancagem que consideravam saudável e necessário. "Percebo que a ânsia de agir — de fazer algo ou, pelo menos, de ser visto fazendo alguma coisa — pode ser irresistível", disse Jeffrey Lacker, presidente do Fed de Richmond. "Mas acho que precisamos evitar a ânsia de assumir o papel de Senhor Faz-Tudo."

Mas o Fed existe para agir quando os mercados de crédito congelam. As economias definham quando as pessoas não conseguem empréstimos para comprar a casa própria, automóveis, fazer empréstimos estudantis ou comerciais. Os falcões acreditavam que a inflação era um perigo mais sério e continuaram acreditando nisso, mesmo quando a crise piorou. Do ponto de vista de Ben, no entanto, a obsessão do Fed pela inflação e pelo

---

* "*Inflation hawks*", em inglês, são aqueles que defendem a inflação baixa como prioridade da política econômica. [N.E.]

risco moral durante uma crise de crédito já havia criado uma depressão. Ele não pretendia deixá-la criar outra.

Esses debates eram um indicador inicial da política confusa das crises financeiras. O presidente francês, Nicolas Sarkozy, aconselhou Hank a encontrar um bode expiatório conveniente para desviar a inevitável reação violenta do público e sugeriu pôr a culpa nas agências de classificação de risco que haviam atribuído a classificação AAA a títulos de baixa qualidade. "Você precisa de uma história simples, e eu sei que você não vai querer culpar os banqueiros", Sarkozy brincou com ele. Mas nós não achávamos que nosso trabalho era atribuir culpa pela crise. Nós só queríamos resolvê-la.

A receita de Bagehot era a resposta necessária para uma crise de liquidez. Esperávamos que isso ajudasse a acalmar os temores do mercado e a estabilizar a situação, sem sustentar artificialmente o boom financeiro. Não pretendíamos fornecer ao sistema financeiro mais apoio governamental do que o necessário para proteger a economia em geral.

O capitalismo depende da destruição criativa. Alguém constrói uma ratoeira melhor, então os fabricantes de ratoeiras devem se adaptar ou morrer. As montadoras de automóveis eliminam os fabricantes de carroças, depois o mercado determina quais montadoras sobrevivem. Os mesmos princípios se aplicam normalmente a instituições financeiras. Os fortes, ágeis e confiáveis prosperam, enquanto os imprudentes e mal administrados são devorados. A falência costuma ser um fenômeno saudável, pois instila disciplina nos sobreviventes. No início de uma crise, cabe esperar que as instituições privadas encarem as consequências de seus erros, ainda que elas com frequência clamem por ajuda, e muito embora os formuladores de políticas sejam pressionados a tomar medidas para provar que eles "entendem da coisa". Nem todas as bolhas e tampouco todas as quebras terminam em catástrofe. É bom deixar um incêndio financeiro queimar por um tempo, desde que seja possível conter o dano; isso pode limpar a vegetação rasteira e melhorar a resiliência da floresta. Algumas perdas financeiras são inevitáveis após uma bolha de ativos, e é contraproducente tentar evitar toda a desalavancagem ou sustentar o insustentável.

Mas pânicos financeiros severos não costumam se autocorrigir, e incêndios podem sair de controle quando o medo e a incerteza ganham muito ímpeto. Quando os formuladores de políticas são lentos demais para agir — porque não acham que os perigos são tão grandes, porque estão preocupados demais em evitar o risco moral, ou porque estão excessivamente concentrados nas consequências políticas —, o pânico pode consumir os prudentes e fortes, além dos inocentes e fracos, os espectadores inocentes, além dos especuladores superalavancados. E o pânico é contagioso. Assim como os problemas da dívida do México na década de 1990 alimentaram temores sobre títulos emitidos por outras economias emergentes da América Latina — o assim chamado "efeito tequila" —, a inadimplência no subprime em 2007 levantou suspeitas sobre as hipotecas Alt-A um pouco mais seguras e até sobre hipotecas de primeira linha, feitas para os mais fortes mutuários. Há uma linha difusa e difícil de discernir entre um ajuste saudável que inflige dor aos irresponsáveis e um pânico que impõe danos indiscriminados a todo o sistema. As crises sistêmicas não são o momento para o absolutismo do livre mercado ou o purismo do risco moral, devido aos sérios riscos que representam para empréstimos, empregos e rendas, e porque as crises sistêmicas raramente terminam sem que o governo substitua o crédito soberano pelo crédito privado, colocando algum dinheiro público em risco e, em consequência, criando algum risco moral. Isso é complicado, é desagradável, mas é preferível a uma implosão financeira que leve a economia em geral ao penhasco.

Sempre haverá pressão dos investidores para que os bancos centrais façam mais para impulsionar os mercados, e sempre haverá pressão política sobre os bancos centrais para que façam menos, a fim de dar uma lição aos especuladores. Ben não queria criar um "Bernanke Put"* enviando uma mensagem de apoio ilimitado do banco central para mercados conturbados, mas definitivamente não queria que perturbações financeiras sufocassem o crédito e reprisassem a década de 1930. O desafio era descobrir de quanto apoio o sistema financeiro de fato precisava, não quanto ele queria.

Os formuladores de políticas não podem confiar em tudo que ouvem dos atores do mercado. Mesmo os mais confiáveis tendem a "vender seu peixe", conscientemente ou não. Mas nossos terminais da Bloomberg não tinham todas as informações necessárias para entender os riscos crescentes no mercado. Estávamos constantemente ao telefone com nossos colegas de outras agências e outros países. E conversávamos sempre com os executivos que administram instituições financeiras, grandes e pequenas, em Nova York e em todo o país. Às vezes nos davam informações sobre o que seus clientes e banqueiros estavam pensando. Às vezes, bastava ouvir sua voz e calcular o medo que havia nela. Às vezes manifestavam confiança, às vezes pediam ajuda. Muitas vezes, não sabiam muita coisa sobre os riscos futuros. Tínhamos de analisar toda a confusão, separar o que era interesse próprio e decidir o que era de interesse público.

---

* Pacote de socorro que levaria o nome de um dos autores, Ben Bernanke, presidente do banco central americano à época. [N. E.]

A primeira empresa a pedir ajuda direta do Fed foi a Country-wide Financial, uma garota-propaganda de 200 bilhões de dólares representando os excessos que alimentaram o boom imobiliário. Ela gerara uma em cada cinco hipotecas americanas em 2006, mas, no início da crise, o custo de garantir sua dívida contra a inadimplência aumentara 800% em um mês. O CEO Angelo Mozilo insistia que sua empresa estava bem, acusando analistas que alertaram sobre sua reduzida liquidez de gritar "fogo" num teatro lotado. Mas, como escreveu Bagehot, bravatas raramente restauram a confiança: "Todo banqueiro sabe que, se tiver de *provar* que é digno de crédito, por melhores que sejam seus argumentos, na verdade, seu crédito acabou".

A Countrywide era um caso exemplar de quase todas as vulnerabilidades do sistema: confiança excessiva em hipotecas de baixa qualidade, arbitragem regulatória e, especialmente, captações de curto prazo sensíveis ao aperto de liquidez. Primeiro, alguns de seus credores pararam de "rolar" seu commercial paper, forçando-a a vender ativos para reembolsá-los. Então, na noite de 15 de agosto, parecia que o Bank of New York Mellon (BoNY), o banco de compensação da Country-wide, se recusaria a liquidar as operações de repos da Country-wide no valor de 45 bilhões de dólares — isto é, assumir temporariamente a responsabilidade pelas obrigações por vencer da Countrywide enquanto se providenciava novos credores —, o que teria sinalizado sua relutância em garantir a estabilidade da Countrywide. (Repos são uma forma de dívida de curto prazo amplamente utilizada por instituições financeiras. Não são garantidos pelo governo, mas os devedores colocam alguns de seus ativos financeiros como garantia.) Esse voto de não confiança teria provocado uma queima de estoque muito maior dos títulos que a Countrywide estava usando como garantia e, provavelmente, uma corrida à Countrywide.

O BONY disse que só faria a liquidação se o Fed o indenizasse por quaisquer perdas intraday que sofresse de sua exposição à Countrywide. Mas isso exigiria essencialmente que o Fed garantisse todo o mercado de repos, uma vez que instituições em dilemas semelhantes esperariam tratamento similar. Enquanto isso, Mozilo queria que o Fed deixasse que as instituições afiliadas não financeiras famintas por dinheiro da Countrywide tomassem emprestado da janela de desconto. Mas isso exigiria a invocação da Seção 13(3) da Lei do Federal Reserve, que autoriza ações de emergência em "circunstâncias incomuns e exigentes". Ela não era invocada desde a Depressão, e a Countrywide ainda tinha acesso a uma linha de crédito de 11,5 bilhões de dólares.

Ben e Tim decidiram não intervir. Foi no início do processo de triagem, e nós não queríamos enviar uma mensagem de que o governo iria apoiar qualquer grande empresa em apuros. E o Fed era um credor de *última* instância; nós não poderíamos justificar a ajuda a uma empresa que ainda podia ajudar-se a si mesma. A Countrywide finalmente concordou tarde da noite em sacar sua linha de crédito e atualizar suas garantias, de modo que o BONY aceitou efetuar a liquidação. Não demorou para que o Bank of America comprasse a Countrywide e transferisse os problemas dela para seu próprio balanço.

Contudo, o drama da Countrywide prefigurou os problemas que se desenhavam fora dos bancos tradicionais e de nossa capacidade limitada de resolvê-los. Foi também uma ilustração preocupante do perigo das captações de varejo de curto prazo. Em uma semana turbulenta, os spreads entre os rendimentos dos títulos do Tesouro e de commercial paper garantido por ativos aumentaram oito vezes, de 35 pontos-base para 280 (ou de 0,35 pontos percentuais para 2,80). Tínhamos acabado de ver como o mercado de commercial paper de 1,2 trilhão de dólares e o mercado de repos de 2,3 trilhões poderiam ser vulneráveis a corridas.

Além de Bagehot

A abordagem "venha e pegue" do Fed acabou não atraindo muitos bancos para a janela de desconto no início daquele outono — em parte porque persistia o estigma de tomar empréstimos do Fed, em parte porque a turbulência acalmou. O mercado acionário atingiu uma alta recorde, as taxas de empréstimos interbancários se estabilizaram e o Lehman concluiu sua aquisição equivocada da empresa imobiliária Archstone--Smith. Até então, a crise se desenrolara como uma reprise de 1998, quando a falência do gigantesco hedge fund Long-Term Capital Management produziu uma ansiedade generalizada, mas, após uma modesta intervenção do Fed, não causou nenhum dano generalizado.

Mas essa calma não perdurou. Primeiro, o Merrill Lynch anunciou a maior baixa contábil de ativos problemáticos da história de Wall Street e demitiu seu CEO. Então o Citigroup quebrou o recorde do Merrill e demitiu seu CEO, aquele que dissera que os bancos precisavam continuar dançando enquanto a música tocasse. O tamanho das perdas foi assustador, mas, psicologicamente, a sensação de que os gigantes financeiros não tinham ideia das surpresas desagradáveis que estavam escondidas em seus próprios balanços foi ainda mais assustadora. A baixa contábil do Merrill foi duas vezes maior do que o previsto três semanas antes. A do Citi foi sete vezes maior do que o previsto em sua última teleconferência sobre lucros. Ambas as instituições revelaram novas e enormes exposições ao subprime que evidentemente não haviam notado antes. Elas pareciam indiferentes e davam a impressão de que as perdas estavam explodindo por todos os lados.

As fontes das perdas também eram inquietantes. As do Merrill vinham sobretudo de "super-senior CDOs", uma das formas supostamente mais seguras de títulos hipotecários. Mas ainda eram títulos hipotecários, de modo que os investidores e os credores que os haviam comprado ou aceitado como garantia sem muita análise começaram a vendê-los e a rejeitá-los como garantia também com pouca análise. A repentina toxicidade dos super-seniors era um sinal de que a mania estava se transformando em pânico, de que os mercados estavam simplesmente assustados com a palavra "hipoteca". O Citi enfrentou problemas semelhantes com o 1,2 trilhão de dólares de "veículos de investimento estruturados" (SIVs) e outros ativos que havia estocado fora de seu balanço. Os SIVs, que possuíam fontes de financiamento separadas dos bancos patrocinadores, tinham sido considerados seguros durante o boom. Mas agora que alguns deles com exposição ao subprime haviam falido, investidores abalados estavam fugindo de todos os SIVs, forçando instituições como o Citi a trazer seus ativos problemáticos de volta ao balanço para evitar um impacto na reputação.

Hank tentou amenizar o problema arranjando um "Super SIV", um fundo de investimento privado que compraria ativos do SIV para evitar queimas de estoque desestabilizadoras. Mas os grandes bancos tinham problemas próprios demais para financiá-los, e sem o apoio do governo, a iniciativa fracassou. O Fed também forçou o Citi a começar a economizar capital ao ordenar que o banco reduzisse seus dividendos. E juntos pressionamos outras instituições com problemas para levantar novos capitais. O Citi captou 20 bilhões de dólares nos meses seguintes, principalmente de fundos soberanos do Oriente Médio e da Ásia. O Morgan Stanley e o Merrill também trouxeram investidores estrangeiros, que puderam observar suas novas participações em instituições prestigiosas de Wall Street despencarem quase que imediatamente.

O efeito *E. coli* estava começando a se manifestar, à medida que investidores e credores começaram a fugir de classes inteiras de produtos financeiros, estivessem eles contaminados ou não, o que deprimiu seus preços e os tornou ainda mais tóxicos. Era como se evitar carne ainda fizesse com que o *E. coli* se espalhasse. O medo era uma razão avassaladora, porque ninguém sabia quando as más notícias causariam o próximo paroxismo de queimas de estoque. Parecia racional presumir o pior. Todos os títulos problemáticos valeriam alguma coisa algum dia; nem todas as hipotecas seriam inadimplentes, e as que fossem recuperariam parte de seu valor nas vendas de execução hipotecária. Mas num momento em que ninguém queria os títulos, seus preços estavam caindo sem levar em conta sua qualidade subjacente.

Isso estava começando a parecer um problema que a cartilha tradicional de Bagehot não conseguiria resolver. As ferramentas convencionais do Fed, que consistiam principalmente em empréstimos contra garantias a bancos comerciais americanos, estavam se mostrando ineficazes em desobstruir partes importantes do sistema de crédito. Os poucos bancos que ousaram visitar a janela de desconto não estavam emprestando para outras instituições financeiras ou para qualquer outra pessoa, e muitas das instituições com problemas não eram bancos comerciais. Em dezembro, o Fed decidiu lançar duas novas iniciativas para aumentar a liquidez, dando um passo hesitante para além do Bagehot básico, pisando em terreno desconhecido.

O primeiro foi a Linha de Leilão a Prazo (Term Auction Facility, TAF), um programa projetado para superar o estigma da janela de desconto que não somente alongava os prazos dos empréstimos, mas os vendia para bancos elegíveis, em vez de emprestar a uma taxa fixa. Os tomadores pagariam uma taxa de mercado determinada por leilão, não uma taxa de penalidade, de modo que não pareceriam tão desesperados se a notícia de seus empréstimos vazasse. Dentro de um ano, o Fed estaria emprestando cinco vezes mais através da TAF do que pela janela de desconto. A segunda inovação foram as linhas de swap que o Fed estabeleceu com o BCE e outros bancos centrais estrangeiros para que eles pudessem, por sua vez, repassar dólares para bancos privados em seus próprios países. (Foram chamados de swaps porque o Fed obtinha moeda estrangeira em troca de seus dólares, bem como garantias de reembolso pelos bancos centrais estrangeiros, que são instituições governamentais.) Uma vez que o dólar é efetivamente a moeda global, disponibilizar dólares para bancos centrais estrangeiros foi uma medida importante para acalmar os mercados globais. Um ano depois, o Fed teria mais de 500 bilhões de dólares em swaps em circulação, o que o consagrou como o credor de última instância do mundo.

Os empréstimos de leilão e swaps ajudaram a aliviar a crise de liquidez no sistema financeiro americano, mas as condições subjacentes estavam piorando, e o colapso do mecanismo de crédito estava começando a prejudicar a economia como um todo, aumentando as tensões criadas pelo esvaziamento da bolha imobiliária. Em dezembro, Hank alertou a Casa Branca de que a economia estava batendo num muro. (Os árbitros oficiais do ciclo de negócios do Bureau Nacional de Pesquisas Econômicas determinariam mais tarde que a recessão começou naquele mês.) O ciclo retroalimentado de medo e queima de estoques dentro de Wall Street estava contribuindo para um ciclo retroalimentado de contrações de crédito e de negócios entre Wall Street e Main Street. O agravamento das condições financeiras estava criando condições econômicas piores, que por sua vez estavam acelerando o colapso do subprime e o pânico financeiro. Em última análise, não conseguiríamos estabilizar o sistema financeiro sem estabilizar a economia e vice-versa. Para apagar o fogo, teríamos de fazer as duas coisas.

Em 2007, o Fed forneceu um pouco de estímulo monetário à economia ao cortar as taxas de juros de curto prazo de 5,25%

para 4,25%, mas apenas um pouco. Ben comandava o Fed com uma postura baseada num consenso deferente, tentando fazer com que a instituição falasse com uma única voz. Mas o Fed não estava conseguindo acompanhar a curva da crise e, em 2008, Ben impulsionou o estímulo monetário de forma mais agressiva, superando as objeções dos falcões da inflação do Comitê Federal do Mercado Aberto (Federal Open Market Committee, FOMC). O Fed cortou as taxas para 2,25% em março, tentando fornecer combustível para a economia claudicante. Cortaria as taxas com mais rapidez do que qualquer outro banco central durante a crise e, em retrospectiva, provavelmente deveria tê-las cortado ainda mais. Em uma crise, no entanto, a política monetária não tem muito mais a fazer, especialmente quando o sistema bancário e o público já estão superalavancados e as condições de pânico estão restringindo o crédito.

Enquanto isso, em janeiro de 2008, Hank liderou uma tentativa da Casa Branca de promover um choque de estímulo fiscal keynesiano e obteve apoio para um pacote de cortes temporários de impostos que ajudariam a compensar a contração na demanda privada. Ele negociou um acordo bipartidário com a presidente da Câmara Nancy Pelosi e com o líder da minoria da Câmara, John Boehner, que consistia em 150 bilhões de dólares em cortes de impostos, sem novos gastos, como o presidente Bush havia proposto. O acordo direcionou a maioria dos cortes de impostos para as famílias de trabalhadores, incluindo créditos fiscais para famílias de baixa renda que não pagavam imposto de renda, mas outros impostos federais, tal como os democratas queriam. O acordo passou pelo Congresso, Bush o assinou em meados de fevereiro e os primeiros cheques saíram em abril. Era uma reação modesta a uma desaceleração, apenas 1% do PIB, mas foi uma das respostas mais rápidas que o Congresso jamais aprovou. Foi também uma demonstração de que o processo legislativo ainda podia funcionar, ao mesmo tempo que dava a Hank a chance de forjar relacionamentos no Capitólio que mais tarde seriam úteis.

Contudo, o incêndio continuou avançando. Entre os que sentiram o calor estavam as chamadas seguradoras monoline, que tinham expandido seu negócio tradicional de segurar títulos municipais para garantir, por uma taxa, títulos hipotecários subprime e CDOs. As perdas para monolines levaram os investidores a duvidar dos outros títulos que elas seguravam, inclusive os títulos municipais. O Fed enfrentou pressão para ajudar todos os tipos de companhias com exposições a hipotecas. Ben chegou a receber pessoalmente o presidente da Thornburg Mortgage, Larry Goldstone, que queria que o Fed invocasse seus poderes da seção 13(3) para conceder um empréstimo de emergência depois que seus credores de operações de venda com repos de ativos rejeitaram suas garantias.

O Fed recusou esses pedidos, mas Ben e Tim estavam analisando ativamente novas maneiras de aliviar as pressões sobre o resto do sistema, medidas que iriam além dos empréstimos aos bancos. Em março de 2008, o Fed anunciou a Linha de Empréstimos de Títulos a Termo (Term Securities Lending Facility, TSLF), um programa inovador que estenderia finalmente a liquidez a instituições financeiras não bancárias, permitindo que essas instituições, entre elas, os cinco principais bancos de investimento, trocassem garantias menos líquidas por mais líquidas. A TSLF exigia que o Fed invocasse seus poderes de empréstimo emergencial pela Seção 13(3) pela primeira vez desde 1936, mas Ben disse a seu conselho que era vital tratar da crise financeira no sistema bancário paralelo: "Isso é incomum, mas assim são as condições do mercado". O Fed aprovou o programa em 10 de março, mas ele só estaria pronto duas semanas e meia depois.

A essa altura, as condições do mercado estariam muito mais incomuns.

3.
O fogo se espalha

Março de 2008 a setembro de 2008

Hank revisou o rascunho de um discurso sobre economia que Bush planejava fazer em meados de março e gostou do que leu. Pensou que a fala ajudaria a tranquilizar a nação, reafirmando a determinação do governo de acabar com a crise. Mas recomendou uma correção: não dizer que "não haverá resgates". O presidente ficou surpreso.

"Nós não vamos fazer um resgate, não é?", perguntou ele.

Hank não queria, torcia para que não fosse preciso, mas a turbulência nos mercados estava piorando a cada dia.

"Senhor presidente, o fato é que todo o sistema está tão frágil que não sabemos o que teremos de fazer se uma instituição financeira estiver prestes a afundar", disse Hank.

Na verdade, uma grande instituição financeira já estava à beira do abismo: Bear Stearns, um banco de investimento de 85 anos de existência, com 400 bilhões de dólares em ativos. Como a Countrywide, ele enfrentava agora uma crise de confiança, em parte devido às suas exposições a hipotecas. Os credores haviam parado de rolar seus commercial papers, os bancos que negociavam repos exigiam mais garantias e os hedge funds estavam fechando suas contas com a instituição. Nem o Fed nem o Tesouro supervisionavam o Bear; sua agência reguladora era a SEC, uma agência governamental que cuidava da proteção dos investidores, não de segurança e solidez. Mas o Bear estava tão inextrincavelmente enredado no sistema financeiro que sua falência ameaçava arrasar o sistema, e não podíamos ignorar a ameaça só porque tivera início fora de nossa jurisdição.

O colapso do Bear Stearns em 14 de março marcaria um ponto de inflexão na crise ao expor o sistema ao seu maior perigo e submeter o arsenal de emergência dos Estados Unidos ao seu teste mais severo desde a Grande Depressão. O Fed atravessou o rubicão ao intervir para evitar a implosão de uma instituição financeira não bancária. O resgate do Bear ajudou a evitar a cascata de inadimplências financeiras e dores econômicas que veríamos depois do colapso do Lehman Brothers e a manter seis meses de relativa calma. Mas não foi particularmente reconfortante, nem mesmo na época. Nós não teríamos sido capazes de evitar uma falência caótica se o JPMorgan Chase não estivesse disposto a comprar o Bear e garantir a grande maioria de suas obrigações. E sabíamos que o Bear não era a única instituição desse tipo superalavancada e interconectada sob risco de sofrer uma corrida de liquidez. Sete meses depois da crise, o drama do Bear foi uma chocante verificação da realidade da fragilidade do sistema, dos limites de nossos poderes e da possibilidade de catástrofe num futuro próximo.

Bear Stearns: Interconectado demais para falir

Livre das exigências de capital e de outras regras que restringem os bancos comerciais, o Bear Stearns foi agressivo ao usar a alavancagem durante o boom e desfrutou de cinco anos consecutivos de lucros recorde. Mas na semana de 10 de março, estava em andamento uma corrida de liquidez contra o Bear, e era difícil imaginar como ela poderia parar por conta própria. Afinal, um banco de investimento que não tem a confiança de seus clientes ou dos mercados não tem quase nada. Do ponto de vista do mercado, o Bear não passava de uma coleção de negócios frágeis e ativos de risco. Os negócios comerciais dependem de confiança, e depois que começaram a duvidar se o Bear teria capacidade de cumprir suas obrigações, as pessoas correram para levar seus negócios para outro lugar, o que tornava o Bear ainda menos confiável.

O Bear Stearns era a 17ª maior instituição financeira do país, o menor dos cinco bancos de investimento independentes. Mas tinha o dobro do tamanho da Countrywide e estava muito mais interconectado com o sistema financeiro, com 5 mil contrapartes de negócios e 750 mil contratos de derivativos em aberto. Ele negociava com bancos, corretoras, hedge funds, fundos de pensão, governos e empresas — e as contrapartes lutavam para reduzir sua exposição ao Bear enquanto tentavam deduzir quem mais poderia estar exposto a ele. O sistema já havia sido enfraquecido por sete meses de queima lenta, e era perturbador imaginar a histeria que o Bear poderia desencadear por não cumprir suas obrigações — queima de estoque de suas garantias; recuo frenético de suas operações com derivativos; um colapso do mercado de repos; uma corrida provável ao Lehman, o próximo banco de investimento mais fraco; talvez até o colapso das gigantes das hipotecas Fannie Mae e Freddie Mac. Na noite de quinta-feira, 13 de março, o Bear já estava reduzido a cinzas; suas reservas de caixa haviam diminuído de 18 bilhões de dólares para 2 bilhões de dólares em quatro dias, e o plano era pedir falência pela manhã.

De início, não achamos que poderíamos evitar uma falência. A FDIC tinha o poder de liquidar os bancos insolventes de forma ordenada enquanto garantia suas obrigações, mas o governo federal não tinha um regime de resolução ordenada para instituições não bancárias que pudesse evitar o caos da inadimplência. Pensamos que a reação do Fed se limitaria a injetar mais liquidez nos mercados para conter os danos de um colapso inevitável, o que Tim chamou de pôr "espuma na pista" para tentar evitar que o fogo se espalhasse depois que o Bear caísse e queimasse.

O kit de ferramentas Bagehot de empréstimo do banco central tinha valor limitado na prevenção de uma corrida a uma instituição fraca, e os outros poderes de emergência do governo não eram tão amplos quanto as pessoas supunham. O Tesouro não podia fazer muita coisa sem autorização do Congresso, enquanto a autoridade do Fed limitava-se principalmente a emprestar contra garantias sólidas; nem o Fed nem o Tesouro tinham poderes para garantir obrigações, investir capital ou comprar ativos ilíquidos para impedir uma corrida a um banco. A TSLF ainda não estava em vigor, e o Fed não tinha um serviço permanente de empréstimo a um banco de investimentos como o Bear. Ele tinha a Seção 13(3), para que pudesse financiar instituições financeiras não bancárias em "circunstâncias incomuns e exigentes". Mas a 13(3) não era uma varinha mágica que pudesse tornar uma empresa insolvente em viável, uma marca arruinada em comercializável, ou ativos tóxicos em valiosos.

Num momento de pânico, pode ser difícil dizer se uma empresa problemática está realmente insolvente. Os mercados nem sempre têm razão ou são racionais, e é sempre possível que títulos que ninguém deseja durante uma espiral de medo se tornem sólidos quando a confiança volta. É nesse momento que empréstimos governamentais e liquidez podem ajudar uma empresa fundamentalmente viável a fazer seus pagamentos e evitar que submerja com os fracos. Mas o declínio do Bear, muito mais rápido e mais acentuado do que o declínio de instituições semelhantes, sugeria que sua fraqueza era real e extrema. De qualquer modo, o Fed não tinha visto os livros do Bear e não tinha base para concluir que era uma vítima solvente de uma corrida equivocada. A SEC, que teve acesso aos livros do banco, também não pareceu acreditar nisso. Com base no que sabíamos, não acreditávamos que um empréstimo contra o valor em erosão dos ativos e negócios do Bear conseguisse salvar a empresa. Se emprestasse durante a corrida acelerada, temíamos que o Fed só conseguisse financiar as saídas dos poucos credores de curto prazo que ainda não haviam saído, sem impedir o colapso final do Bear e o caos que isso acarretaria.

Na madrugada de 14 de março, a equipe do Fed de Nova York apresentou um plano provisório para invocar a seção 13(3) e manter o Bear vivo até o fim de semana: um empréstimo do Fed ao seu banco de compensação JPMorgan Chase, que repassaria o dinheiro para o Bear, que garantiria o empréstimo com ativos que seus credores de repos não aceitariam mais como garantia. Basicamente, o Fed seria o credor de repos do Bear por um dia. Muitos de nossos colegas ficaram inquietos com essa medida, que parecia sugerir que poderíamos garantir as obrigações de uma instituição não bancária em processo de falência, mas concordamos que isso pelo menos nos daria o fim de semana para procurar uma alternativa ao desastre. "O senhor pode tirar o 'não haverá resgates' do seu discurso", brincou Hank quando comunicou o plano ao presidente.

Como não acreditávamos que o Fed pudesse emprestar dinheiro suficiente contra a garantia enfraquecida do Bear para salvar a firma como instituição independente, ainda precisávamos encontrar um comprador para ele a fim de evitar que se desintegrasse quando os mercados abrissem na segunda-feira. O JPMorgan surgiu rapidamente como o único salvador em potencial com credibilidade para respaldar os negócios do Bear, e o CEO Jamie Dimon insistiu que faria um acordo somente se o Fed assumisse algum risco dos ativos hipotecários do Bear. Então, no domingo à noite, o Federal Reserve invocou mais uma vez a 13(3) para outra interpretação criativa do poder do Fed de emprestar contra garantias.

O JPMorgan concordou em comprar o Bear por dois dólares a ação, uma oferta que Dimon depois aumentou para dez dólares para garantir que os acionistas do Bear não fulminassem a fusão e mergulhassem o sistema de volta no caos. Isso era vital, porque o JPMorgan também concordou em assumir o risco de garantir a posição do Bear enquanto aguardava o fechamento da fusão, o dispositivo de alívio de pânico que o Fed não tinha autoridade para fornecer. Mas o Fed emprestaria 30 bilhões de dólares para uma nova entidade chamada Maiden Lane, que compraria então 30 bilhões de dólares em títulos do Bear do JPMorgan. De acordo com a seção 13(3), o Fed só pode fazer um empréstimo quando for "garantido para a satisfação" do Banco de Reserva que faz o empréstimo, um padrão bastante nebuloso. Uma equipe da instituição de investimentos BlackRock, que analisou os ativos que o JPMorgan não queria absorver, deu o parecer de que havia uma chance razoável de o empréstimo ser pago sem perdas dentro de alguns anos. Ben e Tim decidiram que, se o Tesouro ressarcisse o Fed contra quaisquer perdas potenciais, o Fed se daria por satisfeito e Hank prontamente concordou.

Mas então os advogados do Tesouro disseram a Hank que ele não podia ressarcir o Fed; estávamos aprendendo quão pouco poder o Tesouro tinha numa crise. Então, Tim pediu a Hank que escrevesse uma carta apoiando o empréstimo do Fed e observando que, se perdesse dinheiro, o Fed simplesmente contribuiria com menos lucros para o Tesouro. Hank chamou-a de sua carta "todo o dinheiro é verde", e embora não significasse muita coisa legalmente — o Fed costuma enviar todos os seus lucros acima dos seus custos operacionais para o Tesouro —, ela envolveu o Tesouro e o poder executivo na grave decisão do Fed. Queríamos que todos soubessem que estávamos juntos naquilo.

Ao mesmo tempo, o Fed invocou a 13(3) de novo para lançar um programa de empréstimo mais agressivo para bancos de investimento chamado Primary Dealer Credit Facility (PDCF), que aceitaria uma maior variedade de garantias do que a TSLF, inclusive ativos mais arriscados. Esperávamos que a intervenção no Bear acalmasse os mercados, mas também sabíamos que o Lehman Brothers tinha problemas semelhantes aos do Bear, e que Merrill Lynch, Morgan Stanley e até o Goldman Sachs poderiam precisar de acesso mais fácil à rede de segurança emergencial.

A intervenção no Bear acalmou os mercados, mas também trouxe uma dose abrasadora da política de reação à crise. Muitos políticos e comentaristas nos acusaram de reagir com exagero aos ritmos darwinianos do capitalismo, dizendo que o impacto econômico da falência de um banco de investimentos seria modesto — argumento que seria desmentido pela falência do Lehman seis meses mais tarde. Tanto liberais quanto conservadores nos atacaram por desperdiçar dólares dos contribuintes para socorrer banqueiros incompetentes. Os puristas do risco moral advertiram que estávamos encorajando riscos excessivos; o senador republicano Jim Bunning, do Kentucky, nos acusou de socialistas. Até mesmo o ex-presidente do Fed Paul Volcker disse que as ações do Fed "estenderam-se até o limite de seus poderes legais e implícitos", o que era verdade — tivemos o cuidado de não ultrapassar o limite —, mas que não soava como um elogio. Percebemos que estávamos enfrentando um desafio duplo: descobrir qual era a coisa certa a fazer e explicar por que era a coisa certa a fazer.

Uma coisa que lutamos para explicar a respeito do resgate do Bear foi quem exatamente foi resgatado. A intervenção garantiu que credores e contrapartes do Bear fossem pagos integralmente, para que parassem com a corrida e, assim, credores e contrapartes de instituições em situação semelhante não começassem a correr. Durante uma crise, qualquer coisa que aumente a incerteza quanto ao reembolso dos credores pode ser um sinal para a debandada. Mas o Bear em si não foi socorrido. A instituição deixou de existir. Seus executivos seniores perderam o emprego e grande parte de sua riqueza. Seus acionistas receberam mais do que os zeros dólares que a instituição valia na falência, mas 95% menos do que ela valia em seu auge, no início de 2007. Todas as intervenções criam algum risco moral, mas era difícil ver como o destino do Bear poderia incentivar outras instituições a imitar sua abordagem imprudente. E, evidentemente, a posterior corrida ao Lehman provaria que os mercados não estavam confiantes de que o governo viria em socorro outra vez.

De qualquer modo, não desperdiçamos dólares dos contribuintes; o empréstimo do Bear acabou sendo reembolsado e gerou um retorno de 2,5 bilhões de dólares para o governo. Mas o objetivo do empréstimo não era ganhar dinheiro: era evitar o colapso desordenado de uma instituição sistemicamente importante e o inevitável dano econômico que teria se seguido. Ainda é assustador pensar na reação em cadeia que a falência do Bear poderia ter produzido num momento em que ainda não havíamos estabilizado Fannie Mae e Freddie Mac, que sustentavam o que ainda restava do mercado de hipotecas americano. Não fazer nada ainda era uma opção quando a Countrywide estava se debatendo, mas o Bear realmente estava interconectado demais para falir, e depois de sete meses de incêndio, o sistema financeiro estava de fato frágil demais para lidar com sua falência.

Não nos sentimos triunfantes após o resgate do Bear, nos sentimos desconfortáveis. O episódio demonstrou que a confiança em instituições financeiras não bancárias, altamente alavancadas e vagamente reguladas com excesso de captações de curto prazo, poderia desaparecer num piscar de olhos. E o Bear não era a única dessas instituições que tomara muito emprestado a prazo muito curto com pouquíssima supervisão, ou investira muito em hipotecas duvidosas e produtos de crédito estruturados em que ninguém mais confiava. Hank estava tão preocupado com Fannie Mae e Freddie Mac que, no frenético domingo do fim de semana do Bear, reservou um tempo para fazer uma teleconferência com os CEOs e os reguladores dessas duas instituições de crédito imobiliário, usando o exemplo do Bear para pressioná-las a levantar mais capital. Também cresciam suspeitas nos mercados de que o Lehman seria o "próximo", o que pode ser uma profecia autorrealizável para uma instituição financeira. O Lehman era 75% maior do que o Bear, com mais exposição imobiliária, uma carteira de derivativos ainda maior e 200 bilhões de dólares em financiamento através de repos, de modo que, em muitos aspectos, parecia um alvo ainda mais convidativo para uma corrida.

Com efeito, todo o modelo de negócios que produziu o Bear estava agora sob suspeita; depois do Bear, Hank precisou persuadir vários ministros das Finanças europeus a não instar que seus bancos parassem de negociar com qualquer um dos quatro bancos de investimento americanos sobreviventes. Agora que estava emprestando para bancos de investimento, o Fed conseguiu finalmente o poder de examinar seus livros. Os resultados não foram tranquilizadores. Os testes de estresse do Fed descobriram que Lehman, Merrill Lynch, Morgan Stanley e Goldman Sachs eram todos vulneráveis a corridas a suas captações no mercado interbancário, e que o Lehman precisaria de 84 bilhões de dólares em liquidez adicional para sobreviver a um cenário como o do Bear. Nós pressionamos as quatro instituições a reduzir a alavancagem, encontrar fontes de financiamento de longo prazo e levantar mais capital, mas os bancos de investimento não pareciam um investimento atraente naquele momento.

Tínhamos trabalhado bem em conjunto e em circunstâncias angustiantes a fim de encontrar uma solução para o Bear. Mas também tivemos sorte. Se o JPMorgan não estivesse disposto a garantir a carteira do Bear e a absorver a maior parte de seus ativos, o sistema poderia ter implodido em março. Volcker tinha razão ao dizer que o Fed havia chegado aos limites de seus poderes, e o resgate ad hoc havia exposto a inadequação desses poderes. O governo americano ainda não tinha como injetar capital numa instituição em dificuldades, comprar seus ativos ou garantir seus passivos, o que significava que não tinha como impedir uma corrida total; se a instituição fosse não bancária, não haveria nem como fechá-la com segurança para evitar a inadimplência. A combinação do apoio do Fed com a aquisição do Bear Stearns pelo JPMorgan e o novo tipo de empréstimo PDCF do Fed para bancos de investimento ajudou a criar expectativas de que tínhamos a determinação e os meios para impedir a falência dos outros bancos de investimento, mas, na realidade, a capacidade do governo de fazer isso era limitada.

Pouco depois do caso do Bear, Ben e Hank foram visitar Barney Frank, o presidente democrata do Comitê de Serviços Financeiros da Câmara, para explicar que o Lehman poderia enfrentar uma situação semelhante e que precisávamos de poder de resolução emergencial para evitar a falência desordenada de um banco de investimento, caso não conseguíssemos encontrar um comprador como o JPMorgan. Barney explicou que a medida seria impossível antes das eleições de novembro, a menos que alardeássemos nossos medos a respeito do Lehman e persuadíssemos o Congresso de que seu colapso seria devastador para os Estados Unidos. Sabíamos que ele estava certo em relação à medida política — qualquer legislação que aumentasse a autoridade dos gerenciadores de crises seria execrada como uma lei de socorro financeiro —, e também sabíamos que a retórica alarmista poderia acabar assustando os mercados e precipitando a falência que estávamos tentando evitar. Teríamos de nos contentar com ferramentas limitadas até que o desastre mostrasse que precisávamos de mais.

Sentimos como se estivéssemos lutando contra a crise com fita adesiva e arame. Os mercados se acalmaram um pouco depois do Bear, e esperávamos que ficassem calmos por um tempo. Mas, como Tim gostava de dizer, a esperança não é uma estratégia.

Fannie Mae e Freddie Mac: Disparando a bazuca

Em 11 de julho, houve uma corrida a um banco americano — não uma corrida metafórica, como a do Bear Stearns, mas uma corrida real para um prédio de verdade, como a de *A felicidade não se compra*. Depois que a FDIC promoveu uma intervenção no IndyMac Bank, uma instituição de poupança da Califórnia antes afiliada à Countrywide e igualmente imprudente em sua abordagem do mercado imobiliário, os depositantes em pânico fizeram fila do lado de fora e exigiram seu dinheiro de volta. A FDIC garantia depósitos de até 100 mil dólares, então a maioria deles não tinha com o que se preocupar. Mas as imagens de pânico da maior falência bancária americana desde a crise de poupança e empréstimos dos anos 1980 foram notícia nacional. Na semana seguinte, depositantes temerosos retiraram mais de 1 bilhão de dólares por dia do Washington Mutual, uma instituição de poupança ainda maior do que a IndyMac com exposições a hipotecas semelhantes. O pânico é uma doença contagiosa.

A falência da IndyMac foi um sinal de que o fogo se alastrava de novo, mas não parecia ameaçar o núcleo do sistema. Nossas principais preocupações naquela semana foram Fannie Mae e Freddie Mac, as gigantes hipotecárias patrocinadas pelo governo que juntas tinham mais de cinquenta vezes o tamanho da IndyMac — e mais de quatro vezes o tamanho do Bear. Elas detinham ou garantiam mais de 5 trilhões de dólares em dívidas hipotecárias, e também eram a última grande fonte de financiamento hipotecário nos Estados Unidos, respaldando três de cada quatro novos empréstimos imobiliários. Isso significava que o colapso delas interromperia a produção de novas hipotecas e esmagaria o mercado imobiliário já danificado, o que significaria mais execuções hipotecárias na Main Street e mais pânico com os títulos hipotecários na Wall Street. Fannie Mae e Freddie Mac eram inegavelmente sistêmicas e estavam com hemorragia.

Não havia autoridade permanente que permitisse ao governo salvar Fannie Mae e Freddie Mac; Hank teria de persuadir o Congresso a aprovar uma lei específica, colocando a nossa reação à crise no centro da disputa política. Acabaríamos essencialmente estatizando duas das instituições mais importantes do país, outra intervenção que seria inconcebível em tempos normais. Mais uma vez, nossas ações foram profundamente impopulares, porém, mais uma vez, acreditamos que elas evitaram inadimplências calamitosas — e, mais uma vez, elas acabaram gerando um lucro considerável para os contribuintes enquanto faziam mais do que qualquer outra medida pública ou privada para ajudar a ressuscitar o mercado imobiliário. Mas embora a aquisição da Fannie Mae e da Freddie Mac fosse absolutamente necessária e rompesse o pânico em relação a seus títulos, ela não acabou com o pânico no sistema mais amplo. Muito pelo contrário, enviou uma mensagem não intencional de que o sistema estava mais frágil do que nunca.

Fannie Mae e Freddie Mac eram híbridos estranhos. Tinham licenças federais para promover a aquisição de imóveis a preços acessíveis, mas também eram empresas privadas lucrativas que dominavam o mercado hipotecário secundário. Essas instituições patrocinadas pelo governo, as GSEs (government-sponsored enterprises), tinham uma forte influência em ambos os partidos em Washington e exploravam a suposição de que o governo jamais permitiria que elas deixassem de tomar empréstimos com taxas abaixo do mercado sem a adequada reserva de capital. Elas eram basicamente a personificação empresarial do risco moral, gozando as vantagens dos riscos que assumiam, ao mesmo tempo que se sentiam seguras porque os contribuintes cobririam os possíveis riscos. Elas não causaram a crise, como alguns críticos sugeriram; até perto do final do boom, a subscrição de hipotecas que compravam e respaldavam era relativamente conservadora para o setor. Mas elas relaxaram seus padrões antes do colapso, e já por garantir tanta dívida hipotecária, ajudaram a facilitar o tsunami de dinheiro estrangeiro que invadiu o setor imobiliário americano e montou o cenário para a crise.

Nós três, tal como nossos predecessores, havia anos que estávamos profundamente preocupados com Fannie Mae e Freddie Mac; tínhamos apoiado reformas abrangentes de seu modelo de negócios e uma regulamentação mais rigorosa de sua tomada de risco. Os CEOs de ambas as companhias haviam concordado em levantar mais capital quando Hank conversara com eles durante o tumultuado fim de semana do Bear, mas apenas a Fannie Mae tinha levantado algum, e não o suficiente. Logo após o colapso do Bear, Hank levou os CEOs ao encontro do presidente do Comitê Bancário do Senado, Christopher Dodd, e do republicano Richard Shelby, que haviam chegado a um acordo para tentar acelerar as reformas aprovadas no Senado, mas o processo legislativo não estava se movendo tão rápido quanto os mercados. No verão, nossa principal prioridade era estabilizar as duas GSEs antes que elas arrastassem todo o sistema; trilhões de dólares em valores mobiliários estavam circulando pela corrente sanguínea financeira e temíamos que eles a envenenassem. Os títulos delas haviam sido considerados investimento seguro em todo o mundo, e agora atendíamos ligações de funcionários nervosos de fundos soberanos e governos estrangeiros que queriam ter certeza de que as GSEs eram seguras. Alguns deles nem mesmo perceberam que o governo americano não respaldava oficialmente Fannie Mae e Freddie Mac.

Assim, Hank decidiu pedir ao Congresso poder para estabilizar ambos os gigantes da hipoteca, a fim de tornar explícita a garantia implícita de longa data de que Washington apoiaria as duas instituições. Como no caso do Lehman, ele temia que a simples solicitação de poderes extraordinários pudesse confirmar a gravidade da situação e acelerar o pânico. Havia uma sinuca de bico: a enorme autoridade financeira que o Tesouro precisaria para proporcionar um suporte confiável a essas mastodontes parecia politicamente irrealista, ao passo que solicitar uma quantia inadequada de dinheiro poderia levantar dúvidas sobre o compromisso do governo de mantê-las funcionando. Mas todos concordávamos que não poderíamos esperar e correr o risco de uma inadimplência. Então, em vez de pedir uma quantia específica de dólares, Hank pediu autoridade ilimitada — o eufemismo que usou foi "não especificada" — para injetar capital na Fannie Mae e na Freddie Mac. Seu projeto de lei também incluía algumas das reformas que ele havia defendido antes da crise, entre elas, uma agência reguladora mais forte com o poder de forçar a Fannie Mae e a Freddie Mac a assumirem uma falência. Ben disse a Hank que ele apoiaria totalmente o Tesouro, da mesma forma que Hank apoiara o Fed nos primeiros resgates.

Hank e Ben testemunharam perante o comitê do Senado em 15 de julho, apresentando uma frente unida sobre a importância da legislação proposta para manter o fluxo de crédito hipotecário, evitar uma maior deterioração do mercado imobiliário e proteger o núcleo financeiro. O pedido de Hank de um cheque em branco foi recebido com ceticismo, mas ele argumentou que se o Congresso lhe desse amplos poderes, as ansiedades do mercado em relação a Fannie Mae e Freddie Mac se dissipariam e haveria menor probabilidade de ele usar esses poderes. "Se você quer ter certeza de que terá de usá-los, faça-os pequenos o suficiente e será uma profecia autorrealizável", disse ele. "Se você tem uma pistola de água no bolso, talvez seja necessário sacá-la. Se você tem uma bazuca, e as pessoas sabem disso, talvez não precise sacá-la." O argumento da dissuasão fazia sentido, mas o pedido de Hank por poder de fogo esmagador revelava uma preocupação que os mercados em pânico provavelmente não iriam ignorar — e ele logo teve certeza de que acabaria tendo de usar a bazuca.

Hank estava fazendo um pedido notavelmente ambicioso em nome de um presidente em fim de mandato com 30% de aprovação. O senador Bunning disse que o resgate do Bear tinha sido "socialismo amador comparado a isso". E a política de habitação tinha sido dura antes mesmo da Fannie Mae e da Freddie Mac saírem dos trilhos, complicando um debate acirrado em Washington sobre possíveis medidas a respeito da crescente onda de execuções hipotecárias. Uma parte do público e a maioria dos congressistas republicanos se opuseram ao uso de impostos dos locatários e proprietários de imóveis que estavam pagando suas hipotecas para fornecer alívio aos proprietários de imóveis que não as estavam pagando. Mas outra parte do público e a maioria dos congressistas democratas acharam que o governo não estava fazendo o suficiente para ajudar os proprietários de imóveis em dificuldades. Na verdade, uma provisão de alívio hipotecário razoavelmente inconsequente que Barney Frank inserira na legislação Fannie Mae-Freddie Mac era ainda mais polêmica no Capitólio do que o pedido de Hank de uma bazuca fiscal, tanto que o presidente Bush se absteria de fazer uma assinatura da lei em público quando a legislação passasse.

Mas a legislação de fato passou. As relações pessoais são importantes, e Hank tinha sólidas relações com congressistas líderes em ambos os partidos; a maioria deles concordou em colocar a emergência à frente da política. No fim de julho, o Congresso controlado pelos democratas aprovou a Lei de Habitação e Recuperação Econômica de 2008 e deu imenso poder a um governo republicano, provando que Washington era capaz de fazer coisas corajosas quando uma crise exigia, embora talvez não antes disso.

A nova legislação também deu ao Tesouro e ao Fed a chance de olhar sob o capô da Fannie Mae e da Freddie Mac e ter algumas surpresas desagradáveis. Os examinadores do Fed e do OCC concluíram que ambas as instituições eram funcionalmente insolventes, com reservas de capital frágeis, que eram sobretudo ficções contábeis. Hank e sua equipe no Tesouro logo decidiram que a única solução seria persuadir a nova agência reguladora delas, a Agência Federal de Financiamento Habitacional (Federal House Finacing Agency, FHFA), a forçar Fannie Mae e Freddie Mac a aceitar a tutela; tratava-se basicamente de estatização sem o controle dia a dia do governo. Era uma situação embaraçosa: ele acabara de dizer ao Congresso que não precisaria usar sua bazuca, e a FHFA acabara de dizer à Fannie Mae e à Freddie Mac que suas reservas de capital eram adequadas. Mas elas não eram adequadas, e a maior prioridade de Hank não era proteger sua reputação de homem coerente, mas evitar um colapso. E quando Hank concluiu que precisava empunhar sua bazuca, o presidente Bush o apoiou: "Nem sempre vai parecer bom, mas vamos fazer o que precisamos para salvar a economia".

Essa atitude de fazer o que fosse necessário conduziu quase tudo o que fizemos durante a crise. Todos nós sentíamos que aqueles tempos extraordinários justificavam ações extraordinárias. Em agosto, Hank contratou dois de seus antigos colegas do Goldman e um escritório de advocacia de Nova York para trabalhar no caso de Fannie Mae e Freddie Mac. Ele também se apoiou muito na FHFA, pressionando a agência a reverter sua avaliação de uma maneira que ele nunca teria sonhado antes ou depois da crise. Hank nem sequer tinha certeza se possuía o poder legal de fazer com que o governo fornecesse a garantia necessária a longo prazo para as hipotecas de trinta anos que a Fannie Mae e a Freddie Mac asseguravam, uma vez que o Congresso dera ao Tesouro apenas autoridade temporária, que expiraria no final de 2009. Com a ajuda de conselheiros do Morgan Stanley, o Tesouro fez uma hábil engenharia financeira para criar o que na verdade era uma garantia de longo prazo, mas Hank estava tão preocupado com a possibilidade de estar extrapolando a intenção do Congresso que confidenciou ao presidente e a alguns de seus colegas do Tesouro que temia ser alvo de impeachment. No fim das contas, todos ficaram tão chocados quando Hank disparou sua bazuca que ninguém levantou essa questão.

Em 5 de setembro, Hank e Ben deram aos CEOs da Fannie Mae e da Freddie Mac a atordoante notícia de que o governo estava assumindo o controle de suas empresas. Eles perderiam seus empregos, seus acionistas perderiam quase todo o patrimônio e o Tesouro injetaria 100 bilhões de dólares em cada companhia para evitar a iminência de inadimplência em suas dívidas e dos títulos lastreados em hipotecas que elas garantiam. Foi a intervenção federal mais agressiva nos mercados financeiros desde a Depressão, e a corrida à Fannie Mae e à Freddie Mac diminuiu rapidamente, porque as instituições e as hipotecas que elas seguravam tinham agora apoio oficial do governo.

Mas a corrida ao resto do sistema só ganhou ímpeto. Na semana seguinte à estatização da Fannie Mae e da Freddie Mac, houve o pior banho de sangue financeiro desde o início da crise. Esperávamos que, ao demonstrarmos a disposição do governo para tomar medidas extraordinárias de modo a evitar falências caóticas, os mercados se acalmariam e, pelo menos, ganharíamos tempo para pavimentar uma solução para o Lehman Brothers. No entanto, mais uma vez, nossa demonstração de força não teve o efeito que pretendíamos. Os mercados não respiraram aliviados; concluíram que, se o governo estava preocupado a ponto de tomar aquelas medidas extraordinárias, a situação devia ser ainda pior do que parecia. A incerteza leva ao medo, e ninguém sabia ao certo o que aconteceria com as instituições privadas problemáticas que não tinham licenças federais excepcionais. Nós também não sabíamos. Tínhamos atravessado um rubicão ainda maior e evitado um pânico ainda mais perigoso, mas dentro de dias teríamos um problema novamente maior e mais perigoso em nossas mãos.

4.
O inferno

O incêndio levou mais de um ano para consumir o Lehman Brothers, mas muitos americanos ainda acreditam que a crise financeira tenha começado com o colapso do Lehman. Ele eclipsou tudo o que veio antes e parecia responsável por tudo o que se seguiu. No entanto, foi mais um sintoma do que uma causa das fraquezas do sistema; Fannie Mae, Freddie Mac, AIG e Merrill Lynch eram todos muito maiores que o Lehman, e todos chegaram à beira do colapso na mesma época. Na verdade, o Lehman exemplificou os fatores que deram origem à crise. Tratava-se de uma instituição financeira não bancária frouxamente regulamentada, muito alavancada e profundamente interconectada, com exposição excessiva ao mercado imobiliário e captações de curto prazo sensíveis ao aperto de liquidez. O que tornou a história do Lehman diferente foi que ela acabou em desastre. Sua morte foi o momento mais significativo da crise e, provavelmente, o menos compreendido.

Lehman era o pesadelo que havíamos tentado evitar por um ano, uma falência descontrolada de uma instituição financeira sistemicamente importante durante um pânico. Como havíamos salvado o Bear Stearns em circunstâncias semelhantes seis meses antes, havíamos acabado de salvar a Fannie Mae e Freddie Mac uma semana antes e salvaríamos a AIG dois dias depois, muitos observadores presumiram que havíamos deixado o Lehman falir de propósito — e muitos nos elogiaram por isso. Mas nós não deixamos o Lehman falir de propósito.

Nós nem sequer discutimos se deveríamos tentar salvar ou não o Lehman, como fizemos com o Bear e com a AIG; sabíamos que tínhamos que fazer tudo ao nosso alcance para tentar impedir seu colapso. Mas tudo ao nosso alcance acabou por ser insuficiente.

No final, o Lehman não tinha um comprador que estivesse disposto e fosse capaz de respaldar suas obrigações, como o Bear tivera o JPMorgan. Não havia autorização do Congresso para que o governo apoiasse o Lehman, como havia para Fannie e Freddie. E o Lehman não tinha garantias sólidas suficientes para que pudesse receber empréstimos do Fed que o mantivessem flutuando numa estrutura que o mercado aceitasse, como a AIG fez com seus negócios de seguros. Nós ajudamos a contribuir para a confusão sobre nossos motivos com algumas declarações que fizemos após o colapso do Lehman, quando não queríamos assustar os mercados, admitindo que tínhamos sido impotentes para salvar uma empresa sistêmica. Mas não tínhamos opção prática para salvar o Lehman sem um comprador privado. Nossa maneira de pensar não mudara nos seis meses decorridos desde a difícil decisão sobre o Bear, e tampouco nossas limitações. Não poderíamos injetar capital no Lehman, garantir suas dívidas, comprar seus ativos ou fechá-lo de forma ordenada, então nosso cenário de pesadelo se tornou realidade.

Esse cenário de pesadelo finalmente nos ajudou a persuadir o Congresso a nos dar o poder de que precisávamos, o que nos permitiria apagar o fogo. Mas antes de mais nada, gostaríamos de ter sido capazes de evitá-lo. A dor da falência do Lehman e suas consequências não se limitariam aos acionistas e executivos do Lehman — entre eles, o irmão de Hank, Dick, um dos vice-presidentes seniores da empresa — ou até mesmo a suas contrapartes e credores no sistema financeiro. Seriam sentidas em toda a economia global.

Lehman Brothers: Afundando na lama

O Lehman seguiu um caminho conhecido para o perigo, apostando sua franquia em títulos hipotecários subprime, imóveis comerciais e outros investimentos altamente alavancados que eram muito lucrativos até que deixassem de sê-lo. Quando as perdas do Lehman aumentaram e os vendedores a descoberto começaram a apostar na sua morte, Hank e Tim pressionaram seu CEO, Dick Fuld, a encontrar um comprador antes que a confiança em sua instituição se evaporasse por completo. Mas os termos que ele estava disposto a oferecer aos potenciais investidores sugeriam uma falta de urgência, e não havia muito interesse em um banco de investimento sobrecarregado, especialmente quando Fuld ainda estava se fazendo de difícil.

Na quarta-feira, 10 de setembro, quando preanunciou uma perda feia no terceiro trimestre, Fuld tentou amenizar o impacto apresentando um plano para transformar os ativos tóxicos do Lehman em uma empresa separada. Mas isso pareceu simplesmente confirmar a toxicidade dos ativos que ele queria retirar do balanço. Uma reprise do desenlace do Bear Stearns estava em andamento: credores exigindo mais garantias, hedge funds fechando contas, agências de classificação ameaçando rebaixamentos. Os mercados pressentiram um cadáver e nós temíamos os efeitos colaterais: o Lehman tinha mais de 100 mil credores, mais de 900 mil contratos de derivativos em aberto e mais do que o dobro de empréstimos de curto prazo do que o Bear. Isso não afundaria na lama em silêncio.

Se o Lehman fosse um banco comercial, a FDIC poderia ter intervindo, garantido seus passivos e evitado uma falência desordenada. Mas ninguém no governo tinha o poder de fazer isso para uma instituição financeira não bancária, de modo que o Lehman, como o Bear Stearns antes dele, precisava de um comprador. O Bank of America concordou em dar uma olhada, mas não pareceu sério. O Barclays, um banco com sede no Reino Unido, expressou um interesse mais genuíno, mas Fuld, que ainda achava que poderia escolher seu pretendente, estava cético em relação à adequação — e os reguladores britânicos disseram ter preocupações também, preocupações que acabaram se revelando bem fundadas. Enquanto isso, a confiança em várias das outras grandes firmas americanas estava se deteriorando rapidamente.

Decidimos convocar os principais CEOs de Wall Street para o Fed de Nova York na noite de sexta-feira, 12 de setembro, para tentar organizar uma solução privada — talvez algo parecido com o acordo do Bear, com as instituições de Wall Street assumindo os riscos, em vez do Fed; ou junto com o Fed, para ajudar outra instituição maior e mais forte a adquirir o Lehman; ou talvez até mesmo alguma coisa parecida com o acordo de 1998, em que o Fed de Nova York encorajou catorze contrapartes da Long-Term Capital Management (LTCM) a se unirem para comprar toda a empresa e liquidar seus ativos. Dessa vez, Wall Street tinha motivos ainda maiores para evitar um colapso. Parecia que o Merrill Lynch seria a próxima peça de dominó a cair depois do Lehman e, em seguida, o Morgan Stanley; nem mesmo o Goldman Sachs, o banco de investimentos com o balanço mais sólido e o maior colchão de liquidez, poderia sobreviver a uma corrida total ao seu modelo de negócios.

Infelizmente, não estávamos otimistas quanto ao surgimento de alguma coisa viável. O Lehman era muito maior do que a LTCM na época de seu colapso, e seus ativos eram muito mais instáveis. Enquanto isso, as outras instituições cujo dinheiro seria necessário para um resgate estavam muito mais frágeis do que em 1998 e não tinham muito capital para impedir que um concorrente implodisse. Elas precisavam se preocupar com sua própria resistência a choques, porque não havia razão para pensar que os choques terminariam em breve.

A AIG, a imensa seguradora que garantia muitos dos títulos delas contra a inadimplência, perdera metade de seu valor naquela semana e estava cercada por chamadas adicionais de margem. Um e-mail interno do Fed de Nova York alertou que, enquanto Lehman afundava na lama, a AIG era mais uma fonte de nervosismo para Wall Street: "Estou ouvindo que é pior do que o LEH. Todos os bancos e corretoras têm exposição a eles". Era assustador pensar em quão desastrosa seria a situação se Fannie e Freddie estivessem implodindo também, mas a situação se revelou bastante desastrosa mesmo depois que elas foram estatizadas e estabilizadas.

Nesse meio-tempo, Washington estava se tornando um caldeirão em ebulição contra os incendiários, e políticos de ambos os partidos manifestavam uma raiva crescente com os salvamentos de Wall Street. A economia em geral ainda não havia sentido todos os efeitos do pânico crescente — o Fed nem cortara as taxas em agosto, pois a aflição em Wall Street demorara a chegar à Main Street —, mas agora havia sinais de extrema tensão, com vendas de automóveis despencando e o número de demissões crescendo acentuadamente. É compreensível que os americanos estivessem enfurecidos e intrigados com os esforços extraordinários que estavam sendo feitos para salvar os banqueiros responsáveis pela bagunça. Enquanto isso, os editoriais do *Financial Times* e do *Wall Street Journal*, bem como a imprensa não especializada em finanças, imploravam para que parássemos de recompensar a falência.

Quando o Lehman entrou em sua fase terminal, Hank e sua equipe espalharam a notícia de que os contribuintes não iriam subsidiar um acordo com o Lehman. Tratava-se de uma tática de negociação, não de uma decisão política. Ele estava tentando motivar o setor privado a assumir o máximo possível de ativos ruins do Lehman, para aumentar a probabilidade de que um resgate semelhante ao do Bear Stearns fosse possível.

Mas esse foi um dos poucos momentos da crise em que não ficamos todos do mesmo lado. Tim achava que dizer ao setor privado que o Lehman estava por conta própria intensificaria a corrida e tinha medo de que uma proclamação de "nenhum dinheiro do governo" prejudicasse nossa credibilidade se o Fed tivesse a oportunidade de ajudar um comprador com um tipo de empréstimo como o feito ao Bear Stearns.

Mas Hank disse que ficaria feliz em reverter sua posição se tivéssemos uma chance de salvar o Lehman. Todos sabíamos que, se o governo precisasse correr algum risco para vender o Lehman através de um acordo do tipo Bear, era o que faríamos, mesmo que não gostássemos, porque um colapso do Lehman seria muito mais caro em termos de estabilidade financeira e econômica do que seu salvamento. Estávamos determinados a evitar falências perturbadoras de grandes instituições até podermos criar um círculo de proteção em torno do núcleo do sistema, e, naquela altura, não tínhamos o poder de criar esse tipo de parede guarda-fogo. Nosso desentendimento era sobre táticas de negociação e de mensagens, não sobre nossa determinação final de fazer o que pudéssemos para evitar um colapso desestabilizador de uma instituição sistêmica.

No fechamento da sexta-feira, o Lehman estava reduzido aos seus últimos 2 bilhões de dólares em dinheiro, exatamente como acontecera ao Bear em seu último dia. No Fed de Nova York, Tim e Hank alertaram os líderes das principais instituições de Wall Street de que um calote do Lehman seria catastrófico para todos eles, então precisavam trabalhar juntos para evitá-lo.

O Fed de Nova York fervilhou todo o fim de semana de banqueiros, advogados, contadores e reguladores trabalhando contra o relógio para evitar um colapso. Uma equipe se reuniu com compradores potenciais do Lehman para identificar os ativos ruins que queriam deixar para trás, enquanto outra trabalhou com o consórcio de bancos de Wall Street para incentivá-los a assumir alguns desses ativos ruins ou mesmo todos. Aqueles que revisaram os ativos do Lehman ficaram horrorizados. O Bank of America nos disse que nem sequer consideraria um acordo, a menos que pudesse deixar para trás 70 bilhões de dólares em ativos podres; o Barclays identificou 52 bilhões de dólares que não assumiria. Os executivos de Wall Street que analisaram o portfólio imobiliário do Lehman concluíram que ele valia somente cerca de metade do que a empresa alegava. Os bancos tinham algum incentivo para exagerar os problemas a fim de encorajar o governo a ajudar, mas a conclusão bem-sucedida de qualquer acordo exigia que antes o enorme déficit de capital do Lehman fosse resolvido, o qual representava até dez vezes mais o risco que o Fed havia assumido com o Bear.

Tratava-se de um déficit assustador para um consórcio do setor privado tentar resolver. E os CEOs de instituições mais fortes tinham a preocupação legítima de que os mercados os puniriam se parecesse que agora eram responsáveis por resgatar rivais em dificuldades. O que aconteceria na segunda-feira se outro consórcio fosse necessário para resgatar a AIG, uma empresa com dezenas de milhões de clientes de seguro de vida e dezenas de bilhões de dólares em ativos de aposentadoria? Na manhã de sábado, a AIG alertou o Fed de que talvez precisasse de um empréstimo-ponte de 30 bilhões de dólares; à noite, o pedido havia disparado para 60 bilhões de dólares.

Contudo, as notícias não foram de todo ruins naquela noite de sábado: o Bank of America estava elaborando um acordo para comprar o Merrill Lynch sem assistência do governo ou do setor, o que ajudou a explicar por que seus executivos mostraram tão pouco interesse em comprar o Lehman. Ficamos aliviados por ter uma ameaça existencial desativada, mesmo que isso significasse que restava apenas um potencial comprador para o Lehman. E no final da noite, a fusão Barclays-Lehman parecia uma possibilidade real. Os CEOs de Wall Street haviam concordado, em princípio, em assumir o risco de uma grande quantidade de ativos problemáticos do Lehman para ajudar o Barclays a comprar a empresa e evitar uma falência danosa. Ainda havia perguntas sem resposta, e suspeitávamos de que uma ajuda de última hora do Fed poderia ser necessária para fechar o negócio. O CEO do Barclays Bob Diamond também levantou uma questão preocupante: a lei britânica exigia uma votação dos acionistas antes que a fusão pudesse ser finalizada, e ele não tinha certeza de que sua instituição seria capaz de garantir as obrigações do Lehman até que o negócio fosse concluído. Isso seria claramente um problema, mas não parecia do tipo que fosse atrapalhar um acordo diante da perspectiva de um Armagedom. Imaginamos que, se os outros problemas pudessem ser resolvidos, conseguiríamos um acordo com os britânicos.

Imaginamos errado. No domingo de manhã, os reguladores britânicos bloquearam o acordo. Callum McCarthy, o principal regulador financeiro do Reino Unido, disse a Tim que não tinha certeza se o Barclays possuía capital suficiente para assumir os riscos do Lehman, ou capacidade suficiente para garantir os ativos problemáticos do Lehman. Ele disse que, de qualquer modo, o Barclays não teria permissão para respaldar as obrigações do Lehman até que seus acionistas aprovassem uma fusão que ele mesmo não estava disposto a aprovar, e uma votação de acionistas poderia levar semanas ou até meses para ser feita. Tim disse a ele que os mercados precisavam de certeza imediata sobre o destino do Lehman e, portanto, adiar o acordo equivalia a matá-lo em um momento em que a estabilidade financeira global estava em jogo. A resposta de McCarthy foi: "Boa sorte".

Hank fez um último telefonema para pedir a Alistair Darling, ministro das Finanças do Reino Unido, que renunciasse à exigência de um voto dos acionistas, para que o Barclays pudesse apoiar o Lehman imediatamente. Mas Darling deixou claro que não pretendia ajudar, porque não queria os contribuintes britânicos enredados nos problemas do Lehman. Como Hank relatou a Tim: "Ele não queria importar o nosso câncer". O acordo com o Barclays estava morto. Ficamos frustrados com a recusa dos reguladores do Reino Unido em ajudar a evitar um cataclismo, mas eles tinham algumas preocupações legítimas. Seu sistema bancário era quatro vezes maior do que o nosso em termos de porcentagem de nossas respectivas economias e igualmente frágil. Importar a doença da Lehman para o Barclays poderia expor seus contribuintes a sérios prejuízos se a empresa combinada necessitasse, em última instância, de um resgate do governo. Os britânicos não estavam sendo loucos ao imaginar que o Barclays poderia acabar como o proverbial bêbado que tenta ajudar outro bêbado a sair de uma sarjeta, mas acaba caindo no mesmo lugar.

Por mais impensável que parecesse, estávamos sem opções. Não tínhamos autoridade para resolver o déficit de capital do Lehman ou garantir suas obrigações por nossa conta; tudo o que tínhamos era o poder do Fed de emprestar contra garantias sólidas. O Fed tinha algum poder de decisão sobre o que contava como garantia aceitável, mas algumas das mentes mais afiadas do governo e das finanças haviam acabado de revisar os ativos do Lehman, e o veredicto fora tão brutal quanto o do mercado. O Lehman parecia estar profundamente insolvente; um estudo de 2013 concluiria que seu déficit de capital poderia ter chegado a 200 bilhões de dólares. E embora o Fed pudesse ajudar a financiar uma aquisição, como aconteceu com o Bear, ele não conseguiria resgatar uma empresa insolvente no meio de uma corrida. Além das grandes perdas no balanço patrimonial do Lehman, a confiança do mercado na força de seus negócios, de sua marca e de sua administração havia sido seriamente corroída. Tivemos meses de provas de sua incapacidade de levantar capital, vender ativos ou financiar sua carteira imobiliária em qualquer nível próximo ao seu valor declarado. Estávamos dispostos a assumir riscos in extremis, mas as ferramentas do Fed, limitadas a emprestar contra garantias, não tornariam o Lehman viável.

Mesmo que o Fed tivesse decidido, contrariamente às evidências, que o valor da instituição justificava empréstimos ao Lehman em larga escala, emprestar para o que já se tornara uma corrida incontrolável só daria a alguns dos credores remanescentes da empresa e às contrapartes uma chance de fugir às custas do contribuinte, enquanto os negócios do Lehman continuariam inexoravelmente a se desgastar. Esse tipo de empréstimo-ponte para lugar nenhum traria enormes prejuízos para o governo sem acabar com o pânico, e a reação poderia ter enfraquecido nossa capacidade de agir da próxima vez que uma grande instituição precisasse de ajuda — o que, aliás, aconteceria na terça-feira seguinte. Um credor de última instância pode ajudar a reduzir o risco de que companhias viáveis caiam devido a problemas temporários de liquidez, mas não pode viabilizar instituições fundamentalmente não viáveis. Se os mercados acreditam que uma instituição está irrevogavelmente insolvente, um empréstimo garantido não pode deter uma corrida ou trazer de volta clientes e contrapartes em fuga.

Às 13h45 da segunda-feira, 15 de setembro, o Lehman entrou com pedido de falência, a maior da história americana. O Fed tentou aplicar espuma na pista afirmando sua disposição de emprestar a bancos e bancos de investimento contra qualquer tipo de garantia. Mas a explosão foi devastadora de qualquer maneira.

O custo de segurar os títulos do Morgan Stanley e do Goldman Sachs dobrou na segunda-feira, pois os mercados perderam a confiança no modelo de negócios do banco de investimento. A corrida também se estendeu ao setor bancário comercial. Os credit default swaps* do Citi aumentaram, refletindo os temores crescentes do mercado de que até mesmo bancos grandes demais para falir poderiam falir, e depositantes retiraram do Washington Mutual o dobro do que haviam retirado na corrida ao IndyMac. Até mesmo a gigante industrial General Electric lutou para rolar suas promissórias, um indício preocupante de que o vírus financeiro havia infectado a economia em geral. Bancos, empresas e famílias em todo o mundo recuaram para uma posição defensiva; o valor dos fundos de pensão e aposentadoria despencou; e o ciclo vicioso de execuções hipotecárias, as demissões e o pânico financeiro se intensificaram. Bancos estrangeiros que haviam tomado empréstimos de fundos do mercado monetário americano e bancos dos Estados Unidos perderam o acesso a dólares, e os mercados emergentes também foram privados de oxigênio financeiro. O Fed ampliou substancialmente suas linhas de swap para fornecer dólares a bancos centrais estrangeiros e, em geral, proporcionou aos mercados dos Estados Unidos e do exterior uma liquidez sem precedentes durante uma crise de liquidez sem precedentes. Mas os empréstimos de curto prazo do Fed não podiam, por si só, solucionar uma crise global de confiança.

Depois que o Lehman faliu, editorialistas do *New York Times*, do *Wall Street Journal* e de outros órgãos influentes ficaram satisfeitos por termos resistido à tentação de usar dólares públicos para resgatar um empreendimento falido. Por um breve momento, os críticos que nos chamaram de reis do resgate saudaram nosso compromisso com a disciplina do livre

---

* Swaps de inadimplência são operações de derivativos que indicam o custo de proteção e a probabilidade de inadimplência de determinada instituição. [N. E.]

mercado, nossa disposição de dar uma lição a Wall Street ao deixar que especuladores irresponsáveis pagassem por seus pecados. Mas o elogio estava equivocado, assim como a crítica esparsa de que éramos idiotas por deixar o Lehman falir. Teríamos resgatado o Lehman se pudéssemos. Sim, Hank dera a entender antes que o Lehman falisse que o governo não ajudaria, mas ele estava usando isso como tática para pressionar o setor privado a participar de um resgate que o Fed e o Tesouro não tinham o poder de executar por conta própria. Nos dias que se seguiram ao colapso, Hank e Ben também observaram em depoimento ao Congresso que os mercados haviam tido tempo para se preparar para a falência do Lehman, o que deu a alguns críticos a impressão de que esperávamos que o dano resultante fosse modesto. Mas havíamos concordado entre nós mesmos que, pelo menos por algum tempo, precisávamos minimizar nossa incapacidade de salvar o Lehman, porque temíamos que essa admissão aterrorizasse os mercados e acelerasse a corrida. A comunicação pública durante o pânico é vital e incrivelmente difícil, e estávamos tentando encontrar um equilíbrio entre ser francos e ser tranquilizadores. Ajudamos de fato a alimentar o mito de que escolhemos a falência, para evitar confessar em público que estávamos sem munição, mas, na realidade, simplesmente não conseguimos impedir a falência.

A queda do Lehman acelerou dramaticamente a crise, mas uma corrida menos frenética e menos visível no sistema financeiro vinha crescendo havia mais de um ano. Numa analogia cunhada pelo economista Edward Lazear, o Lehman foi o primeiro grande grão de pipoca que não conseguimos evitar que estourasse, mas ele não criou o calor na panela. E mesmo que tivéssemos de alguma forma salvado o Lehman, não teríamos a autoridade de reduzir o calor para evitar que outros grãos estourassem. Estávamos em outra sinuca de bico: precisávamos de novos poderes substanciais, incluindo a capacidade de injetar capital em instituições financeiras oscilantes, para impedir a crise. Mas jamais obteríamos essa autoridade do Congresso sem uma falência espetacular como a do Lehman. E mesmo assim seria uma luta. Nós não escolhemos deixar o Lehman falir, mas ainda que tivéssemos de alguma forma encontrado uma solução para aquela instituição, alguma outra coisa acabaria por quebrar.

Tínhamos estendido nossa autoridade até os limites, mas os limites eram reais e agora estava dolorosamente claro que não poderíamos apagar o fogo até que pudéssemos usar todos os recursos do governo americano. Naquele domingo à noite, depois que o destino do Lehman foi selado, todos concordamos que era hora de ir ao Congresso para conseguir o dinheiro e as ferramentas de que precisávamos. Mas antes, porém, tínhamos de resolver o problema da AIG, que era ainda maior e mais perigoso que o do Lehman e ameaçava queimar o que restava do sistema.

AIG: Dia do livre mercado

Tal como o Lehman, a seguradora global AIG havia caído através das rachaduras do nosso sistema regulatório quebrado. Suas subsidiárias de seguros eram reguladas em nível estadual, enquanto o Office of Thrift Supervision, a agência reguladora de instituições como Countrywide, IndyMac e WaMu, deveria supervisionar sua holding. Nenhum de nós tinha noção do que acontecia dentro da AIG e nenhum de nós havia prestado muita atenção na instituição até ela começar a ter uma hemorragia no fim daquele verão. No entanto, quanto mais descobríamos sobre a companhia, mais percebíamos que deixá-la seguir o caminho do Lehman seria uma receita para a depressão.

A AIG propiciava seguros de vida, saúde, propriedade, veículos e contas de aposentadoria de 76 milhões de clientes, inclusive de 180 mil empresas que empregavam mais de dois terços da força de trabalho americana. E graças à sua irresponsável divisão de Produtos Financeiros, que se assemelhava a um hedge fund enxertado numa seguradora tradicional, a AIG também tinha 2,7 trilhões de dólares em contratos de derivativos, a maioria composta de swaps de crédito que garantiam instrumentos financeiros problemáticos. Se ela desmoronasse, os outros bancos e instituições financeiras não bancárias sistêmicos perderiam o seguro contra desastres quando mais precisavam dele. Parecia que todos estavam expostos à AIG, e ninguém sabia ao certo o quanto os outros estavam expostos, então uma quebra da AIG poderia inspirar corridas em praticamente qualquer outra instituição financeira.

Agora, essa quebra parecia iminente. Na segunda-feira, as ações da AIG, que chegaram a valer 150 dólares em seu pico, caíram para menos de cinco dólares; suas contrapartes exigiam enormes quantias de garantias adicionais; e as agências de classificação estavam considerando um rebaixamento incapacitante. Parecia agora que a AIG precisava de pelo menos 75 bilhões de dólares para se manter à tona, o tipo de buraco que só o governo poderia tapar num momento em que os bancos estavam acumulando liquidez. Nunca havíamos imaginado que o Fed deveria ajudar uma seguradora, e, apenas alguns dias antes, havíamos duvidado de que pudéssemos. Mas na segunda-feira à tarde ficou claro que a AIG era muito grande, muito complexa e estava muito quebrada para ser resgatada pelo setor privado, e que o sistema não estava em condições de lidar com seu colapso.

Assim como no caso do Lehman, não tínhamos um mecanismo como a autoridade de resolução bancária da FDIC que pudéssemos usar para liquidar a AIG sem falência e inadimplência, e não poderíamos injetar capital, garantir passivos ou comprar ativos. Dessa vez, porém, achamos que o Fed poderia emprestar à AIG quantias suficientes para evitar um colapso. Ao contrário dos bancos de investimento, que não têm nada senão confiança e credibilidade, a AIG tinha um império global de negócios de seguros geradores de renda relativamente estável. O Fed tinha autoridade para emprestar contra uma boa garantia e, ao contrário do Bear ou do Lehman, a AIG possuía uma coleção de subsidiárias de seguros regulamentadas com segurados pagantes de prêmios e reservas obrigatórias que poderia usar para respaldar seus empréstimos. Os mercados perderam a confiança na capacidade da AIG de sobreviver a uma corrida aos seus fundos, mas seus problemas estavam sobretudo em sua holding, que abrigava sua problemática divisão de Produtos Financeiros. Achamos que os mercados reconheceriam que suas valiosas operações de seguro eram suficientes para manter a empresa fundamentalmente solvente e viável.

Qualquer empréstimo a uma empresa falimentar às voltas com uma corrida ainda seria arriscado, e sabíamos que talvez servisse apenas para ganhar tempo para o sistema se preparar para um default. Mas, na terça-feira, a AIG estava prestes a pedir falência se não recebesse o dinheiro necessário, e a quantia de dinheiro que precisava parecia aumentar a cada hora. Naquela tarde, o Fed enviou à AIG uma oferta do tipo pegar ou largar de uma linha de crédito de 85 bilhões de dólares a uma taxa de juros penalizadora em troca de 79,9% da empresa — um pouco abaixo do limite que forçaria o governo a trazer a instituição formalmente para seu balanço, mas o suficiente para garantir que os contribuintes obtivessem a maior parte da valorização se a empresa sobrevivesse. A AIG aceitou o acordo, apesar de uma das condições ser a substituição imediata de seu CEO.

Sabíamos que a reação seria intensa e que pareceria que estávamos dando uma guinada. Barney Frank brincou que o dia 15 de setembro deveria ser apelidado de Dia do Livre Mercado, em homenagem ao compromisso de um dia dos Estados

Unidos com o rigor do mercado, entre o Lehman e a AIG. Mas não abraçamos nem abandonamos subitamente nenhum princípio. Fizemos o que podíamos para evitar o caos e não fizemos o que não podíamos fazer; a AIG tinha garantias sólidas, o suficiente para garantir o financiamento de que precisava para permanecer em funcionamento, enquanto o Lehman não. E mesmo com a AIG, tentamos fazer uma negociação dura, em parte para maximizar a proteção aos contribuintes, em parte para minimizar o risco moral que criaríamos para o futuro. Os acionistas da AIG mais tarde entraram com um processo porque achavam que tinham sido tratados com demasiada severidade e, apesar do atrevimento, essa foi uma comprovação de nosso compromisso de salvar o sistema mais amplo, em vez de todos os que estavam nele. Resgatar a AIG foi nossa opção menos horrível na época, e tentamos minimizar seu horror.

Alguns críticos zombaram de nós por enviarmos a Wall Street outra mensagem de que a falência seria recompensada. Mas a maioria das falências não foi recompensada. No decorrer da crise, os CEOs de Countrywide, Bear, Fannie, Freddie, Merrill, Lehman, AIG, Citi e Wachovia perderam seus empregos. Os acionistas de todas as instituições financeiras viram os preços das ações despencarem. É verdade que reduzimos alguma dor no setor financeiro para evitar uma debandada total de credores e contrapartes, o que presumivelmente criou algum risco moral. Mas não estávamos criando um caminho particularmente convidativo para futuros financiadores, e teria sido um ato bizarro de arrogância excessiva deixar o sistema financeiro implodir e derrubar a economia apenas para que pudéssemos nos sentir bons cumpridores do dever em relação ao severo precedente que havíamos estabelecido. Teríamos deixado a AIG falir se achássemos que as consequências poderiam se limitar aos executivos e acionistas da empresa, mas não queríamos que nenhuma instituição sistemicamente perigosa falisse num momento em que não tínhamos como evitar que o dano se transformasse numa catástrofe mundial.

Alguns críticos ficaram indignados com o fato de o Fed não insistir em *haircuts** que teriam reduzido os pagamentos aos credores e contrapartes da AIG, que receberam cem centavos por dólar de seus negócios arriscados com uma empresa moribunda. Na verdade, o Fed não tinha o poder de impor *haircuts* sem provocar um default que significaria falência certa, e os credores rapidamente rejeitaram a ideia de aceitar até mesmo descontos minúsculos de forma voluntária. De qualquer modo, enquanto os *haircuts* para credores de empresas em liquidação são sensatos e justos em tempos normais — e uma característica comum do processo normal de falência —, feitos durante o pânico são uma maneira segura de piorá-lo. Enviam um sinal para os credores de outras empresas com problemas de que eles também correm o risco de descontos se não correrem imediatamente, um fenômeno que testemunharíamos apenas uma semana mais tarde com o Washington Mutual. O objetivo de uma reação à crise deve ser aliviar os temores, e não confirmá-los e amplificá-los.

Compreendemos por que o público queria que as instituições financeiras pagassem o preço final por sua imprudência. Como diz o ditado, capitalismo sem falência é como cristianismo sem o inferno. Mas os formuladores de políticas que se concentram na punição em vez da estabilização durante uma crise épica apenas tornarão a crise mais épica. Como disse Ben, se seu vizinho põe fogo na casa dele fumando na cama, você quer que o corpo de bombeiros apague o incêndio antes que ele se espalhe para sua casa e para toda a sua cidade, embora deixá-lo queimar pudesse representar uma punição para o agressor e o reforço da mensagem de que fumar na cama nunca será

---

* "*Haircut*": desconto aplicado ao valor de mercado de um título, deságio. [N.T.]

tolerado. Faz sentido tentar evitar recompensar o imprudente além do que é necessário para conter o fogo, e puni-lo apropriadamente (enquanto se promove medidas mais fortes de prevenção de incêndios) depois que o fogo acabar. Mas a prioridade tem de ser apagar o fogo.

Acontece que a AIG estava em dificuldades ainda maiores do que pensávamos. Toda a real dimensão do problema veio à tona depois do empréstimo inicial, e o resgate acabaria se expandindo para impensáveis 185 bilhões de dólares. Mas a AIG acabaria por reembolsar o dinheiro com juros, em parte pela venda de operações, e o governo obteria um lucro de 23 bilhões de dólares. E o que é mais importante, evitamos o dano mais amplo que teria significado a inadimplência da AIG. Os executivos da companhia haviam ajudado a pôr todo o sistema em risco, o que deixou o público ainda mais furioso quando eles receberam bônus que haviam sido contraídos antes da crise. Da perspectiva das relações públicas, salvar a AIG foi devastador. Mas em setembro de 2008, no dia seguinte à falência do Lehman, deixar de salvar a AIG teria sido calamitoso.

O fim de uma era

Evitamos alguns desastres, mas isso não foi suficiente. A falência do Lehman e a quase falência do Merrill e da AIG ajudaram a deixar os mercados ainda mais chocados. Os dois bancos de investimento autônomos sobreviventes enfrentaram intensas corridas; os credit default swaps do Morgan Stanley subiram mais que os do Lehman antes que ele falisse, enquanto o Goldman Sachs viu o valor de 60 bilhões de dólares em liquidez se evaporar numa semana. Os spreads das obrigações das empresas aumentaram duas vezes mais do que após o crash de 1929, sugerindo receios de falências generalizadas de empresas não financeiras. O rendimento dos títulos do Tesouro de curto prazo ficou negativo, refletindo a fuga frenética em busca de segurança; os investidores tinham tanto medo de investir em qualquer coisa que estavam dispostos a pagar ao governo para guardar o dinheiro deles. Ben recebeu um e-mail do guru das estatísticas de beisebol Bill James pedindo que ele aguentasse firme: "Em algum momento, as pessoas que estão dizendo que a coisa não pode piorar TÊM de estar certas".

Ainda estava piorando, e um novo desastre surgiu na terça-feira, enquanto estávamos finalizando os termos do nosso apoio à AIG. O Reserve Primary Fund, um fundo de investimentos líquidos de curto prazo que investira pesadamente em commercial paper do Lehman, anunciou que não poderia mais pagar a seus investidores cem centavos por dólar e estava suspendendo os resgates. Os investidores, temerosos de que outros fundos de investimentos líquidos de curto prazo também pudessem *"brake the buck"** e congelassem o dinheiro deles, correram para retirar 230 bilhões de dólares naquela semana, uma corrida assustadora aos quase bancos que operavam sem seguro para seus quase depósitos. Enquanto isso, à medida que recuavam do risco para tranquilizar seus investidores, os fundos monetários compravam ainda menos commercial paper e emprestavam ainda menos nos mercados de repos, intensificando a crise de liquidez para bancos e instituições não bancárias. CEOs de instituições não financeiras com avaliação de crédito alta como General Electric, Ford e até mesmo a Coca-Cola alertaram Hank de que estavam tendo problemas para vender seus papéis, o que as privava do financiamento de curto prazo para gerenciar operações e pagar fornecedores e trabalhadores. Isso as forçaria a reduzir os estoques e a atrasar pagamentos aos

---

* *"Break the buck"*: quando o preço de uma ação num fundo de investimentos líquidos de curto prazo cai abaixo de um dólar. [N.T.]

pequenos e médios fornecedores, que, por sua vez, seriam forçados a demitir trabalhadores.

A crise estava prestes a se espalhar, de uma maneira mais concreta e palpável, de Wall Street para a Main Street. Estávamos decididos a deter as corridas aos fundos de investimentos líquidos de curto prazo, que investiam 3,5 trilhões de dólares para 30 milhões de americanos, e ao commercial paper, que fornecia a vital liquidez diária que era a alma de tantas empresas da economia real. A equipe de Hank teve a ideia de usar o Fundo de Estabilização Cambial de 50 bilhões de dólares do Tesouro para garantir os fundos monetários, assim como a FDIC garantia os depósitos bancários. O fundo do Tesouro deveria ser usado para proteger o valor do dólar somente numa emergência, mas havia o argumento de que deter as corridas aos fundos monetários impediria um colapso econômico que pudesse destruir o valor do dólar. De qualquer modo, acreditávamos que, depois que anunciasse a garantia, o Tesouro não teria de gastar nem emprestar nada, porque os investidores parariam de correr quando recuperassem a confiança de que os fundos monetários estavam seguros. E o Fed reforçou a nova garantia lançando um novo verbete em sua sopa de letrinhas de programas de empréstimo, a AMLF (Asset-Backed Commercial Paper Money Market Mutual Fund Liquidity Facility), um esforço tortuoso para descongelar o mercado de commercial paper lastreado em ativos, ajudando os bancos a comprá-los de fundos de investimentos líquidos de curto prazo. Em duas semanas, o programa já financiava 150 bilhões de dólares equivalentes a títulos em que o mercado não confiava mais.

As intervenções funcionaram. Nenhum outro fundo de investimentos líquidos de curto prazo *broke the buck*, e como o Tesouro cobrava de todos eles um ágio por sua nova apólice de seguro, os contribuintes acabaram obtendo outro lucro. A liquidez extra do Fed ajudou, mas a verdadeira lição foi o poder de uma garantia do governo; quando os gestores de crises podem prometer com credibilidade proteção contra resultados catastróficos, os participantes do mercado não precisam agir em antecipação a esses resultados, portanto os resultados temidos não acontecem.

Não tínhamos autoridade para garantir as obrigações dos bancos de investimento, então passávamos longas horas pressionando John Mack, o CEO do Morgan Stanley, e Lloyd Blankfein, do Goldman, para buscar fusões com bancos comerciais que tinham bases de financiamento mais fortes. Àquela altura, Tim havia tentado organizar tantos casamentos apressados que os executivos de Wall Street o estavam chamando de "eHarmony".* Mas potenciais megafusões como Goldman-Wachovia e Morgan-Citi não faziam sentido; o Wachovia e o Citi tinham seus próprios desafios, apesar de seus depósitos segurados, e as uniões geravam preocupações do tipo dois bêbados numa sarjeta. Enquanto isso, nós relutantemente encorajamos a SEC a impor uma proibição temporária da venda a descoberto de ações de instituições financeiras, algo a que havíamos resistido por meses e nunca teríamos considerado em circunstâncias menos extremas. Odiávamos a ideia de proibir apostas contra empresas em apuros — seria algo semelhante a vetar críticas negativas, o que poderia minar a confiança no mercado que queríamos proteger —, mas o Morgan Stanley estava à beira do colapso, e o Goldman o teria seguido, com grandes bancos comerciais vindo logo atrás. Então nós não teríamos muito mais a proteger.

Ambos os bancos de investimento estavam procurando desesperadamente parceiros estratégicos para fazer investimentos patrimoniais básicos que ajudassem a reforçar suas reservas de capital e enviassem um sinal de confiança na viabilidade

---

* Nome de um site de namoro online. [N. T.]

de seus negócios. O Fed decidiu permitir que ambos se tornassem holdings bancárias, mas apenas sob a condição de que levantassem imediatamente capital privado significativo. No fim de semana de 20 de setembro, o Goldman Sachs trabalhou para obter um investimento de 5 bilhões de dólares de Warren Buffett, o que possibilitou que a instituição levantasse outros 5 bilhões de dólares do público. E o Morgan Stanley garantiu um compromisso da Mitsubishi para comprar 20% da empresa por 9 bilhões de dólares. A designação de empresa holding bancária pelo Fed foi vagamente tranquilizadora para o mercado, mas na realidade teve poucas implicações substanciais. Por exemplo, considerando-se os programas de empréstimos já em vigor, não aumentou o montante que um banco de investimento poderia tomar emprestado do Fed.

As injeções de capital por investidores privados proporcionaram um voto limitado de confiança, mas o incêndio financeiro ainda estava fazendo estragos. A curva do pânico continuava a nos superar em velocidade, e nosso arsenal de ferramentas existentes se mostrou muito fraco para conter a força da corrida. Precisávamos de uma maneira de evitar desastres para todo o setor financeiro, em vez de intervir numa empresa de cada vez, e não haveria como fazê-lo sem aprovação do Congresso e dinheiro do contribuinte.

Durante meses, quisemos pedir poderes de emergência mais fortes, porém o Congresso sinalizava que precisaria de provas mais convincentes de que precisávamos realmente de mais poder, e temíamos que uma rejeição pública intensificasse as desconfianças do mercado com relação a nossa capacidade de acabar com a crise. Mas agora estávamos encarando o abismo de uma segunda depressão e, pela primeira vez, acreditamos que poderíamos conseguir que um Congresso relutante agisse. Em 18 de setembro, numa reunião na Sala

Roosevelt da Casa Branca, Ben e Hank disseram ao presidente Bush que havia chegado a hora de ir ao Congresso; Ben enfatizou que não havia mais nada que o Fed pudesse fazer sozinho. Então o presidente nos deu permissão para ir ao Capitólio a fim de pedir o poder de fogo de que precisávamos para garantir que não haveria mais falências como a do Lehman.

No final daquela noite de sexta-feira, Hank enviou ao Congresso uma minuta de três páginas do Programa de Alívio de Ativos Problemáticos (Troubled Assets Relief Program, TARP), uma proposta para dar ao Tesouro o poder de comprar 700 bilhões de dólares em títulos hipotecários tóxicos que haviam envenenado o sistema financeiro. A cifra em dólares era um tanto arbitrária — 500 bilhões não parecia uma quantia suficientemente grande em relação ao mercado de hipotecas residenciais de 11 trilhões, enquanto algo próximo de 1 trilhão pareceria demais para o sistema político engolir —, mas o objetivo era criar a percepção e a realidade de uma força avassaladora. Esperávamos reforçar a confiança em instituições financeiras ameaçadas, removendo alguns dos ativos ilíquidos que pesavam sobre seus balanços; também esperávamos que as compras revivessem o mercado de ativos hipotecários semelhantes aos que não compramos, recapitalizando efetivamente todo o sistema financeiro. Tratava-se de algo parecido com o plano de emergência que o Tesouro e o Fed haviam desenvolvido em conjunto em abril, e estava claramente na hora de apertar o botão de emergência.

O simples ato de defender publicamente o TARP comportava algum risco. Hank e Ben precisavam convencer o Congresso de que a situação era terrível o suficiente para justificar uma ação extraordinária, mas uma retórica excessivamente alarmista poderia inflamar o pânico; era a mesma corda bamba da comunicação que percorremos durante a crise. E a proposta básica de Hank criou um incêndio político imediato. Ela fora concebida como um mero esboço, uma resposta ao pedido do senador Dodd de que ele não apresentasse ao Congresso um fato consumado, mas os críticos zombaram de sua falta de detalhes legislativos. O esboço também incluía flexibilidade virtualmente ilimitada para o Tesouro gastar 700 bilhões de dólares sem interferência do Congresso ou mesmo revisão judicial, o que levou a acusações de que Hank estava buscando um poder sem precedentes. Muitos republicanos atacaram o plano por considerá-lo socialismo de *big government*, enquanto muitos democratas reclamaram que carecia de restrições à remuneração dos executivos e de alívio para os proprietários de residências. Numa série de audiências no Capitólio, Hank e Ben foram repetidas vezes ridicularizados por colocar Wall Street à frente da Main Street, por mimar os incendiários, em vez de deixá-los queimar. Um senador disse a Ben que os telefonemas para o escritório dele sobre a legislação proposta oscilavam em torno de "50% não e 50% claro que não".

Ainda assim, longe das câmeras e da postura parlamentar, Hank estava avançando num acordo bipartidário quando o senador John McCain, o candidato republicano à presidência, anunciou de repente que estava suspendendo sua campanha e voltando a Washington para ajudar a resolver a crise, jogando as negociações no turbilhão da política presidencial. Hank alertou McCain que se ele torpedeasse o TARP, ele diria publicamente que o senador estava sabotando a economia, o que, é claro, não queria ser obrigado a fazer. Ele até sugeriu que Ben poderia apoiá-lo, o que não era de fato algo que Ben faria na qualidade de presidente independente do Fed, mas Hank estava disposto a blefar um pouco para evitar uma catástrofe.

O presidente Bush e Hank reuniram-se na Casa Branca na quinta-feira, 25 de setembro, com os candidatos presidenciais McCain e Obama e líderes parlamentares de ambos os partidos, uma reunião improdutiva que terminou em gritaria estridente depois que importantes republicanos continuaram resistentes ao TARP. A política das crises financeiras é sempre difícil, mesmo quando elas não entram em erupção antes das eleições presidenciais, porque as ações necessárias para estabilizar os sistemas financeiros nunca são populares. Por isso, é vital que os gestores de crises tenham as ferramentas de que precisam antes de uma crise, de modo que não precisem depender de líderes políticos para assumir riscos políticos em tempo real sob a vigilância do público. Como disse Lee Sachs, assistente de Tim, um corpo de bombeiros não deveria ter que convocar uma reunião da cidade para aprovar a compra de novos equipamentos para combater um incêndio que já está fora de controle.

Com efeito, na mesma quinta-feira, o incêndio queimou outra instituição enorme, o Washington Mutual, que superou a IndyMac como o maior banco segurado pela FDIC a falir. A presidente da FDIC Sheila Bair fez um acordo para o JPMorgan Chase comprar o WaMu e proteger seus depósitos sem a ajuda do fundo de seguros de sua agência. Mas o acordo da FDIC não apenas aniquilou os acionistas do WaMu, o que era apropriado, como também impôs pesadas perdas a seus detentores de dívida seniores. Em outras palavras, isso permitia que o WaMu deixasse de cumprir suas obrigações de dívida, resultado que tínhamos tentado desesperadamente evitar em outras instituições. Esse tipo de *haircut* faz sentido em tempos normais, forçando os credores a sofrerem as consequências de seus empréstimos imprudentes, mas não durante pânicos, quando envia uma mensagem de que os credores de outras instituições financeiras também devem correr. Bair achava que nossos resgates tinham criado muito risco moral e viu a falência do WaMu como um momento de aprendizado para o sistema financeiro. Ela também tinha grandes cautelas com relação ao Fundo de Seguros de Depósitos da FDIC, citando com frequência sua obrigação legal de buscar a opção de menor custo para sua agência. Mas havia uma "exceção de risco sistêmico" para essa obrigação quando a estabilidade financeira estava em jogo, e o *haircut* do WaMu parecia criar um risco significativo de mais falências bancárias, mais perdas para a FDIC, mais resgates e mais risco moral.

Como era de esperar, na manhã seguinte houve uma corrida ao Wachovia, o próximo dominó na fila e o quarto maior banco do país em ativos. O custo de segurar a dívida sênior do Wachovia contra a inadimplência dobrou, e o preço de seus títulos de dez anos caiu quase dois terços em um dia. Uma vez mais, precisávamos de uma solução de fim de semana para um megabanco agonizante, e embora o Citigroup e o Wells Fargo estivessem interessados, nenhum deles estava disposto a comprar o Wachovia e respaldar suas obrigações sem a ajuda do governo. De início, Bair estava inclinada a repetir sua estratégia WaMu de aplicar descontos aos credores seniores para proteger o fundo da FDIC e evitar o risco moral. Mas depois de algum debate, ela concordou em invocar a exceção de risco sistêmico para evitar outra inadimplência caótica que aumentaria o pânico.

Isso não encerrou o drama do Wachovia. A FDIC anunciou de início uma venda ao Citi, concordando em assumir alguns dos riscos dos ativos de hipotecas ruins do Wachovia, mas mudou de ideia quando o Wells Fargo fez uma nova oferta que não exigia descontos nem ajuda da FDIC. Foi uma reversão compreensível, mas os zigue-zagues do governo criavam todos os tipos de incerteza nos mercados. A aparente oscilação sem uma estratégia coerente era consequência principalmente dos poderes limitados do governo, das autoridades fragmentadas e da desordem geral das crises financeiras. Mas isso não reforçou a confiança de que tínhamos controle da situação, o que limitou a eficácia das ferramentas que de fato tínhamos.

Queríamos assegurar aos mercados que não haveria mais Lehmans ou WaMus, e para tornar essas garantias confiáveis, precisávamos do TARP. No final de semana do Wachovia, Hank e sua equipe discutiram com os líderes do Congresso, que acrescentaram medidas de supervisão ao seu projeto minimalista, bem como restrições a paraquedas de ouro para os CEOs das instituições participantes. Hank resistira a uma repressão mais rigorosa à remuneração dos executivos, a fim de limitar o estigma associado ao TARP, porque ele não funcionaria a menos que os bancos concordassem em participar, mesmo que não estivessem à beira da falência. Contudo, sua primeira prioridade era um acordo, e o Tesouro obteve tudo o que Hank achava que precisava. E McCain e Obama mostraram coragem política ao apoiá-lo.

Não obstante, na segunda-feira, 29 de setembro, a Câmara rejeitou o projeto de lei do TARP. O S&P 500 caiu 9%, varrendo a quantia recorde de 1 trilhão de dólares em valor de ações. Foi um momento profundamente assustador que fez com que alguns congressistas republicanos recalcitrantes recuperassem a razão. Depois de acrescentar alguns incentivos fiscais ao TARP, os líderes do Senado aprovaram o projeto na quarta-feira com amplo apoio bipartidário. E na sexta-feira, a Câmara deu meia-volta e também aprovou a versão suavizada. Não foi bonito, mas durante uma emergência nacional, um Congresso controlado pelos democratas (com algum apoio republicano) aprovou um resgate de 700 bilhões de dólares para Wall Street de uma administração republicana em apenas dezesseis dias. A lei deu ao Tesouro um poder notavelmente expansivo, deixando claro que Hank não precisava usar o Programa de Alívio de Ativos Problemáticos para comprar ativos problemáticos. Barney Frank brincou que poderia usá-lo para comprar cascalho, se quisesse. Esse não era o plano de Hank, mas no momento em que a lei foi aprovada, o Tesouro e o Fed estavam se concentrando numa alternativa diferente para comprar ativos problemáticos.

5.
Combatendo o fogo

Outubro de 2008 a maio de 2009

A aprovação do TARP foi um ponto de inflexão, o momento em que os poderes democraticamente eleitos do governo reconheceram oficialmente que a crise representava uma grave ameaça para a economia e deram aos gestores um maior poder para estabilizar o sistema financeiro. Mas o sistema permaneceu instável por um bom tempo.

Parte do problema era simplesmente que o sistema estava em péssimo estado. Ele estava sendo golpeado havia catorze meses, e o caos de setembro — não só o colapso do Lehman, mas as quase falências de Fannie Mae e Freddie Mac, Merrill Lynch e AIG, juntamente com a corrida sem precedentes aos fundos de investimentos líquidos de curto prazo — havia sido um golpe devastador para os mercados de crédito e para a confiança. A aprovação de 700 bilhões de dólares em assistência foi uma notícia bem-vinda, mas o sistema tinha mais do que isso em termos de problemas, e o medo estava aumentando em relação à solvência de outras instituições financeiras significativas. Com efeito, o spread que refletia o estresse nos empréstimos interbancários atingiu seu ponto mais alto durante a semana *após* o Congresso ter promulgado o TARP; o mercado de ações teve sua pior semana desde 1933. Era óbvio que a mera existência do TARP não ia acabar com o pânico. Precisávamos anunciar um plano claro para acomodar os mercados imediatamente e precisávamos implementá-lo com rapidez.

Infelizmente, o vírus da falta de confiança que infectara os títulos hipotecários, as instituições expostas a títulos hipotecários e as instituições expostas às instituições expostas afetou também o Fed e o Tesouro. Deveríamos melhorar as coisas, mas as coisas continuavam a piorar, e os mercados duvidavam cada vez mais de que poderíamos controlar o contágio. Eles queriam ver uma estratégia consistente e enérgica em que pudessem confiar, mas as restrições à nossa autoridade haviam contribuído para a sensação de que estávamos criando soluções de última hora, salvando algumas instituições, mas não outras, com pouco fôlego para acompanhar a curva da crise. E agora que o Congresso havia por fim expandido nossa autoridade com o TARP, Hank decidiu não usá-lo para comprar ativos problemáticos. Parecia que estávamos improvisando de novo, mas numa crise é vital ter a coragem de mudar de rumo quando os tempos assim o exigem.

Um motivo pelo qual o fogo ainda parecia tão ameaçador, apesar do aprimoramento de nossos equipamentos de combate a incêndio, era a piora do estado da economia em geral. Ela entrara em recessão no mês de dezembro anterior, mas a turbulência da queda acelerara o círculo vicioso do setor financeiro e da economia real: perdas de emprego e inadimplência que enfraqueciam ainda mais a confiança e deprimiam os preços dos ativos, levando a mais aperto de cinto, demissões, inadimplências e queimas de estoque, o que aprofundava a crise financeira, bem como a queda econômica. À medida que a economia implodia, tornava-se cada vez mais racional supor o pior a respeito das instituições financeiras americanas em dificuldades. E a situação era também ruim na Europa, onde sete nações diferentes precisaram intervir para estatizar uma ou mais instituições falidas.

Contudo, agora que tínhamos o TARP, achávamos que poderíamos finalmente ultrapassar a curva.

Mobilizando o TARP

Quando propusemos o TARP pela primeira vez, Hank acreditava que a compra de ativos seria um mecanismo melhor para restaurar a estabilidade financeira do que os investimentos de capital. Seu objetivo era recapitalizar o sistema bancário. Mas no passado, sempre que os governos injetavam capital diretamente em bancos privados, as condições eram muitas vezes tão punitivas que apenas os bancos falidos ou a caminho da falência aceitavam o capital, o que resultava numa estatização dispendiosa dos bancos mais frágeis, sem muita recapitalização de todo o sistema. Hank acreditava que a compra de ativos problemáticos aumentaria os preços dos ativos remanescentes nos bancos, o que fortaleceria seus balanços, melhoraria suas posições de capital e aumentaria a confiança dos investidores. Em contraste, as injeções de capital traziam à tona o espectro da estatização, que arriscava acelerar a fuga de ativos dos grandes bancos. Nas últimas semanas, acionistas da Fannie Mae, da Freddie Mac e da AIG tinham sido quase liquidados depois que o governo assumira participações acionárias nessas instituições, e Hank temia que acionistas de outros bancos fugissem se achassem que seu patrimônio também estava em risco de se diluir. Ele também estava preocupado com a reação política ao que poderia parecer uma estatização parcial do sistema financeiro.

Enquanto buscávamos poderes de emergência do Congresso, tivemos de lidar com as duas maiores falências bancárias da história dos Estados Unidos, Washington Mutual e Wachovia, e quando o TARP foi promulgado, a situação estava se deteriorando a um ritmo alarmante. Precisávamos de ação imediata para acalmar os mercados. E logo ficou claro que criar um programa justo e eficaz de compras de ativos seria uma tarefa complexa e difícil. A questão crucial era que o sistema precisava de mais capital e a compra de ativos era uma maneira indireta e ineficiente de aumentar os níveis de capital; também não havia um jeito fácil de determinar quais ativos o Tesouro deveria comprar e quanto deveria pagar. A equipe de Hank considerou várias hipóteses envolvendo leilões e parcerias com investidores do setor privado, mas estava claro que a criação de um programa viável levaria seis semanas ou mais. Voltaríamos a algumas dessas ideias nos meses seguintes, mas precisávamos de uma abordagem mais simples, mais rápida e mais eficiente para ajudar o sistema, enquanto ainda havia um sistema para ajudar.

Na época em que o Congresso aprovou o TARP, todos concordávamos que injetar capital diretamente nas instituições financeiras fazendo com que o governo comprasse suas ações recém-emitidas seria uma forma muito mais fácil e rápida de estabilizar o sistema bancário do que comprar seus ativos. Também seria muito mais potente e rentável. Precisávamos esticar cada dólar do TARP o máximo que pudéssemos; 700 bilhões de dólares eram muito dinheiro, mas temíamos que as compras de ativos pudessem gastar tudo isso sem resolver os problemas subjacentes. A equipe de Hank também decidiu comprar ações preferenciais sem direito a voto, em vez de ações ordinárias, o que ajudaria a acalmar os temores de uma aquisição governamental, e fazê-lo em termos relativamente atrativos, de tal modo que tanto bancos fortes quanto fracos aceitassem o capital e restaurassem a confiança no sistema.

Durante catorze meses, nossos poderes haviam se limitado aos esforços do Fed para resolver problemas de liquidez; agora, o capital governamental poderia finalmente resolver os problemas subjacentes de solvência. Mas com o crescimento do pânico, os bancos ainda em luta para se financiar e o aumento da magnitude das perdas potenciais, temíamos que as injeções de capital por si só fossem insuficientes para estabilizar o sistema. Credores e investidores ainda estavam se afastando tanto de instituições financeiras fracas quanto fortes. A forma mais simples e mais poderosa de garantir que os bancos pudessem atrair financiamento era garantir suas dívidas, tal como o Tesouro havia feito com os fundos de investimentos líquidos de curto prazo depois que o Fundo Primário da Reserva *broke the buck*. Queríamos assumir um compromisso confiável de que não haveria mais *haircuts* ou inadimplências, porque é assim que a confiança é restaurada e as execuções são interrompidas, e havíamos visto com os fundos de investimentos líquidos de curto prazo que os mercados consideravam as garantias federais confiáveis. Vários países europeus já haviam decidido fornecer garantias abrangentes para seus passivos bancários, de modo que nossas defesas teriam que ser igualmente abrangentes.

Ocorreu-nos que, como a FDIC tinha o poder de respaldar os bancos falidos, um de cada vez, ela poderia invocar a exceção de risco sistêmico para respaldar todos os bancos de uma só vez. A presidente da FDIC Sheila Bair relutava em expor o Fundo de Seguro de Depósitos de sua agência a mais riscos, e dissera que nossa abordagem de fazer qualquer coisa para proteger as instituições sistêmicas era excessivamente generosa para com Wall Street. Mas ela vira as reações caóticas do mercado à inadimplência do Lehman e do WaMu e, diga-se a favor dela, concordou em considerar garantir algumas obrigações bancárias.

De início, Bair pressionou para limitar as garantias — restringindo-as a novas dívidas emitidas, excluindo as dívidas de holdings bancárias, impondo taxas punitivas aos bancos que usassem as garantias e até mesmo limitando as garantias a 90% das dívidas, um desconto implícito de 10%. Ela argumentou que tinha somente 35 bilhões de dólares em seu fundo de seguro, então precisava ter cuidado com o risco. Mas nós argumentamos que assumir algum risco com antecedência para proteger os bancos contra corridas reduziria o risco de que falências em cascata drenassem todo o seu fundo. E ela tinha como pedir emprestado ao Tesouro para respaldar seu fundo; a FDIC também poderia aumentar as taxas sobre o setor financeiro para reabastecer seu fundo após o término da crise.

Queríamos jogar tudo o que tínhamos contra a crise, então, enquanto corríamos para finalizar os detalhes do capital e das garantias do governo, iniciávamos esforços adicionais para proteger o sistema. O Fed criou um novo programa de empréstimos para evitar o colapso do mercado de commercial paper, de modo que grandes empresas pudessem financiar suas operações por mais de um ou dois dias. A Linha de Financiamento de Commercial Paper (Commercial Paper Funding Facility, CPFF) envolveu mais uma interpretação nova da autoridade de emergência do Fed, mas compraria 242 bilhões de dólares em commercial paper em sua primeira semana, ajudando a desobstruir importantes canais de crédito de curto prazo para as empresas. E o programa acabaria ganhando 849 milhões de dólares para os contribuintes, sem incorrer em nenhuma perda.

Ao mesmo tempo, com um esfriamento sem precedentes se espalhando pela economia mundial, anunciamos algumas ações sem precedentes com nossos equivalentes globais. Primeiro, o Fed ajudou a organizar o primeiro corte de juros coordenado pelos principais bancos centrais. A redução de meio ponto não reverteu a erosão da confiança do mercado, mas sinalizou um compromisso internacional de facilitar a política monetária para promover o crescimento, o que não era pouca coisa, considerando-se que o conservador Banco Central Europeu tinha adotado uma política mais rigorosa em julho. Hank e Ben, com o apoio de Mervyn King, do Banco da Inglaterra, também arquitetaram uma declaração extraordinariamente forte das nações do G-7, prometendo "ação urgente e excepcional" para acabar com a crise, abandonando o jargão esotérico e as advertências diplomáticas que caracterizavam a maioria dos comunicados para prometer que cada país "usaria todas as ferramentas disponíveis para apoiar instituições financeiras sistemicamente importantes e impedir suas falências". Nossa abordagem de fazer o que fosse necessário para debelar a crise tornou-se a política oficial das principais economias.

Ainda precisávamos finalizar nosso programa de capital e as garantias da FDIC durante o fim de semana do Dia do Descobrimento da América. Nosso desafio era elaborar termos suficientemente duros para proteger os contribuintes, mas não tão duros que desencorajassem a participação de instituições fortes e estigmatizassem o programa. Não acreditávamos que pudéssemos forçar instituições com proporções de capital acima de seus mínimos regulatórios a participar do TARP e tínhamos uma preocupação: se apenas as instituições mais fracas aceitassem capital do governo, os mercados fugiriam delas, enquanto o resto do sistema permaneceria subcapitalizado e vulnerável. Assim, embora tenhamos apertado algumas restrições à remuneração dos CEOs que o Congresso estabelecera como condição para a participação no TARP, não impusemos restrições à remuneração e aos bônus para outros executivos do banco. Queríamos maximizar a participação, para que pudéssemos obter capital suficiente no sistema e garantias amplas o bastante para romper o pânico. Também tornamos atraentes para os bancos as condições para a injeção de capital; o Tesouro compraria ações preferenciais com um dividendo de 5% que aumentaria ao longo do tempo para 9%, com garantias (isto é, opções para comprar ações adicionais a um preço fixo no futuro) que assegurassem alguma vantagem para os contribuintes se as instituições se saíssem bem. O objetivo era tornar o capital atrativo o suficiente para que todos os bancos o aceitassem, mas com incentivos para que o substituíssem por capital privado, à medida que as pressões do mercado diminuíssem.

Para as garantias, Bair concordou em aplicar o respaldo da FDIC para empréstimos tomados por holdings bancárias e bancos, cobrar taxas baixas o suficiente para evitar o estigma e garantir o total das dívidas em vez de impor descontos — o que, afinal, teria anulado o propósito das garantias. Mas, para reduzir o risco da FDIC, ela insistiu que o respaldo só poderia ser dado a dívidas bancárias novas, o que significava que os credores ainda teriam de se preocupar com possíveis *haircuts* e defaults da dívida existente — embora a capacidade de emitir novas dívidas com facilidade tornasse mais provável que os bancos pudessem cumprir suas obrigações para com a dívida existente. Nosso plano de capital também não era todo-poderoso. Ao comprar ações preferenciais perpétuas, cujo dividendo fixo tinha de ser pago antes de qualquer dividendo aos acionistas ordinários, corríamos o risco de que as injeções de capital do Tesouro parecessem mais empréstimos do que investimentos permanentes, o que poderia diminuir a confiança do mercado de que o sistema estava sendo recapitalizado de forma adequada. Contudo, estávamos razoavelmente certos de que o TARP atacaria os problemas de liquidez e de solvência, reduzindo o risco de corridas ao mesmo tempo que ajudava os bancos a se recuperarem o suficiente para começar a emprestar e promover de novo o crescimento econômico. Acreditávamos que ele também daria aos bancos que precisavam de mais capital a chance de levantá-lo junto a investidores privados sem assustar os mercados.

Precisávamos lançar o programa rapidamente com uma demonstração de força avassaladora. Assim, no Dia do Descobrimento da América, Hank convocou os CEOs de nove das instituições financeiras mais importantes do ponto de vista sistêmico para que fossem ao Tesouro. Nós três, junto com Bair e o controlador da Moeda John Dugan, explicamos que esperávamos que todos eles aceitassem capital do Tesouro até o equivalente a 3% de seus ativos ponderados pelo risco, num total de 125 bilhões de dólares em investimentos do TARP, junto com as garantias da FDIC para qualquer nova dívida que emitissem até junho de 2009. Era um pacote: nenhuma garantia do governo sem o capital do governo. Alguns bancos que se consideravam mais capitalizados ficaram preocupados porque o programa faria com que parecessem tão fracos quanto seus concorrentes mais ameaçados, e todos os bancos relutavam em ter o governo como investidor. Mas nós os lembramos de que nenhum deles deveria ter certeza de que tinham capital suficiente para sobreviver à severa recessão que vinha pela frente, muito menos às corridas aos bancos que acompanhariam o colapso do sistema — e não lhes daríamos as poderosas garantias a menos que aceitassem nosso capital. Todos os nove bancos precisavam que o sistema sobrevivesse, e a melhor maneira de garantir isso seria que participassem do TARP. Em seguida, disponibilizaríamos mais 125 bilhões de dólares para bancos menores, que não teriam de se preocupar com o estigma se os nove primeiros estivessem dentro do programa. Naquela tarde, todos os nove CEOs aceitaram o dinheiro do TARP, e o mercado de ações registrou sua maior alta em um único dia da história. Nos meses seguintes, agiríamos rapidamente para injetar capital em cerca de setecentos bancos menores, uma medida fundamental para estabilizar e recapitalizar todo o sistema bancário.

No fim das contas, o governo obteria um retorno substancial de seus investimentos em bancos americanos, mas, na época, o público achou que estávamos entregando seu dinheiro para os banqueiros que acabavam de quebrar a economia. Naquele outono, os europeus adotaram uma abordagem mais tradicional de seus problemas bancários, estatizando bancos falidos e oferecendo capital a outros bancos com condições tão punitivas que poucos concordaram em aceitá-lo. Em consequência, o sistema bancário deles permaneceria lamentavelmente descapitalizado durante muitos anos e sua recuperação econômica seria mais lenta do que a nossa. Mas os próprios atributos que tornariam o TARP tão bem-sucedido nos seus objetivos econômicos também aumentariam sua impopularidade junto ao público americano, o qual, compreensivelmente, queria que puníssemos os bancos com as condições mais duras possíveis.

E isso era apenas o começo do fim da crise.

Tínhamos agora uma estratégia mais eficaz para reagir ao terremoto financeiro, mas o tsunami econômico estava chegando à costa. No quarto trimestre de 2008, a economia norte-americana contraiu-se a uma taxa anual de 8,2% e eliminou quase 2 milhões de empregos, quando os choques em Wall Street começaram a reverberar na Main Street. Por sua vez, as dificuldades da Main Street estavam piorando os problemas em Wall Street, pois as empresas falimentares não pagavam seus empréstimos e os trabalhadores demitidos atrasavam seus pagamentos de cartões de crédito, empréstimos estudantis, empréstimos para carros e hipotecas. Os ativos problemáticos nos balancetes dos bancos ficaram mais duvidosos do que nunca, à medida que o aumento das inadimplências e do atraso de pagamentos das hipotecas aumentava as preocupações sobre títulos lastreados em hipotecas. A pior recessão desde a Depressão se intensificava e complicava ainda mais nossos esforços para estabilizar o sistema financeiro.

Para piorar as coisas, a matemática do TARP já estava ficando feia, levando os mercados a se perguntarem se nosso grande pote de dinheiro novo seria suficiente para tapar os buracos de capital remanescentes no sistema. Tínhamos somente 350 bilhões de dólares na fatia inicial do financiamento do TARP; precisaríamos de aprovação do Congresso para ter acesso aos 350 bilhões restantes. Desse modo, nossas injeções de 250 bilhões no setor bancário nos deixavam apenas com 100 bilhões da primeira parcela do TARP e 450 bilhões no total. Mas uma análise do Fed concluiu que só o setor bancário precisaria de mais 290 bilhões em capital num "cenário de estresse" e até 684 bilhões num "cenário de estresse extremo". Isso não incluía os custos de ajudar proprietários de residências ou resgatar a indústria automobilística.

Também tínhamos de cuidar da AIG, que registrara grandes perdas e estava sangrando de novo. Dessa vez, decidimos que precisávamos reestruturar seu pacote de resgate para tentar cauterizar suas feridas de forma mais permanente. Felizmente, tínhamos agora o TARP, e Hank concordou em injetar 40 bilhões de dólares em capital na companhia para satisfazer as agências de classificação de crédito e mostrar aos mercados que ela era financeiramente viável. O Fed também forneceu financiamento para dois novos veículos para tirar o risco dos títulos problemáticos da AIG de seus balancetes, isolando os ativos que estavam destruindo a confiança na empresa. O Fed testou se poderia persuadir os principais credores da AIG a reduzir de maneira voluntária o valor de suas reivindicações junto à empresa, mas eles não aceitaram *haircuts*, nem mesmo extremamente modestos. Em teoria, poderíamos ter tentado forçá-los, ameaçando obrigar a AIG a entrar em inadimplência, mas nossa prioridade era justamente evitar esse desfecho e as depreciações e corridas que teria desencadeado. Ameaçar com inadimplência não é uma boa maneira de reduzir os receios de inadimplência, e não tínhamos a intenção de alimentar o pânico divulgando a mensagem de que nenhum contrato era seguro.

Foi uma fase arriscada, mais perigosa ainda pelo fato de estar acontecendo durante o período de manutenção quadrienal após a eleição de um novo presidente. Todos nós ficamos impressionados com a maneira responsável como Barack Obama lidou com a crise durante a campanha e sabíamos que ele compreendia a magnitude do desafio. Ele então sinalizou apoio para a nossa estratégia de fazer o que fosse preciso quando pediu a Tim para suceder a Hank no Tesouro, apesar de Tim tê-lo advertido de que a medida o implicaria em nossas escolhas impopulares e seria uma interferência em sua mensagem de mudança. Contudo, a transição de dez semanas entre os presidentes pareceu excessivamente longa. Hank e Ben apreciaram muito a nomeação de Tim, mas ele tinha de se recusar a lidar com instituições financeiras durante o interregno. E embora Hank tenha conversado com frequência com Obama durante a campanha, o presidente eleito não deu continuidade ao diálogo durante a transição. Por orientação de Tim, os outros assessores de Obama também deixaram Hank sozinho, invocando a regra de Washington de um presidente de cada vez, de modo que as decisões que afetariam a administração deles fossem tomadas sem a sua contribuição. Na época, Hank sentiu-se um pouco abandonado, mas, em retrospecto, Obama fez a coisa certa ao permitir que o governo Bush e o Fed trabalhassem sem interferência. E, de forma realista, nenhum presidente novo teria querido a responsabilidade por algumas das medidas complicadas que precisavam ser tomadas antes da posse.

A primeira emergência durante a transição envolveu o Citigroup, um colosso mundial com 2 trilhões de dólares em ativos. Era o mais fraco dos grandes bancos, com um déficit de capital maior do que a injeção que recebera do TARP, e os mercados sabiam disso. Era demasiado grande e interconectado para falir, então o Tesouro concordou em usar mais 20 bilhões de dólares em capital do TARP para comprar ações preferenciais, dessa vez com um dividendo mais duro de 8%. Mas parecia improvável que apenas mais capital impedisse seus credores e depositantes estrangeiros não segurados de fugirem. Assim, o resgate também incluiu uma *"ring fence"** do Fed e da FDIC em torno de 306 bilhões de dólares dos piores ativos do Citi, tornando o banco responsável pelos primeiros 37 bilhões de dólares em perdas potenciais, mas fornecendo uma garantia do governo para 90% de quaisquer perdas acima disso. A ideia era limitar o risco de cauda do Citi, assegurando-o contra o pior cenário possível, o que se esperava que restaurasse confiança suficiente para evitar o pior cenário possível. Achamos que essa abordagem seria muito mais barata do que injetar todo o capital que o Citi precisava ou comprar todos os seus ativos ruins, a menos que o sistema inteiro desmoronasse — e, nesse caso, nossos problemas seriam muito maiores do que o Citi.

Ao mesmo tempo, os mercados de crédito ao consumidor estavam paralisados e o Fed e o Tesouro haviam criado um programa para reanimá-los, dando início aos mercados de títulos lastreados em crédito ao consumidor. Assim, Ben e seus colegas do Fed invocaram a 13(3) mais uma vez para criar o Term Asset-Backed Securities Loan Facility (TALF), que gerou demanda por títulos garantidos por empréstimos de cartões de crédito, empréstimos estudantis, empréstimos para compra de carros e empréstimos para pequenas empresas ao aceitá-los como garantia para empréstimos do Fed a investidores. O programa TALF estava respaldado por outro investimento de 20 bilhões de dólares do TARP, caso o Fed sofresse alguma perda nesses títulos — o que não acabaria acontecendo —, e ajudaria

---

* Separação de ativos e seus respectivos passivos para evitar contaminá-los. [N. E.]

a contrabalançar a tendência dos bancos de restringir o crédito no momento em que ele era mais necessário na Main Street.

Depois dos nossos compromissos com o capital bancário, com os resgates da AIG e do Citi e com os mercados de crédito ao consumidor, quase esgotamos nossa primeira parcela do TARP de 350 bilhões de dólares. Enquanto isso, o Merrill Lynch estava sofrendo perdas tão grandes que o Bank of America estava ameaçando desistir de sua fusão, o que provavelmente desencadearia uma corrida aos dois bancos; mesmo que a fusão fosse concluída, suspeitávamos que precisaríamos de fundos do TARP para salvar a companhia unida. O dinheiro do TARP também seria necessário para resgatar montadoras de automóveis sob risco de falência a fim de evitar milhões de possíveis demissões no Meio-Oeste industrial. O TARP não foi projetado para empresas industriais, que podem geralmente declarar falência e depois se reestruturar ou liquidar de forma ordenada, mas o sistema bancário era tão frágil que o financiamento DIP* a que as empresas falidas recorrem em tempos normais não estava disponível. Isso significava que uma grande falência poderia provocar um colapso de toda a indústria e suas cadeias de suprimentos. Assim, em dezembro, o presidente Bush aprovou um total de 17,4 bilhões de dólares em empréstimos-ponte para a General Motors e a Chrysler, bem como acordos para recapitalizar e reestruturar seus braços de financiamento. Isso era basicamente uma tábua de salvação para manter a indústria viva durante a transição, embora 4 bilhões de dólares dependessem da aprovação pelo Congresso da segunda parcela do TARP.

---

* "DIP": *debtor-in-possession* significa que a empresa que pede falência continua a administrar e a dispor de seus bens ao longo do processo de reorganização. [N. T.]

Na semana anterior ao final de seu mandato, o presidente Bush pediu ao Congresso que liberasse a parcela restante de 350 bilhões de dólares, uma tarefa politicamente desagradável que ele poderia ter deixado para seu sucessor democrata. Mas Bush e Hank estavam determinados a fazer tudo o que pudessem para desarmar problemas politicamente difíceis (como AIG, Citi e Bank of America) a fim de que Obama e sua nova equipe não precisassem fazê-lo, sem tomar decisões de longo prazo (por exemplo, estabelecer como as montadoras deveriam ser reestruturadas ou como ajudar os proprietários de imóveis residenciais *underwater** que restringiriam as ações do novo presidente. Seria difícil imaginar um momento mais difícil para enfrentar uma crise financeira e econômica do que uma transição presidencial. Na época, os desafios logísticos e políticos da transição pareciam terrivelmente frustrantes. Mas vista em retrospecto, a transição foi surpreendentemente suave. O Congresso aprovou a segunda parcela do TARP sem muito drama. E Hank e Ben arquitetaram um resgate para o Bank of America semelhante ao do Citi, com 20 bilhões de dólares em capital do TARP e um *ring fence* em torno de 118 bilhões de dólares em ativos podres. Essas intervenções estabilizaram o banco. Felizmente, o Bank of America e o Citi nunca precisaram usar suas garantias especiais do governo, e ambos pagaram taxas ao governo pela proteção que receberam.

O resgate do Bank of America foi a última medida de Hank enquanto servidor público, embora a maioria das políticas de combate à crise que ele havia defendido tenha continuado após sua partida. Talvez fizesse sentido que Hank e Ben tenham sido a posteriori acusados de pressionar indevidamente o Bank of America para fechar seu acordo com o Merrill Lynch

---

* Expressão usada para identificar imóveis cujo valor de mercado estava inferior ao valor da hipoteca. [N. E.]

e obrigados a testemunhar sobre o resgate do banco. Mais tarde, nós é que teríamos esse privilégio durante os processos movidos pelos acionistas da AIG, que alegavam que o governo deveria ter preservado mais de seu patrimônio ao salvar a empresa do colapso. Em geral, as instituições que salvamos ficaram bem pouco entusiasmadas com os termos de seus resgates, enquanto o sentimento esmagador do público era o de que elas não deveriam ter sido resgatadas.

Fim do jogo

Infelizmente, na época em que o presidente Obama assumiu o poder, o sistema financeiro ainda era instável e a economia estava se deteriorando muito. O capital e as garantias do TARP estavam ajudando, e os bancos acabariam melhorando seus ganhos significativamente no primeiro trimestre, mas sempre há um lapso entre as medidas de estabilização financeira e sua manifestação nos dados econômicos. O índice de medo que avalia o risco de inadimplência das empresas era ainda maior do que fora depois do colapso do Lehman. A confiança do consumidor estava em baixa constante. Quando Tim se reuniu com o presidente pela primeira vez como secretário do Tesouro, ele advertiu Obama de que Fannie Mae e Freddie Mac haviam quase queimado seus 200 bilhões de dólares de ajuda federal e precisavam de outros 200 bilhões; que os mercados ainda acreditavam que o sistema financeiro estava seriamente subcapitalizado; e que a AIG, o Citi e o Bank of America ainda estavam instáveis, apesar de seus resgates. Já havíamos distribuído mais da metade do TARP e duvidava-se de que poderíamos dar suporte ao sistema e evitar falências mais caóticas sem outro TARP. Com efeito, a primeira proposta orçamentária de Obama incluiria uma reserva adicional de 750 bilhões de dólares para resgates financeiros.

O Fed estava fazendo sua parte para tentar reanimar a economia. Em dezembro, reduziu a meta de taxa de juros de curto prazo para quase zero, onde permaneceria pelos sete anos seguintes. Ben também anunciou planos do Fed de comprar 100 bilhões de dólares em dívidas emitidas por Fannie e Freddie, juntamente com 500 bilhões em títulos lastreados em hipotecas garantidos pelas duas instituições. Não se tratava somente de um esforço para reanimar a demanda por títulos e ampliar o mercado imobiliário, mas de um sinal de que o Fed continuaria a apoiar o crescimento de maneiras criativas, mesmo com a taxa de juros de curto prazo limitada por seu limite inferior zero.

No entanto, mais criatividade do Fed não seria suficiente. Mesmo com as taxas de juros em zero, mesmo com o TARP começando a proteger os bancos contra a tempestade econômica que se avolumava, o círculo vicioso de deterioração econômica e instabilidade financeira girava sem parar. O novo governo buscaria várias medidas agressivas para trazer a economia de volta à vida, entre elas o maior projeto de estímulo fiscal da história americana, um plano de resgate das montadoras que forçaria a General Motors e a Chrysler a entrarem em concordata como prelúdio à reestruturação necessária, e mais programas ambiciosos para reduzir as execuções hipotecárias e ajudar os proprietários de imóveis residenciais. Ao mesmo tempo, Obama queria um plano vigoroso para consertar o sistema financeiro, de modo que não mais detivesse o resto da economia. Naquela reunião inicial do Salão Oval, ele disse a Tim que não estava interessado em ficar esperando que as coisas melhorassem. Queria ações que tirassem de imediato os problemas financeiros do caminho, para que ele pudesse se concentrar em tratar dos outros desafios criados pela Grande Recessão.

A questão era que tipo de ação. Havia uma convicção crescente entre especialistas em finanças de todo o espectro ideológico de que o setor bancário era essencialmente irrecuperável e que o presidente seria forçado a estatizar parte ou a totalidade dele. Muitos dos colegas de Tim na nova administração compartilhavam esse ponto de vista, e vazamentos persistentes na mídia sugerindo que a estatização parecia inevitável causaram um efeito debilitante sobre as ações dos bancos. Os investidores estavam correndo para vender suas ações antes que o governo pudesse diluí-las ou eliminá-las.

Tim e Ben queriam evitar uma ampla estatização do sistema bancário, a menos que fosse absolutamente necessário. E até mesmo a estatização de uma ou duas grandes instituições parecia suscitar pânicos que poderiam levar a aquisições adicionais do governo. Mas com os mercados de crédito congelados e a recessão piorando, a deriva também não parecia uma estratégia sustentável. Depois de semanas de debates e consultas com sua nova equipe no Tesouro, com o conselheiro econômico da Casa Branca Larry Summers e outros assessores de Obama, o Fed e a FDIC, Tim propôs uma abordagem menos drástica. Seu plano foi projetado para restaurar a confiança na saúde dos bancos com uma combinação de transparência sem precedentes e capital novo. Por esse plano, o Fed e outros reguladores bancários identificariam, banco por banco, o tamanho das perdas que cada instituição poderia enfrentar numa recessão severa e crise financeira renovada. Eles então divulgariam essas estimativas de perdas publicamente e garantiriam que cada banco tivesse capital suficiente para suportar essas perdas — de fontes privadas, se pudessem levantá-las, do TARP, se não pudessem. A transparência era uma estratégia arriscada. Se os especialistas estivessem certos, expor as contas dos bancos à luz do sol revelaria a profundidade de sua insolvência ao mundo. Mas os mercados já estavam supondo o pior e agindo como se os bancos fossem mortos-vivos. Tim e seus colegas acreditavam que a confiança nunca retornaria enquanto a incerteza reinasse, e achavam que era pelo menos possível que as percepções da saúde do sistema bancário fossem piores do que a realidade.

A peça central de seu plano seria o Supervisory Capital Assessment Program (Programa Supervisor de Avaliação de Capital), ou "teste de estresse". O Fed e outras agências reguladoras bancárias fariam revisões rigorosas para determinar se os grandes bancos tinham capital suficiente para sobreviver a uma desaceleração semelhante à depressão. Então, tornariam públicos os resultados, e os bancos cujo capital fosse insuficiente teriam seis meses para levantar o capital adicional de que necessitavam. Aqueles que não pudessem atrair o investimento privado seriam então forçados a aceitar capital adicional do TARP — e possivelmente o controle do governo. Havia decerto o risco de muitos bancos acabarem nessa situação, o TARP ficaria sem dinheiro tentando recapitalizá-los, e a estatização em grande escala acabaria acontecendo de qualquer maneira. Mas colocar preventivamente o sistema político no comando do sistema bancário parecia uma opção extremada quando também era possível que muitos bancos estivessem em melhor forma do que os mercados temiam. Os mercados tendem a exagerar na descida, bem como na subida, e Tim relutava em transformar os bancos em tutelados do Estado com base nos temores do desconhecido, não em provas de que eles não eram viáveis. O teste de estresse forneceria um quadro mais preciso da saúde dos bancos — e então garantiria que os doentes recebessem o capital de que precisavam, de forma voluntária, por meio de investidores, ou à força, por meio do TARP.

Tim e Ben também concordaram com uma enorme expansão do TALF para transformá-lo num programa de 1 trilhão de dólares apoiado pelos fundos do TARP, uma medida destinada a transmitir a determinação do governo de ressuscitar o mercado de títulos lastreados em ativos. (Os eventos mostraram que essa capacidade extra não seria necessária.) E a equipe de Tim concebeu uma nova parceria do Tesouro com o setor privado para comprar ativos problemáticos, adaptando algumas das ideias que Hank havia deixado de reserva na corrida para conseguir o TARP. O Programa de Investimento Público-Privado (PPIP) forneceria empréstimos TARP para empresas de investimento privadas que decidiriam quais ativos comprar e quanto pagar, de modo que o governo não teria de fazer isso, mas os investidores também teriam que colocar seu próprio dinheiro em risco e compartilhar quaisquer lucros com o governo.

Tim divulgou seu plano para domar a crise num discurso pronunciado em 10 de fevereiro. Foi o primeiro discurso televisionado de sua carreira, e os mercados despencaram enquanto ele ainda estava falando. Isso ocorreu em parte porque Tim foi vago quanto aos detalhes, que ainda estavam em elaboração, e em parte porque sua fala não inspirava exatamente confiança; Barney Frank disse que ele parecia um menino em seu bar mitsvá. Os mercados também podem ter ficado decepcionados porque Tim não endossou a ideia que estava no ar de que o governo compraria ativos problemáticos a preços inflacionados. De qualquer forma, não havia muito que o Tesouro ou o Fed pudessem fazer a respeito da reação ruim, exceto criar os novos programas o mais rápido possível e esperar que os detalhes acabassem se mostrando tranquilizadores. O sistema ficaria num limbo frustrante até que os programas estivessem prontos e, depois, até que os testes de estresse fossem realizados. Restava-nos esperar que eles não entrassem em colapso antes que os mercados pudessem ver os resultados — ou mais tardes, aliás.

Enquanto isso, a defesa da estatização e dos cortes continuava, e pudemos sentir os tremores nos mercados a cada novo rumor e vazamento. Em março, Obama convocou uma reunião de sua equipe econômica para debater o plano que Tim já havia anunciado, porque nenhum dos colegas de Tim parecia feliz com sua abordagem. Mas nenhum deles conseguiu articular uma alternativa viável que estatizasse os bancos sem provocar pânico ou drenasse os fundos do TARP, e como Tim disse: o plano é melhor que nenhum plano. Obama acabou concordando que fazia mais sentido suplementar e adaptar os programas de estabilização que já existiam do que traçar um novo rumo radical, apesar de sua base política querer uma ruptura audaciosa com os anos Bush. As desvantagens potenciais do teste de estresse eram óbvias; não havia garantia de que as reações que produzisse seriam conducentes à calma. Mas havia uma chance razoável de que forçar todo o sistema a se preparar para um evento semelhante à depressão reduziria a probabilidade desse evento semelhante à depressão, e que sua triagem ajudaria a traçar uma linha clara entre bancos fundamentalmente saudáveis e bancos em estágio terminal.

Tudo dependeria dos resultados do teste de estresse. Alguns céticos apostavam que o teste seria uma farsa, na qual o Fed sujeitaria os bancos a uma hipótese branda arquitetada para obter um atestado de boa saúde. Mas sabíamos que, se o teste de estresse não parecesse confiável, os mercados continuariam a pressupor o pior, independente dos resultados. A hipótese que o Fed efetivamente usaria era bastante brutal, prevendo perdas com empréstimos ainda piores do que as perdas ocorridas durante a Grande Depressão, e reduções no preço dos imóveis que se revelaram ainda piores do que a realidade de 2009. Os colegas de Tim no Tesouro também criaram um ajuste fundamental para limitar a incerteza do período de espera, fixando o preço que o Tesouro pagaria por ações em bancos subcapitalizados em níveis de fevereiro, mesmo se o preço caísse mais antes que os testes de estresse fossem concluídos. Essa condição, que a equipe de Tim apelidou de "Geithner Put",* reduziu o incentivo para os investidores fugirem dos bancos enquanto o Fed ainda estava estudando seus números.

O período de espera ainda era excruciante. O Citi cambaleou de novo e o Tesouro precisou elaborar um acordo complexo com alguns de seus acionistas privados para reforçar seu capital de reserva sem estatizar o banco. Depois, a AIG precisou de mais um colete salva-vidas do TARP, dessa vez de 30 bilhões de dólares — pouco antes de revelar que estava pagando bônus generosos com fundos dos contribuintes para alguns de seus funcionários, provocando a reação pública mais feroz de toda a crise. O lançamento do programa PPIP do Tesouro para comprar ativos problemáticos também foi atacado como um esbanjamento escandaloso em favor dos investidores privados, embora também tenha acabado por gerar um modesto retorno positivo para os contribuintes. Enquanto isso, embora a economia ainda estivesse em péssimo estado, com o desemprego subindo para 8,9% no fim de abril, o ritmo da deterioração estava diminuindo.

Em maio, o Fed divulgou os resultados do seu teste de estresse, e eles eram muito melhores do que muita gente nos mercados esperava. O Fed determinou que nove das dezenove maiores instituições financeiras já estavam adequadamente capitalizadas para suportar a pior hipótese do teste e que as outras dez precisavam, coletivamente, apenas de cerca de 75 bilhões de dólares de capital adicional. O Fed divulgou os dados subjacentes que mostravam como havia chegado às suas conclusões, e o mercado considerou os resultados confiáveis. O custo do seguro contra inadimplência de instituições financeiras caiu rapidamente e o setor privado

* Medida que, assim como o "Bernanke Put", levaria o nome do secretário do Tesouro. [N. E.]

recuperou a confiança necessária para investir em bancos. Em um mês, as instituições subcapitalizadas levantaram quase todo o capital necessário para cumprir o mandato do teste de estresse. A única instituição que não conseguiu isso foi a GMAC, então o Tesouro entrou com uma infusão relativamente modesta de fundos do TARP. No fim das contas, até mesmo o resgate da GMAC — agora conhecida como Ally Bank — geraria um lucro de 2,4 bilhões de dólares para o Tesouro. Em abril de 2009, o Fundo Monetário Internacional ainda previa que o governo americano gastaria 2 trilhões de dólares para resgatar seu sistema bancário. Mas os programas de capital do TARP para bancos e seguradoras acabariam rendendo cerca de 50 bilhões de dólares para o Tesouro e, em geral, nossas intervenções financeiras produziriam um retorno financeiro direto substancialmente maior, além dos enormes benefícios econômicos de ter um sistema financeiro em funcionamento, em vez de prestes a entrar em colapso.

O teste de estresse foi uma conclusão meio anticlimática de uma provação de vinte meses, e enfim tranquilizou os mercados de que não haveria mais Lehmans. Não representou a solução mágica que acabou com a crise, e sim a culminância de uma longa série de intervenções de emergência que tornaram possível uma saída. Os vastos programas de empréstimos e liquidez do Fed, os resgates do Bear, da Fannie, da Freddie e da AIG, a garantia do Tesouro aos fundos de investimentos líquidos de curto prazo, as garantias às dívidas bancárias da FDIC e o uso inicial de fundos do TARP para os bancos foram medidas necessárias para apagar o fogo, embora nenhuma dessas ações fosse suficiente por si só. Se não fosse por todas essas intervenções — especialmente as centenas de bilhões de dólares em capital que o TARP já injetara no sistema bancário, junto com o capital privado que pressionamos os bancos a levantar desde o início da crise —, os resultados do teste de estresse teriam sido muito menos tranquilizadores para os mercados e muito mais caros para os contribuintes.

Além disso, se todas essas medidas agressivas para consertar o sistema financeiro não tivessem sido suplementadas por ações igualmente agressivas para reanimar a economia como um todo, os ganhos alcançados pelas estratégias inovadoras adotadas na época do Dia do Descobrimento da América teriam sido desperdiçados e corroídos. No final, a força total do governo americano foi suficiente para apagar o fogo, mas apenas por pouco. Qualquer coisa a menos do que foi feito não teria sido suficiente.

Assim como um colapso financeiro irreversível teria mergulhado a economia na depressão, uma prolongada queda livre econômica teria forçado o sistema financeiro a entrar em colapso. Nossas intervenções financeiras funcionaram somente em conjunto com um esforço agressivo para ressuscitar a demanda econômica no início de 2009 — mais ousadia monetária do Fed, estímulos fiscais sem precedentes de Obama e do Congresso, um resgate governamental da indústria automobilística e um esforço imperfeito, mas ainda substancial para reanimar o mercado imobiliário e ajudar os proprietários de imóveis residenciais em situação de vulnerabilidade. Acabamos por restaurar a normalidade com o uso de todas as armas financeiras e econômicas à nossa disposição, e elas foram ainda mais potentes por terem sido utilizadas conjuntamente.

Em discurso provocativo feito em 2002, Ben argumentara que, mesmo no limite inferior zero, quando os bancos centrais tradicionalmente ficavam sem munição econômica, eles poderiam usar medidas pouco ortodoxas para combater as pressões deflacionárias e recessivas. Mas em 2009, a economia precisava desesperadamente de mais ajuda e, no início de março, o Fed lançou um experimento agressivo de estímulo monetário conhecido como flexibilização quantitativa (*quantitative easing*), comprando títulos hipotecários e depois títulos do Tesouro para tentar reduzir as taxas de juros de longo prazo e combater a Grande Recessão. A rodada inicial, "QE1", se expandiria para 1,75 trilhão de dólares em compras do Fed e enviaria uma mensagem indutora de confiança de que o Fed não ficaria parado, deixando a economia estagnar. Ben e seus colegas anunciariam QE2 e QE3 em 2010 e 2012, expandindo o balanço do Fed para mais de 4,5 trilhões de dólares, quase cinco vezes o seu pico pré-crise. Uma ampla gama de estudos acadêmicos constatou que a flexibilização quantitativa reduziu as taxas de longo prazo do Tesouro e das hipotecas e ajudou a apoiar a recuperação econômica; ela também incentivou outros bancos centrais a adotarem programas semelhantes para apoiar o crescimento global.

Junto com os efeitos das medidas de política monetária do Fed, o novo governo injetou estímulo fiscal na economia da Main Street por meio da Lei Americana de Recuperação e Reinvestimento de 2009, um enorme pacote de 300 bilhões de dólares em cortes temporários de impostos, acompanhado de 500 bilhões em novos gastos federais que incluíam: ajuda às vítimas da recessão, obras públicas destinadas a fornecer empregos e melhorar a infraestrutura do país e ajuda direta aos estados para evitar que aumentassem impostos, cortassem orçamentos e aprofundassem a Grande Recessão. Os republicanos do Congresso, de forma quase unânime, se opuseram ao pacote e acusaram Obama de ser um gastador desenfreado, mas a maioria dos economistas independentes concorda que a Lei de Recuperação ajudou a preservar empregos, impulsionar o crescimento e encerrar a recessão em junho de 2009. Os governos estaduais e locais — a maioria enfrentando exigências de orçamento equilibrado — contrabalançaram parte do poder da lei com aumentos de impostos, demissões e cortes de gastos, mas ela ajudou a impulsionar o crescimento nos Estados Unidos, enquanto outras economias desenvolvidas ainda estavam encolhendo. Normalmente, os governos devem tentar viver dentro de suas possibilidades, mas quando a demanda privada entra em colapso, o gasto deficitário agressivo que possa ressuscitar a economia é mais responsável do ponto de vista fiscal do que o aperto de cinto do governo que reduz ainda mais a demanda. Recessões brutais podem liquidar déficits por anos; pacotes de estímulo que aumentam os déficits no curto prazo, mas ajudam os trabalhadores a ganhar novamente renda tributável e as empresas a obter de novo lucros tributáveis, podem reduzir os déficits no longo prazo.

O país poderia ter suportado e a economia poderia ter usado um pacote de estímulo ainda maior, mas havia sessenta votos no Senado apenas para a cifra de 800 bilhões de dólares, e não havia prova de apoio majoritário para algo maior. Os democratas do Congresso apresentaram a seguir, sem alarde, uma dúzia de medidas de estímulo mais modestas para reduzir os impostos sobre os salários, expandir a ajuda ao desemprego e enviar mais auxílio aos estados, injetando, por fim, mais 657 bilhões de dólares na economia. O governo Obama também despejou mais dinheiro do TARP num agressivo e controverso plano de resgate das montadoras que forçou a General Motors e a Chrysler a entrarem em concordata, como prelúdio para uma reestruturação havia muito necessária. No total, a indústria automobilística receberia mais de 80 bilhões de dólares do TARP, mas, no fim, o custo para os contribuintes seria de apenas 9,3 bilhões, um preço relativamente baixo a pagar para salvar um setor fabril vital do país. Entre 2008 e 2012, a expansão fiscal federal (incluindo estabilizadores anticíclicos automáticos, bem como estímulos discricionários) foi de cerca de 3,4% do PIB ao ano. Os cortes de impostos e as transferências governamentais também foram progressivos em seu impacto, quase compensando plenamente o declínio agregado da renda das famílias que estavam na faixa dos 40% situados no patamar inferior da distribuição de renda.

Tim e seus colegas do governo Obama também lançaram uma série de novos programas para apoiar o mercado imobiliário, com base nos programas para recapitalizar Fannie e Freddie e nas medidas do Fed para reduzir as taxas de juros das hipotecas. Um dia depois que a Lei de Recuperação entrou em vigência, o presidente anunciou uma estratégia habitacional que incluía o Programa de Refinanciamento Acessível da Moradia (Home Affordable Refinance Programme, HARP), para ajudar os proprietários *underwater* a refinanciar suas hipotecas, e o Programa de Modificação Acessível da Moradia (Home Affordable Modification Programme, HAMP), para ajudar os proprietários de imóveis inadimplentes a modificar seus pagamentos mensais. Hank e o governo Bush haviam iniciado vários esforços de modificação de hipotecas do setor privado, mas seu escopo fora limitado por sua natureza voluntária e pela indisponibilidade de financiamento federal. As iniciativas de Obama, apoiadas pelos dólares do TARP, foram vistas como uma clara escalada — tanto que inspiraram a famosa diatribe de Rick Santelli na CNBC, pedindo um novo Tea Party antigovernamental para protestar contra o salvamento de proprietários de imóveis aproveitadores. Com semelhante intensidade, a esquerda progressista achou que a reação do governo à crise das execuções hipotecárias foi fraca e tardia, uma traição à Main Street.

Esses programas foram dolorosamente lentos e decepcionantes em seu alcance. O HARP, após um início glacial, acabaria por ajudar mais de 3 milhões de proprietários a refinanciar suas hipotecas, enquanto outros 25 milhões aproveitariam as taxas baixas para refinanciar sem a ajuda do governo. O HAMP era um pesadelo logístico, dependente de um setor disfuncional de serviços de empréstimo que costumava extraviar a papelada, não retornar telefonemas e, em geral, enrolar os devedores. A equipe de Tim no Tesouro pensou em criar seu próprio programa de serviços a partir do zero, mas decidiu que não havia tempo suficiente, e os bancos relutavam em investir na infraestrutura que precisariam para identificar as hipotecas adequadas para modificações e fazer as negociações com rapidez. O HAMP também tinha exigências onerosas de cumprimento e regras restritivas de elegibilidade para proteger contra fraudes, o que entravou ainda mais um processo já moroso e persuadiu os bancos a reestruturar milhões de hipotecas privadamente sem o subsídio do HAMP, em vez de lidar com a burocracia do governo. No fim das contas, o HAMP apoiaria diretamente apenas uma fração da meta de Obama de 3 milhões a 4 milhões de modificações de hipotecas, mas a combinação de modificações do governo e do setor privado acabou por beneficiar mais de 8 milhões de proprietários de imóveis.

As dificuldades do HARP e do HAMP receberam muita atenção e convenceram muitos observadores de que a política habitacional do governo havia fracassado. As medidas federais que tiveram o maior impacto na habitação foram os 400 bilhões de dólares injetados na Fannie Mae e na Freddie Mac, que mantiveram o crédito hipotecário fluindo após o capital privado abandonar o campo, e as compras agressivas de títulos hipotecários pelo Fed, que ajudaram a manter baixas as taxas hipotecárias e facilitaram os refinanciamentos. Programas para reduzir as execuções hipotecárias após um crash imobiliário e uma profunda recessão eram muito mais difíceis de projetar. A política era traiçoeira e não havia uma maneira fácil de criar programas direcionados para ajudar proprietários de imóveis financeiramente angustiados a permanecerem em suas casas sem desperdiçar dinheiro com proprietários de imóveis que não precisavam de ajuda ou nunca poderiam pagar por suas casas, mesmo com a ajuda do governo.

A opção preferida de muitos ativistas de habitação era um programa de "redução do principal" que reduziria a quantia que os proprietários de imóveis residenciais *underwater* deviam. Mas o governo não podia simplesmente forçar os bancos a perdoar as dívidas hipotecárias, e fornecer incentivos suficientes para que o fizessem de maneira voluntária teria sido um uso incrivelmente ineficiente do dinheiro dos impostos. Um estudo publicado em 2014 pela *Brookings Papers on Economic Activity* concluiu que, se o governo tivesse gastado 700 bilhões de dólares a mais para extirpar cada dólar de patrimônio líquido negativo no mercado imobiliário americano, o impacto sobre a economia em geral teria sido muito pequeno, aumentando o consumo pessoal em menos de 0,2% a um custo estimado de 1,5 milhão de dólares para cada emprego preservado. Por outro lado, o suporte do TARP para a indústria automobilística viria a custar cerca de 14 mil dólares por emprego preservado. O governo Obama pressionou a Agência Federal de Financiamento da Habitação a buscar alguma redução do principal para os empréstimos da Fannie e da Freddie, mas a agência independente resistiu. O que se mostrou mais eficaz, em vez de reduzir o principal da hipoteca, foi reduzir os pagamentos mensais, uma estratégia adotada pela maioria das modificações de empréstimos tanto do setor privado como do setor público.

Em última análise, a reação do governo à crise da habitação foi eficaz no sentido mais amplo de estabilizar os mercados de habitação e hipoteca em geral. Sem a estatização de Fannie e Freddie ou as compras de títulos hipotecários pelo Fed e pelo Tesouro, os preços dos imóveis teriam caído de forma ainda mais drástica, milhões de americanos teriam perdido suas casas e a recessão teria sido muito pior. Os programas criados para ajudar os proprietários a refinanciar seus imóveis ou modificar suas hipotecas também atingiram milhões, mas demoraram para engrenar e tinham alcance limitado. O Congresso nunca se entusiasmou com uma estratégia habitacional muito mais poderosa, e Tim e a maioria do governo Obama também acreditavam que gastos adicionais em seguro-desemprego, projetos de infraestrutura, redução de impostos sobre a folha de pagamento e ajuda aos estados teriam mais impacto econômico para a economia — ao mesmo tempo que causavam menos dilemas sobre equidade — do que uma nova onda de programas direcionados estritamente aos proprietários de imóveis. Resolver a crise econômica era uma condição necessária para resolver a crise imobiliária, enquanto o inverso não era necessariamente verdadeiro. No final, uma recuperação econômica longa e estável pode ser o programa habitacional de maior sucesso. Os preços dos imóveis estabilizaram-se depois que a Grande Recessão terminou, eliminando aos poucos trilhões de dólares em patrimônio líquido negativo, trazendo à tona milhões de proprietários afogados em dívidas.

A economia melhor tornou quase tudo melhor. As vendas anuais de automóveis nos Estados Unidos haviam caído para 10 milhões em 2009, mas voltaram aos níveis anteriores à crise, alcançando 17 milhões em 2015. A crise do crédito acabou para a maioria dos consumidores e das empresas, embora os bancos tenham continuado temerosos de emprestar por mais tempo do que teríamos gostado, em especial para potenciais compradores de imóveis. O desemprego caiu rapidamente de um pico de 10% no final de 2009 para 3,7% no momento em que escrevemos, e a economia que estava perdendo mais de 2 milhões de empregos por trimestre no início de 2009 acrescentou cerca de 19 milhões de empregos durante 97 meses consecutivos, um recorde. Os lucros das empresas recuperaram-se depressa, com muito mais rapidez do que os salários, mas as taxas de pobreza infantil caíram para mínimos históricos. Em comparação com outros países nesta crise ou com recuperações históricas de crises passadas, a recessão foi muito menos severa e a recuperação começou muito antes nos Estados Unidos. E, embora a recuperação não tenha sido tão forte quanto muitos esperavam, ela foi excepcionalmente estável.

Ainda assim, a crise de 2008 infligiu uma tremenda dor. Muitas vezes, ela é incorretamente responsabilizada pela alta da desigualdade, pela estagnação salarial e por outras tendências econômicas que vinham ganhando vulto havia décadas antes de serem mascaradas pelo boom, mas é corretamente responsabilizada por milhões de demissões, milhões de execuções hipotecárias e pelo trauma prolongado de milhões de famílias. Gostaríamos de ter conseguido apagar o fogo mais rápido do que o fizemos, mas estamos contentes porque os Estados Unidos conseguiram impedir uma catástrofe econômica que poderia ter se equiparado à Grande Depressão.

E continuamos preocupados com o risco do próximo incêndio.

Conclusão

O próximo incêndio

Nenhum de nós, tampouco nenhum de nossos experientes colegas havia vivido uma crise como essa. E apesar do conhecimento de Ben sobre a Grande Depressão, da sensibilidade de Hank para os mercados financeiros e a experiência de Tim com crises no exterior, nenhum de nós tinha certeza do que funcionaria, do que sairia pela culatra ou de quanto estresse o sistema seria capaz de suportar. Não havia nenhum manual que pudéssemos consultar para nos orientar, nenhum consenso profissional sobre as melhores práticas. Tivemos que abrir caminho no meio do nevoeiro, às vezes alterando nossas táticas, às vezes mudando nossas ideias, com enorme incerteza quanto aos resultados. E muitas das coisas que fizemos pareciam recompensar a própria indústria financeira que fora a primeira a arrastar o mundo para a crise.

Portanto, era compreensível e talvez inevitável que os comentaristas tendessem a pressupor e prever o pior. Alguns críticos advertiram que estávamos preparando o palco para uma corrida ao dólar, ou uma hiperinflação no estilo do Zimbábue, ou uma crise de dívida ao estilo da Grécia, ou trilhões de dólares em custos de resgate, ou um sistema ao estilo do Japão dominado por bancos zumbis irrecuperáveis, ou mesmo a morte do capitalismo americano de livre mercado. No fim, nada disso aconteceu — não apesar de nossas escolhas, acreditamos, mas por causa delas. Tivemos a sorte de o Congresso nos dar por fim amplos poderes que nos permitiram mobilizar uma reação vigorosa e eficaz — e talvez, de certa forma, tenhamos sido simplesmente afortunados. Mas, com uma década para refletir sobre o que aconteceu aqui e em outros países naquela crise, acreditamos que a estratégia adotada pelos Estados Unidos, e que ajudamos a moldar, funcionou tão bem quanto se poderia esperar, tendo em vista as restrições e as radicais incertezas que o país enfrentava. O estresse da crise de 2008 foi, de certa forma — inclusive a queda nos preços das ações e dos imóveis residenciais e as quedas na produção e no emprego —, ainda pior que os estágios iniciais da Grande Depressão, mas dessa vez o governo conseguiu deter o pânico, estabilizar o sistema financeiro, revitalizar os mercados de crédito e dar início a uma recuperação que continua até hoje. A recuperação americana se compara favoravelmente às recuperações de crises financeiras severas anteriores e à recuperação de outras economias avançadas nessa crise.

Embora pudesse ter sido pior, a crise ainda foi extraordinariamente prejudicial, tanto para os Estados Unidos quanto para o mundo. Milhões de americanos perderam seus empregos, seus negócios, suas economias e seus lares. Uma lição crucial de 2008 é que as crises financeiras podem ser devastadoras mesmo quando a reação é relativamente agressiva e se beneficia da formidável força financeira e credibilidade dos Estados Unidos. A melhor estratégia para uma crise financeira é não ter crise alguma. E se ela vier a acontecer, a melhor maneira de limitar os danos é garantir que os gestores de crises tenham as ferramentas de que precisam para combatê-la antes que as coisas fiquem ruins demais.

Infelizmente, as crises financeiras nunca serão totalmente evitáveis, porque são produtos de emoções e percepções humanas, assim como dos lapsos inevitáveis de reguladores e formuladores de políticas humanos. As finanças dependem da confiança, e a confiança é sempre frágil. Embora seja vital tentar controlar a alavancagem excessiva e a tomada de risco em Wall Street, alavancagem e risco refletem em geral o excesso de otimismo na sociedade como um todo. Reguladores e formuladores de políticas não estão imunes a essas manias. Os seres humanos são inerentemente suscetíveis à exuberância irracional, bem como aos medos irracionais, e os mercados que se excedem no caminho para cima tendem a se exceder no caminho para baixo. Mania e pânico parecem ser contagiosos.

Mas isso não é um argumento a favor da passividade ou da inação antes que uma crise aconteça. Mesmo que não exista uma bala de prata capaz de erradicar as crises financeiras para sempre, há muita coisa que as autoridades governamentais podem fazer para tentar reduzir a vulnerabilidade do sistema financeiro a crises e torná-las menos frequentes e menos propensas a sair do controle. O governo americano não estava bem preparado para o incêndio de 2008, o que ajuda a explicar por que ele foi tão forte, por que os esforços para contê-lo muitas vezes pareciam tão confusos e até mesmo por que aquela reação se tornou tão impopular. Uma preparação melhor poderia ter criado melhores resultados. Se o sistema regulatório tivesse sido menos fragmentado e mais capaz de lidar com os riscos fora dos bancos comerciais, se os gestores de crises tivessem desde o início poder para usar uma força esmagadora a fim de evitar o colapso financeiro e se desde o início houvesse mecanismos para garantir que o sistema financeiro pagaria por seu próprio resgate, o incêndio teria sido menos intenso e o combate a incêndios teria parecido menos incoerente e injusto.

Uma década depois, a pergunta vital a ser feita é se os Estados Unidos estão mais bem preparados hoje. Nós acreditamos que a resposta é: sim e não. Antes de mais nada, há melhores salvaguardas para evitar pânico — o equivalente financeiro de medidas mais agressivas de prevenção de incêndios e protocolos de construção mais resistentes ao fogo. Mas os poderes de emergência para as autoridades governamentais reagirem quando acontece uma crise intensa são, em muitos aspectos, ainda mais fracos do que eram em 2007 — o equivalente financeiro de bombeiros menos equipados e de quartéis do corpo de bombeiros fechados. A capacidade do governo de reagir a um colapso na demanda econômica com estímulo monetário e fiscal — seu assim chamado arsenal keynesiano — também foi significativamente esgotada. Em suma, a economia e o sistema financeiro americano podem estar menos propensos a incêndios modestos, porém mais vulneráveis a um grande inferno se, apesar dos protocolos de incêndio atualizados e aperfeiçoados, começar uma conflagração. Para usar uma analogia diferente, é como se os formuladores de políticas tivessem reagido a um desastre de saúde pública expandindo as imunizações, promovendo uma boa nutrição e incentivando check-ups anuais — mas também tivessem decido fechar os prontos-socorros e proibir cirurgias que salvam vidas.

Defesas mais fortes

Vale a pena recapitular por que o sistema era tão inseguro antes da crise de 2008, pois isso ajuda a iluminar o caminho para uma maior segurança agora. Mais uma vez, os problemas básicos eram excesso de alavancagem arriscada, excesso de captações de curto prazo sensíveis ao aperto de liquidez e a migração de um percentual muito alto de risco para bancos paralelos, onde a regulamentação era insignificante e a rede de segurança emergencial do Fed era inacessível. Havia também demasiadas instituições importantes que eram grandes e interconectadas demais para falir sem ameaçar a estabilidade do sistema, e a explosão de derivativos lastreados em hipotecas opacas transformou a saúde do mercado imobiliário num potencial vetor de pânico. Enquanto isso, a burocracia reguladora dos

Estados Unidos estava fragmentada e desatualizada, sem um único responsável pelo monitoramento e pelo controle dos riscos sistêmicos.

Ninguém sabe exatamente como será a próxima crise financeira, mas, no passado, as crises seguiram um padrão mania-pânico-crash similar de tomada de riscos e alavancagem excessivas. Depois da crise, Ben e Tim pensaram que as salvaguardas mais importantes seriam limites mais estritos para o risco que as instituições poderiam assumir com o dinheiro emprestado. Isso significava exigir que elas tivessem mais capital para absorver perdas — o mantra de Tim era "capital, capital, capital" — e assumissem menos alavancagem, o reverso do capital. Isso também significava exigências de liquidez mais conservadoras, obrigando os credores a reter mais dinheiro e outros ativos líquidos, ao mesmo tempo que confiassem menos em financiamentos de curto prazo que poderiam iniciar uma corrida ao primeiro sinal de problemas. As grandes instituições, que representariam o maior perigo se não cumprissem suas obrigações, estariam sujeitas a restrições ainda mais rígidas quanto ao risco assumido e seu financiamento. E o mais importante, as novas regras teriam que ser aplicadas de forma mais ampla em todo o sistema financeiro, não apenas nos Estados Unidos, mas em todo o mundo, com flexibilidade para expandi-las no futuro a fim de ajudar a evitar a migração de risco de fora do perímetro do sistema financeiro pela trilha de uma resistência regulatória menor.

O governo Obama e o Fed se esforçaram para atingir esses objetivos, negociando com o Congresso a Lei Dodd-Frank de 2010 de Reforma e Defesa do Consumidor de Wall Street, enquanto comandavam um esforço global para aplicar restrições mais duras à tomada de riscos nas maiores economias. E nessas áreas, as negociações produziram defesas muito mais robustas contra crises potenciais. O regime regulatório global de

Basileia III triplicou as exigências mínimas de capital para os bancos e as quadruplicou para os maiores bancos, ao mesmo tempo que exigia capital de melhor qualidade que pudesse realmente absorver perdas, garantindo que o sistema global tivesse colchões muito mais resistentes. Os padrões que o Fed criou para os bancos americanos foram ainda mais duros. As exigências de liquidez também foram aumentadas em todo o mundo, reduzindo a dependência das instituições financeiras de financiamentos overnight instáveis. Antes da crise, as obrigações não seguradas de curto prazo respondiam por cerca de um terço dos ativos do sistema financeiro; hoje elas são em torno de um sexto. O mercado de repos é muito menor, os ativos que ele financia são muito mais seguros, e o crédito intradiário, o elemento mais arriscado do mercado de repos, caiu 90% em relação ao pico anterior à crise.

Essas restrições à tomada de risco não são apenas mais duras, são também mais amplas, aplicando-se não só aos bancos comerciais tradicionais, mas também às corretoras e outras instituições não bancárias que costumavam operar no paralelo. Antes da crise, as instituições que detinham somente 42% dos ativos do sistema financeiro enfrentavam restrições significativas em sua alavancagem; agora, esse número subiu para 88%. Além disso, as reformas visaram instrumentos financeiros e mercados de financiamento, bem como cada uma das instituições. Por exemplo, a Lei Dodd-Frank exigiu que a maioria dos derivativos fosse negociada abertamente em bolsas públicas, não em transações privadas, reduzindo o perigo de que a incerteza sobre quais instituições estão expostas a quais riscos voltasse a provocar pânico. A lei também impôs exigências de margem mais conservadoras para operações de derivativos, empréstimos através de repos e empréstimo de títulos, outra forma de desestimular a especulação excessiva. O volume médio diário de empréstimos de títulos caiu de 2,5 trilhões de dólares para 1 trilhão de dólares entre 2008 e 2015. E várias classes arriscadas de financiamento de veículos que criaram problemas para instituições como Bear Stearns e Citi foram eliminadas durante a crise e não ressurgiram.

As reformas pós-crise também tentaram limitar o risco de que a falência de um grande banco pudesse desestabilizar o sistema mais amplo. Uma "sobretaxa sistêmica" sobre os maiores bancos exige que eles detenham mais capital do que instituições menores em relação a um determinado montante de risco, reduzindo a capacidade deles de assumir alavancagem e aumentando suas reservas contra perdas. A Lei Dodd-Frank também incluiu termos que impediam fusões que concentrassem mais de 10% dos passivos do sistema em um único banco, capacitando o Fed a dividir os bancos que considerasse uma ameaça séria à estabilidade do sistema e exigindo que ele realizasse testes anuais de estresse dos grandes bancos para garantir que estejam preparados para cenários econômicos e financeiros mais adversos. Em 2018, alguns ajustes bipartidários do Congresso elevaram o limite para as instituições que enfrentam testes automáticos de estresse de 50 bilhões de dólares para 250 bilhões de dólares em ativos, mas o Fed ainda tem o poder de testar qualquer instituição que considere uma ameaça sistêmica potencial. À medida que o tempo passa e as lembranças se apagam, será vital que as inevitáveis pressões para empurrar o pêndulo de volta a uma abordagem mais suave não recriem as vulnerabilidades que existiam antes da crise. Mas até agora, praticamente todas as reformas centrais da Dodd-Frank permanecem em vigor, e embora alguns críticos as tenham de início acusado de ser um grande excesso que prejudicaria o sistema financeiro, o sistema provou ser forte o suficiente para suportar uma expansão econômica sustentada.

Outros críticos atacaram as reformas da Lei Dodd-Frank por preservar em demasia o status quo, em vez de dividir de imediato os grandes bancos e restabelecer as regras da Lei Glass-Steagall da era da Depressão, que separavam a banca comercial da banca de investimento mais especulativa. Essas medidas mais radicais teriam enfrentado uma dura batalha no Congresso, mas não foi por isso que não as propusemos. Nós simplesmente não acreditávamos que elas atacariam as causas profundas da crise ou limitariam o risco de crises futuras. Afinal, Bear Stearns, Lehman Brothers, Fannie Mae, Freddie Mac e AIG eram instituições financeiras não bancárias que não teriam sido afetadas pela Lei Glass-Steagall, enquanto o Wachovia e o Washington Mutual eram bancos que estavam com dificuldades à moda antiga, por terem concedido empréstimos ruins. Ser grande nem sempre é negativo: a crise teria sido muito pior se JPMorgan, Bank of America e Wells Fargo não fossem grandes o suficiente para engolir os não tão grandes Bear, WaMu, Countrywide, Merrill Lynch e Wachovia antes que eles desmoronassem. E ser pequeno nem sempre é positivo: uma cascata de falências de bancos relativamente pequenos ajudou a desencadear a Grande Depressão. De qualquer modo, os maiores bancos do país tiveram um bom desempenho nos primeiros oito anos de testes de estresse após a Lei Dodd-Frank. Em 2018, o Fed concluiu que eles ainda teriam mais capital *depois* de uma recessão global severa, com perdas maiores do que aquelas experimentadas na crise de 2007-9, do que durante os bons tempos de *antes* da crise. E um relatório feito em 2014 pelo Government Accountability Office, encomendado por críticos do Congresso que esperavam provar que o problema do "grande demais para falir" estava pior do que nunca, demonstrou que os bancos maiores já não podiam tomar empréstimos a taxas muito mais baixas do que os bancos pequenos, um sinal de que os mercados estão menos convencidos de que eles são grandes demais para falir.

Gostaríamos de ver uma maior reestruturação do antiquado sistema regulatório financeiro, um elemento-chave do projeto original de reforma de Hank, com o Fed encarregado de monitorar riscos sistêmicos e várias agências redundantes consolidadas para criar mais consistência e responsabilidade. Mas as batalhas no território político eram assustadoras, e parecia mais uma guerra de escolha do que uma guerra de necessidade. O Fed enfrentou uma reação violenta depois da crise, e o Congresso não tinha interesse em lhe dar novos poderes. A Lei Dodd-Frank criou um Conselho de Supervisão da Estabilidade Financeira (Finantial Stability Oversight Counsil, FSOC) de reguladores comandados pelo secretário do Tesouro, que pelo menos fez de um único órgão do governo, embora não uma única agência, o responsável por avaliar e limitar os riscos de todo o sistema financeiro. E o FSOC tem o poder de agir para minimizar os riscos sistêmicos que detecta, inclusive o poder de designar qualquer instituição financeira como "sistemicamente importante" e, portanto, sujeita à supervisão mais rígida pelo Fed. A Lei Dodd-Frank também deu um passo hesitante em direção à reorganização, ao abolir o Office of Thrift Supervision, a agência reguladora perenemente prisioneira de Countrywide, WaMu e AIG. Mas afora essa exceção, todas as agências do organograma federal sobreviveram. De início, Tim esperava fundir a SEC, o órgão de fiscalização dos mercados de valores mobiliários, com a CFTC, a agência supervisora dos mercados de derivativos, mas as guerras entre os comitês do Congresso que supervisionavam as duas agências tornaram a ideia inexequível politicamente.

A Lei Dodd-Frank até acrescentou mais uma agência a esse organograma atulhado: o Departamento de Proteção Financeira ao Consumidor, que consolidou as divisões de proteção ao consumidor de todas as outras agências reguladoras em um novo e poderoso policial na ronda financeira. Mas fazia sentido criar um balcão único para a proteção do consumidor, que muitas vezes definhara dentro de agências com outras prioridades. O policiamento agressivo das fraudes nos mercados de crédito ao consumidor, além de ajudar os americanos comuns a conservar melhor o seu dinheiro, também podia melhorar a estabilidade financeira, reprimindo o tipo de cobertura de seguro de baixa qualidade e outros comportamentos predatórios que causaram tantos problemas no mercado hipotecário.

Juntas, essas reformas deveriam reduzir a frequência das crises. As novas regras já estão forçando as instituições financeiras, especialmente as maiores, a deter mais capital de maior qualidade, acumular menos alavancagem e se financiarem de maneira mais segura — e os testes anuais de estresse garantem que estão se preparando para as piores hipóteses. O mercado de derivativos lembra menos o Velho Oeste, aprimoraram-se as proteções ao consumidor e finalmente há um órgão do governo responsável por monitorar possíveis perigos para todo o sistema.

Mas regras mais rígidas e supervisão mais rigorosa nunca impedirão todas as crises financeiras. Agências reguladoras vigilantes podem reconhecer sinais de alerta, sobretudo booms de crédito ampliados, mas nunca podem ter certeza de quais booms refletem manias ou quando essas manias vão entrar em pânico. Ainda que as novas regras acompanhem de algum modo as inovações nos mercados financeiros, elas não erradicarão a fragilidade humana nem o comportamento de rebanho, de modo que não impedirão que toda onda de otimismo e complacência sofra uma hipercorreção e se transforme em crise de confiança. Os formuladores de políticas precisam ser humildes a respeito de sua capacidade de identificar e corrigir crenças perigosamente contagiosas, ou de evitar que provoquem pânico. Se as bolhas fossem tão fáceis de identificar quanto muitos parecem pensar, os investidores nunca seriam apanhados por elas.

Até mesmo enormes reservas de capital, a defesa mais robusta contra adversidades inesperadas, podem ser proteções inadequadas contra corridas totais. Como vimos em 2008, os colchões de capital podem parecer seguros e adequados até que, de repente, deixam de ser. A quantidade de capital privado que os bancos americanos levantaram desde a crise teria sido suficiente para cobrir todas as suas perdas durante a crise, um passo bem-vindo em direção à segurança, mas essas perdas teriam sido muito piores se o uso enérgico por Washington de estímulos monetários e fiscais não tivesse estancado o sangramento econômico. E à medida que os traumas de 2008 ficam para trás, os períodos prolongados de estabilidade podem estimular uma nova complacência, os formuladores de políticas podem se sentir tentados a amenizar as restrições pós-crise à tomada de riscos e os mercados podem se sentir confortáveis em financiar quantias significativas de transformação de prazos fora do perímetro de supervisão reguladora rigorosa. Vale a pena lembrar que risco alavancado em excesso migrou para fora dos bancos antes da crise, mesmo quando os requisitos de capital eram muito mais baixos. Agora, os incentivos para encontrar novas oportunidades de arbitragem regulatória são ainda mais fortes, e a regulamentação tende a ficar para trás da curva.

É razoável pensar que o mundo ficará melhor em prever e antecipar os choques. Os bancos centrais e as instituições internacionais investiram pesadamente em unidades de estabilidade financeira que tentam identificar sinais de perigo por meio de "big data", ilustrados com elaborados "mapas de calor", e desejamos a eles boa sorte. Mas suspeitamos de que o monitoramento de alta tecnologia e a supervisão prudencial não protegerão totalmente o sistema financeiro das falhas de imaginação e limitações da memória que parecem estar gravadas nos seres humanos. Em algum momento, uma ameaça será negligenciada e uma crise entrará em erupção. Como Meg McConnell, do Fed de Nova York, gosta de dizer, passamos muito tempo procurando o risco sistêmico, mas ele tende a nos encontrar. É nesse momento que os responsáveis pelo governo precisam de uma rede de segurança, e receamos que a dos Estados Unidos esteja mais cheia de buracos do que estava antes da crise.

Arsenal de emergência mais fraco

A história de como a crise aconteceu é muito complexa e inclui alavancagem arriscada, captações de curto prazo sensíveis ao aperto de liquidez, serviços bancários paralelos, securitização desenfreada e regulamentação desatualizada. Mas a história de como a crise ficou tão terrível é comparativamente simples e diz respeito ao arsenal fraco e antiquado de armas de emergência que tínhamos para combatê-la.

Quando começou no Fed de Nova York em 2003, Tim leu o "Doomsday Book" [Livro do Juízo Final] do banco que descrevia seus poderes de emergência e não ficou impressionado. Ben teve experiência semelhante quando se tornou presidente do Fed, em 2006, e pediu um briefing sobre ferramentas de combate a crises. O Fed tinha amplos poderes para emprestar aos bancos contra garantias sólidas, mas só podia emprestar a instituições financeiras não bancárias numa crise se invocasse os poderes emergenciais da seção 13(3), e, mesmo assim, apenas se os potenciais devedores estivessem próximos ou além do ponto sem retorno. Seus poderes eram surpreendentemente limitados; por exemplo, a compra de ativos financeiros era limitada a títulos do Tesouro e de baixo risco garantidos por Fannie Mae e Freddie Mac, enquanto outros bancos centrais podiam comprar títulos muito mais arriscados e, em alguns casos, ações. E, como Hank percebeu, o Tesouro praticamente não tinha autoridade para intervir numa crise, o que era um problema, porque as crises sistêmicas não se extinguem sozinhas. Não há como acalmar um pânico grave sem ação do governo que substitua o crédito privado por crédito soberano e assuma as perdas que o mercado não suporta. Nenhuma instituição privada pode segurar a si mesma contra uma enchente de cem anos.

Durante a crise, o Fed estendeu seus programas de credor de última instância aos limites extremos de sua autoridade, e eles provaram ser ferramentas eficazes para prover liquidez a instituições carentes de dinheiro e escorar mercados de crédito cambaleantes. Mas os empréstimos convencionais e até mesmo não convencionais não podem restaurar em um passe de mágica a confiança em instituições ou ativos problemáticos durante uma crise verdadeiramente sistêmica. O Fed também reinterpretou seu poder de empréstimo emergencial de maneiras criativas para evitar os colapsos catastróficos do Bear Stearns e da AIG, mas os resgates de última hora também não restauraram a confiança no sistema financeiro porque o governo não tinha como assegurar que investidores e credores de que outras grandes instituições não enfrentariam colapsos semelhantes. Walter Bagehot havia apresentado argumentos fortes para que os bancos centrais emprestassem a instituições viáveis contra boas garantias. Essa crise ilustrou os limites da doutrina de Bagehot. Tivemos que ir ao Congresso no auge da crise para conseguir o poder de que precisávamos a fim de recapitalizar as instituições ameaçadas, e mesmo assim foi preciso tempo e transparência para assegurar aos mercados de que não havia mais motivo para fugir. Acreditamos que, se tivéssemos essa autoridade desde o início da crise, mesmo que cuidadosamente protegida e limitada, poderíamos ter agido com mais energia, mais rapidez e de forma mais abrangente, com intervenções projetadas para ajudar a restaurar a confiança em todo o sistema. Em vez disso, tivemos de nos contentar, durante a maior parte da crise, com as ferramentas de liquidez mais limitadas do Fed e com resgates ad hoc que nos impediram de agir à frente da crise.

Depois da crise, Tim e Ben esperavam preservar os novos poderes que havíamos usado para estabilizar o sistema e garantir poder adicional aos primeiros socorristas para fechar de maneira paulatina e ordenada as instituições sistemicamente perigosas em crises futuras. O governo Obama também propôs poderes de garantia ainda mais fortes para a FDIC, a fim de reduzir a probabilidade de uma falência do tipo Lehman e diminuir a necessidade de o Fed orquestrar resgates pontuais de instituições como o Bear e a AIG. Mas a autoridade do TARP expirou, e a versão final da Lei Dodd-Frank aprovada pelo Congresso reduziu em vez de expandir as ferramentas de combate ao fogo do governo. A ampla autoridade de garantia da FDIC, tão eficaz durante a crise, foi eliminada, assim como a capacidade do Fed de emprestar para instituições financeiras não bancárias invocando os poderes de emergência da seção 13(3). O Fed manteve a competência definida na seção 13(3) de emprestar a amplas classes de instituições, como tinha feito para os primary dealers,* e de apoiar importantes mercados de financiamento, como fizera para commercial papers, mas com menos poder discricionário e menor competência para assumir risco do que antes. Por exemplo, o Congresso limitou a autonomia do Fed de julgar quando seus empréstimos estão satisfatoriamente garantidos, tornando mais difícil para o banco central aceitar garantias arriscadas numa emergência futura. Simplesmente não havia apoio político para qualquer coisa que pudesse ser considerada abertura para salvamentos futuros.

---

* "Primary dealers" são as instituições que atuam no mercado comprando títulos diretamente do governo para revenda no mercado secundário. [N.E.]

Em geral, os gestores de crise do futuro terão menos poder e menos flexibilidade do que nós para agir em apoio ao sistema financeiro. O Congresso retirou o poder do Tesouro de usar o Fundo de Estabilização da Bolsa para emitir garantias, embora esse poder tenha protegido a poupança dos americanos comuns e captações críticas de curto prazo para grande parte das instituições americanas quando os fundos de investimentos líquidos de curto prazo estavam derretendo depois que o Fundo Primário da Reserva *broke the buck*. O Congresso também reduziu a capacidade do Executivo de assumir o risco de crédito junto com o Fed, como havia feito para proteger os mercados de crédito ao consumidor por meio da Term Asset--Backed Securities Loan Facility. A Lei Dodd-Frank chegou mesmo a enfraquecer os programas tradicionais de credor de última instância do Fed, acrescentando regras de divulgação que, independentemente de seus benefícios em termos de transparência, aumentarão o estigma potencial de tomar empréstimos do Fed, tornando mais difícil para o banco injetar liquidez no sistema em crises futuras.

A Lei Dodd-Frank criou de fato uma nova peça importante de equipamento de combate a incêndios: a "autoridade de liquidação ordenada", um mecanismo semelhante à falência para instituições complexas que permitiria aos gestores de crises fechá-las sem provocar um colapso caótico, como a FDIC já faz para os bancos menores e mais simples. Nossa incapacidade de fazer isso durante a crise foi uma fonte frequente de frustração — e durante o fim de semana do Lehman, uma fonte de desastre. O Fed precisou estender sua autoridade creditícia para evitar uma falência desordenada do Bear, uma intervenção que funcionou apenas porque o JPMorgan foi capaz de garantir obrigações do Bear, e não tivemos nenhum recurso quando não conseguimos encontrar um comprador similar para o Lehman. O objetivo da gestão de crises não deve ser evitar todas as falências, mas sim evitar falências descontroladas de instituições sistêmicas no meio de um pânico geral. Um poder de resolução bem elaborado poderia ser uma maneira elegante de evitar o caos, ao mesmo tempo que ajudaria a garantir que nenhuma instituição financeira seja grande demais para falir.

Não sabemos como esse novo poder de resolução funcionará até que seja usado, e nós três não estamos inteiramente de acordo a respeito de suas virtudes. Não queremos, claro, descartar a importância do novo regime de resolução ou dos "testamentos em vida" associados que as instituições sistemicamente importantes devem elaborar nos bons tempos para ajudar o governo a fechá-las em caso de desastre. Mas é justo dizer que a nova autoridade será provavelmente mais eficaz em administrar a falência de uma instituição do tipo Lehman num ambiente estável do que quando outras instituições também estiverem em perigo e todo o sistema estiver à beira do pânico.

No geral, embora os Estados Unidos tenham salvaguardas muito mais fortes contra a ocorrência de pânico do que antes da crise, o país tem poderes de emergência mais fracos para reagir quando ocorrer um pânico. Seus gestores de crises não têm o poder de injetar capital, garantir passivos ou comprar ativos sem ir ao Congresso. Ao mesmo tempo, o Fed perdeu seu poder de resgatar instituições isoladas e enfrenta novas restrições em seus poderes de empréstimo, enquanto o Tesouro perdeu sua capacidade de usar o Fundo de Estabilização de Câmbio para garantias. Tudo isso foi feito com o fim de evitar resgates governamentais, um objetivo digno. Mas a melhor maneira de evitá-los não é tolher os socorristas, mas, antes de tudo, evitar as crises. O risco tende a driblar até mesmo as proteções mais bem projetadas, mas isso é um motivo para dar aos gestores de crises a autoridade de que precisam para reagir com força esmagadora. Não se pode esperar que os incêndios desapareçam fechando o quartel de bombeiros.

É evidente que, quando acontecer uma crise de grande magnitude, o Congresso terá o poder de desfazer as limitações de prevenção impostas aos gestores de crises. Mas isso é mais fácil de dizer do que de fazer numa democracia não parlamentarista, na qual as mudanças legislativas exigem apoio do presidente, da Câmara dos Deputados e de uma maioria no Senado. No mínimo, os bombeiros financeiros teriam de seguir nosso caminho tortuoso de gastar tempo, energia e capital político para conseguir os caminhões e as mangueiras de que precisam enquanto o incêndio já está em andamento, o que pode intensificar as crises e aumentar seus custos finais para os contribuintes e a economia. E é difícil olhar para a política encarniçadamente polarizada dos Estados Unidos de hoje e se sentir confiante de que um consenso bipartidário para medidas impopulares, mas necessárias, surgiria quando isso fosse o mais importante.

Ainda que a crise e a subsequente recessão tenham sido ruins, elas teriam sido muito piores se o Federal Reserve, o Congresso e o Poder Executivo não tivessem arquitetado um enorme estímulo monetário e fiscal para impedir a contração e ajudar na recuperação. Outra lição fundamental de 2008 foi que mesmo medidas agressivas para estabilizar o sistema financeiro não funcionam se a economia estiver implodindo, ao mesmo tempo que medidas agressivas para revitalizar a economia não funcionam se o sistema financeiro estiver em colapso. As políticas macroeconômicas e de combate à crise precisam trabalhar juntas, e a capacidade de um governo de limitar a intensidade de uma crise financeira depende de sua margem de manobra macroeconômica.

Felizmente, antes da crise, o arsenal keynesiano dos Estados Unidos estava razoavelmente bem abastecido. O Fed tinha muito espaço para reduzir as taxas de juros e buscar outras políticas monetárias expansionistas, enquanto o restante do governo tinha espaço orçamentário para empreender políticas fiscais expansionistas, como reduções de impostos e aumento de gastos. Hoje, o arsenal keynesiano parece muito mais restrito, o que poderia ser uma desvantagem significativa numa crise séria. Mas enquanto o Fed elevava gradualmente as taxas de juros, o que ajudará a reabastecer a munição monetária que empregou durante a última crise, os poderes políticos de Washington desperdiçavam sua munição fiscal quando deveriam estar acumulando mais.

No lado monetário, os Estados Unidos entraram na crise com a taxa dos fundos federais em 5,25%, modesta pelos padrões históricos, mas confortavelmente acima de zero — e Ben já havia sugerido que estaria disposto a tomar medidas heterodoxas para apoiar uma economia em declínio quando a taxa dos fundos federais atingisse o limite inferior zero. O Fed pode ter sido um pouco hesitante nos primeiros meses da crise, mas cortou as taxas com mais rapidez do que todos os outros bancos centrais a partir do início de 2008. Ele baixou as taxas para o limite inferior zero durante os dias mais tenebrosos do outono, e as manteve nesse nível durante sete anos para apoiar a recuperação econômica. As três rodadas de flexibilização quantitativa do Fed também forneceram combustível significativo para o crescimento, ajudando a economia a suportar uma série de eventos negativos, entre eles uma crise de dívida soberana na Europa, sem recair na recessão. E suas compras de títulos lastreados em hipotecas foram cruciais para a recuperação do mercado imobiliário.

Os sucessores de Ben no Fed, Janet Yellen e Jerome Powell, começaram um processo gradual de redução da carteira de 4,5 trilhões de dólares de títulos que o Fed acumulou por meio da flexibilização quantitativa, enquanto empurram lentamente as taxas de juros acima de 2% no momento em que escrevemos estas palavras. No entanto, parece que, mesmo que a política monetária retorne a uma posição neutra, as taxas de juros prevalecentes serão menores do que no passado. Se assim for, o Fed não terá tanto espaço para afrouxar a política com cortes nas taxas se a economia fraquejar, o que poderia atrapalhar os esforços para combater uma futura crise ou recessão.

No lado fiscal, o déficit federal no início da última crise era de apenas 1% do PIB. Esse número aumentou drasticamente depois que começou a Grande Recessão e as receitas fiscais caíram, mas o país ainda tinha uma quantidade razoável de capacidade fiscal para sustentar a economia expandindo os déficits no curto prazo sem estourar o orçamento a longo prazo. E isso aconteceu. O corte de impostos de 150 bilhões de dólares que Hank negociou no início da crise, a Lei de Recuperação de Obama de 800 bilhões de dólares e a série de medidas menores de acompanhamento do estímulo chegaram a mais de 10% do PIB. Embora alguns desses estímulos federais tenham sido contrabalançados por cortes orçamentários estaduais e municipais e por aumentos de impostos — e acreditamos que Washington voltou rápido demais à austeridade fiscal após o início da recuperação —, está claro que a injeção de adrenalina governamental na corrente sanguínea econômica ajudou a acabar com a recessão e a dar início a uma recuperação gradual, ao mesmo tempo que ajudava a evitar um colapso do sistema financeiro.

Após crescer mais de 1 trilhão de dólares durante a crise, o déficit recuou inicialmente à medida que a emergência diminuiu, os resgates financeiros foram reembolsados e a economia se recuperou, enquanto o Congresso elevava os impostos e reduzia a taxa de crescimento dos gastos. Mas agora o déficit anual está subindo de novo acima de 1 trilhão de dólares, devido aos grandes cortes de impostos sem restrição de despesas. À medida que o envelhecimento da população aumentar a pressão sobre os futuros gastos com direitos sociais, os Estados Unidos poderão enfrentar déficits de longo prazo insustentáveis por tempo indeterminado. A dívida federal pública já subiu de 31% do PIB em 2001 para 76% hoje, e o pagamento de juros, por si só, custa mais de 300 bilhões de dólares por ano. Quando a próxima crise ou até mesmo uma recessão comum ocorrer, deprimindo as receitas fiscais e piorando ainda mais o déficit, os formuladores de políticas terão muito mais dificuldade, tanto do ponto de vista político quanto econômico, para repetir a reação vigorosa de uma década atrás. Em outras palavras, o uso de adrenalina fiscal pode ser limitado justamente quando for mais necessário.

Será preciso um longo período de escolhas políticas menos esbanjadoras e condições econômicas benignas para restaurar o poder de fogo macroeconômico dos Estados Unidos a níveis que poderiam ajudar a solucionar outra emergência. Neste momento, até mesmo uma recessão modesta pode deixar Washington sem muito espaço fiscal para reagir a uma crise financeira ou, ao menos, modernizar a infraestrutura, enfrentar a epidemia dos opiáceos, conter a mudança climática, estabilizar a Previdência Social ou proporcionar benefícios fiscais permanentes para famílias de trabalhadores. O país estava lutando com a crescente desigualdade de renda, a insegurança da classe média e outros desafios econômicos bem antes da crise de 2008, mas a crise tornou piores esses problemas, e déficits orçamentários insustentáveis poderiam tolher nossa capacidade de lidar com eles.

O sistema financeiro parece mais forte hoje e, de certa forma, a economia também parece mais estável. Os bancos estão mais seguros e fornecendo o crédito que a economia precisa para crescer. Mas o mundo está cheio de riscos. Embora a crise extrema seja rara, algum dia ela virá. E embora Washington esteja atolada num impasse barulhento, agora é um momento tão bom quanto qualquer outro para preencher as lacunas das reformas de 2010 e ajudar a nos preparar para o pior. Essa é a maneira de garantir que o pior não aconteça. Como o filósofo e estrategista militar chinês Sun Tzu supostamente advertiu: Se queres a paz, prepara-te para a guerra.

O que fazer?

Para nós, é como se a crise tivesse acontecido ontem, assim como para muitos americanos cujas vidas e subsistências foram interrompidas e prejudicadas por aqueles acontecimentos. Mas os mercados têm memória curta e, como a história demonstrou, longos períodos de confiança e estabilidade podem produzir confiança excessiva e instabilidade. Regras que parecem necessárias no rescaldo de um desastre começam a parecer onerosas em tempos mais calmos.

O esquecimento é nosso inimigo. O atual fardo regulatório não impediu que os bancos desfrutassem de lucros saudáveis ou emprestassem valores recorde a famílias e empresas, mas o setor financeiro está pressionando fortemente por alívio regulatório. Acreditamos que a primeira regra para uma reforma financeira adicional deve ser hipocrática: primeiro, não faça mal. Devemos ser cuidadosos, mesmo quando refinamos algumas das reformas pós-crise, para não permitir um enfraquecimento geral das defesas mais poderosas contra a crise. Quando os tempos são bons, os perigos do retrocesso podem parecer insignificantes.

Mas os custos das piores crises financeiras podem ser tão enormes que deveria haver uma pressão séria para termos medidas ainda mais fortes, tanto para evitá-las quanto para mitigá-las quando elas ocorrerem. É difícil fazer com que o sistema político aja sem uma crise que o incite, como aprendemos com nossas primeiras propostas para consertar Fannie Mae e Freddie Mac. Em tempos de calmaria, os políticos costumam relutar em dar aos bancos centrais e aos ministérios da Fazenda poder suficiente para reagir a turbulências futuras, como se a mera existência de um corpo de bombeiros pudesse causar incêndios. Mas é muito mais seguro dar aos bombeiros o poder de combater incêndios de que precisam antes que o fogo comece a arder. E o que está em jogo é grande o suficiente para que Washington trate a estabilidade financeira como uma emergência antes que ela se torne uma.

Quando se trata de prevenção de crises, as novas regras de capital, alavancagem, liquidez e margem são muito mais fortes do que as salvaguardas em vigor antes da crise, e o principal desafio para os reformadores será reduzir a pressão para enfraquecê-las. Um desafio vinculado a esse será o fato de que os participantes do mercado irão se adaptar às novas regras ao longo do tempo, desviando o risco para áreas onde a supervisão parece mais frouxa, de tal modo que as agências reguladoras também precisarão de poder de decisão para se adaptar. Com relação a outras economias importantes, os bancos comerciais ainda são uma parcela pequena do sistema financeiro americano, e será necessária vigilância para garantir que a alavancagem arriscada não migre para novas instituições paralelas. É improvável que a próxima guerra se desenrole exatamente da mesma forma que a última, por isso será vital assegurar que as agências reguladoras tenham flexibilidade suficiente para monitorar novos perigos à medida que eles surgirem.

O sistema regulatório financeiro fragmentado também poderia se beneficiar de reformas para reduzir as disputas de território entre agências redundantes com responsabilidades sobrepostas. Sabemos que a reorganização seria uma dura batalha para o Capitólio, mas uma estrutura reguladora mais racional poderia ajudar a evitar que os Lehmans, AIGs e WaMus de amanhã caíssem através das rachaduras da regulamentação. Mas, afora isso, a prevenção de incêndio financeiro está em boa forma.

Como enfatizamos neste capítulo, estamos mais preocupados com o corpo de bombeiros financeiro mal equipado. Sabemos que o público não está clamando por tornar mais fácil para nossos sucessores resgatar bancos, mas a retirada de poder dos socorristas financeiros não impedirá os resgates. Só irá atrasá-los e torná-los muito mais caros.

De alguma forma, Washington precisa reunir coragem para reabastecer o arsenal de emergência com as ferramentas que ajudaram a acabar com a crise de 2008 — autoridade para os gestores de crises injetarem capital nos bancos, comprarem seus ativos e, sobretudo, garantirem seus passivos, a arma mais poderosa que os governos têm para acalmar pânicos. A FDIC já tem a maioria desses poderes quando lida com bancos comerciais, e devemos investigar como estendê-los a qualquer instituição envolvida em transformação de prazos. A autoridade de resolução da Lei Dodd-Frank também precisa ser aprimorada, de modo que, quando grandes e complexas instituições estiverem à beira da falência, a FDIC possa respaldar totalmente suas obrigações e, ao mesmo tempo, fechá-las de forma ordenada. Isso pode criar algumas perdas de curto prazo para os contribuintes, mas a FDIC pode recuperar essas perdas do setor depois que a crise passar. Ao contrário, a imposição de *haircuts* aos credores em meio a uma crise pode acelerar um pânico sistêmico e arrastar outras instituições, o que acaba gerando perdas muito maiores para os contribuintes. O impulso para assegurar que os tomadores de risco paguem um preço por sua tomada de riscos é compreensível, mas exigir que os gestores de crises extraiam esse preço quando a crise está no auge dificulta ainda mais a solução da crise.

O que faz o modelo da FDIC funcionar tão bem é que ela exige que as instituições financeiras paguem um fundo de seguro prospectivamente, *antes* que uma crise aconteça — e deixa claro que se o preço da estabilização do sistema for maior do que o previsto, o setor acabará tendo de pagar as contas. Gostaríamos que o Congresso adotasse um modelo de seguro semelhante que funcionasse para o sistema financeiro em geral, a fim de que os gestores de crises tivessem flexibilidade para colocar em risco os dólares públicos com a garantia de que eventuais déficits seriam reembolsados pelas instituições financeiras, não pelos contribuintes. Não somos tão ingênuos a ponto de pensar que isso resolveria os problemas políticos da gestão de crises financeiras. Os esforços do governo para acalmar os pânicos financeiros serão sempre suscetíveis à acusação de serem salvamentos injustificados para especuladores irresponsáveis. Mas um mandato legal inicial de que o setor financeiro pagará por todos os custos do combate a incêndios financeiros poderia pelo menos reduzir essas preocupações. Conseguimos isso na prática, na medida em que nossa abordagem forçou o sistema financeiro a pagar pela proteção que fornecemos, mas seria melhor se esse princípio fosse claro e compreendido antecipadamente.

Por fim, esperamos que, agora que o sol está brilhando, Washington use essa oportunidade para consertar seu telhado econômico antes da próxima chuva forte. O conserto começaria com um novo compromisso com a responsabilidade fiscal, porque a abordagem vigente de reduzir impostos e aumentar os gastos em épocas favoráveis tornará impossível proporcionar estímulo fiscal em momentos difíceis. Mas também devemos tomar medidas para enfrentar problemas estruturais de longa data, como a crescente disparidade de renda que solapa a saúde de nossa economia e de nossa democracia. Precisamos encontrar maneiras de ter mais americanos participando do sucesso econômico da nação. Não apenas é a coisa certa a fazer, como uma economia mais forte, com mais oportunidades e prosperidade para pessoas de todas as classes sociais, também deixará o país mais bem preparado para resistir aos choques a que as economias estão sujeitas, inclusive choques financeiros.

Infelizmente, nosso sistema político dividido e paralisado parece incapaz de pensar adiante e fazer escolhas difíceis em relação ao futuro. Uma década atrás, vimos democratas e republicanos deixarem de lado as diferenças políticas e ideológicas para salvar o país da catástrofe, reforçando a crença de que os Estados Unidos, quando confrontados com a crise, e apenas quando confrontados com a crise, tendem a fazer o que é necessário. Mas isso foi difícil na época, e pode ser mais difícil numa crise futura. Não somos ingênuos a respeito das dificuldades de obter tal resultado antes que a próxima crise aconteça.

Contudo, o conjunto corrente de restrições ao arsenal da política de emergência é perigoso para os Estados Unidos — e, considerando-se a importância global do sistema financeiro americano e do dólar, é perigoso para o mundo. Podemos fazer melhor, e o que está em jogo é tão grande que até mesmo fazer só um pouquinho melhor pode trazer enormes benefícios em termos de aumento do bem-estar. Não há momento mais adequado que o presente para começar.

Agradecimentos

Muitas pessoas contribuíram para que este livro existisse. Michael Grunwald forneceu uma ajuda inestimável. Scott Moyers, nosso editor na Penguin, acompanhou o projeto até a publicação. Agradecemos a ambos. Devemos agradecer também a Deborah McClellan por sua orientação editorial, a Monica Boyer pela checagem e a Bob Barnett pela assessoria jurídica. Andrew Metrick e David Wessel proporcionaram insights valiosos ao relembrarmos as lições da crise. Os gráficos foram resultado de uma colaboração liderada por Tim Geithner e Nellie Liang, com contribuições de Eric Dash, Seth Feaster, Ben Henken, Aidan Lawson e Deborah McClellan.

A crise financeira em gráficos

Estratégia e resultados nos Estados Unidos

Introdução

A crise financeira global e a Grande Recessão de 2007-9 constituíram os piores choques para a economia dos Estados Unidos nas últimas gerações. Livros foram e serão escritos sobre a bolha imobiliária, o pânico financeiro que se seguiu, a devastação econômica resultante e as medidas que vários braços dos governos americano e estrangeiros tomaram para impedir a Grande Depressão 2.0. Mas a história também pode ser contada por meio de gráficos, como os das próximas páginas.

De imediato, por meio deles fica evidente que, à medida que a crise se intensificou, o mesmo aconteceu com a reação do governo. Embora as sementes dos eventos angustiantes de 2007-9 tenham sido semeadas ao longo de décadas e o governo americano tenha demorado a agir, os esforços combinados do Federal Reserve, do Departamento do Tesouro e de outros órgãos foram ao fim vigorosos, flexíveis e eficazes. As agências reguladoras federais expandiram muito seu kit de ferramentas de gestão de crises à proporção que os danos se manifestavam, passando de medidas tradicionais e domésticas para ações que eram inovadoras e, às vezes, até de alcance internacional. Conforme o pânico se espalhava, seus esforços também se ampliavam para acalmá-lo. No final, o governo foi capaz de estabilizar o sistema, restabelecer os principais mercados financeiros e limitar a extensão dos danos à economia.

Nenhuma coleção de gráficos, mesmo tão extensa quanto esta, pode transmitir todas as complexidades e detalhes da crise e das intervenções do governo. Mas esses números captam as características essenciais de um dos piores episódios da história econômica americana e da reação do governo, em última análise bem-sucedida, ainda que politicamente impopular.

Acrônimos

ABCP	asset-backed commercial paper [commercial paper garantido por ativos]
ABS	asset-backed securities [títulos lastreados em ativos]
AMLF	Asset-Backed Commercial Paper Money Market Mutual Fund Liquidity Facility [Linha de Liquidez aos Fundos Mútuos de Mercados Monetários de Commercial Paper Garantidos por Ativos]
CAP	Capital Assistance Program [Programa de Assistência de Capital]
CDCI	Community Development Capital Initiative [Iniciativa de Capital para Desenvolvimento Comunitário]
CDS	credit default swaps
CET1	Common Equity Tier 1
CPFF	Commercial Paper Funding Facility [Linha de Financiamento de Liquidez para Commercial Paper]
CPP	Capital Purchase Program [Programa de Aquisição de Capital]
DGP	Debt Guarantee Program [Programa de Garantia da Dívida]
DIF	Deposit Insurance Fund [Fundo de Seguro de Depósito]
EESA	Emergency Economic Stabilization Act of 2008 [Lei de Estabilização Econômica de Emergência de 2008]
FDIC	Federal Deposit Insurance Corporation [Corporação Federal de Garantia de Depósitos]
FHA	Federal Housing Administration [Administração Federal de Habitação]

FHFA	Federal Housing Finance Agency [Agência Federal de Financiamento Habitacional]
GSEs	government-sponsored enterprises [empresas patrocinadas pelo governo]
HAMP	Home Affordable Modification Program [Programa de Modificação Acessível da Moradia]
HARP	Home Affordable Refinance Program [Programa de Refinanciamento Acessível da Moradia]
HUD	US Department of Housing and Urban Development [Departamento de Habitação e Desenvolvimento Urbano]
Libor-OIS	London Interbank Offered Rate-Overnight Indexed Swap Rate [Taxa interbancária Libor-taxa de swap indexado overnight]
MBS	mortgage-backed securities [títulos lastreados em hipotecas]
MLEC	Master Liquidity Enhancement Conduit [Fundo Master de Aumento de Liquidez]
MMF	money market fund [fundo de investimentos líquidos de curto prazo]
NBER	National Bureau of Economic Research [Bureau Nacional de Pesquisas Econômicas]
PDCF	Primary Dealer Credit Facility [Linha de Crédito para Primary Dealer]
PIB	produto interno bruto
PPIP	Public-Private Investment Program [Programa de Investimento Público-Privado]
QE	Quantitative Easing [Flexibilização Quantitativa]
SAAR	seasonally adjusted annual rate [taxa anual ajustada sazonalmente]
SBA 7(a)	Small Business Administration 7(a) Securities Purchase Program [Administração de Pequenas Empresas 7(a) Programa de Compra de Valores Mobiliários]
SCAP	Supervisory Capital Assessment Program [Programa Supervisor de Avaliação de Capital]

SDR	special drawing right [direito especial de saque]
SPSPAs	Senior Preferred Stock Purchase Agreements [Acordos de Compra de Ações Preferenciais]
TAF	Term Auction Facility [Linha de Leilão a Prazo]
TAGP	Transaction Account Guarantee Program [Programa de Garantia de Conta-Corrente]
TALF	Term Asset-Backed Securities Loan Facility [Linha de Empréstimo para Compra de Títulos Lastreados]
TARP	Troubled Assets Relief Program [Programa de Ajuda aos Ativos Problemáticos]
TLGP	Temporary Liquidity Guarantee Program [Programa de Garantia Temporária de Liquidez]
TSLF	Term Securities Lending Facility [Linha de Empréstimo de Títulos a Prazo]

A CRISE FINANCEIRA EM GRÁFICOS

—

Estratégia e resultados

Antecedentes da crise

Nos anos que precederam a crise, o desempenho subjacente da economia americana se deteriorou em vários aspectos importantes.

Devido à diminuição do crescimento da produtividade e da força de trabalho na década anterior à crise, a taxa de crescimento econômico potencial estava caindo.

Crescimento em PIB potencial real

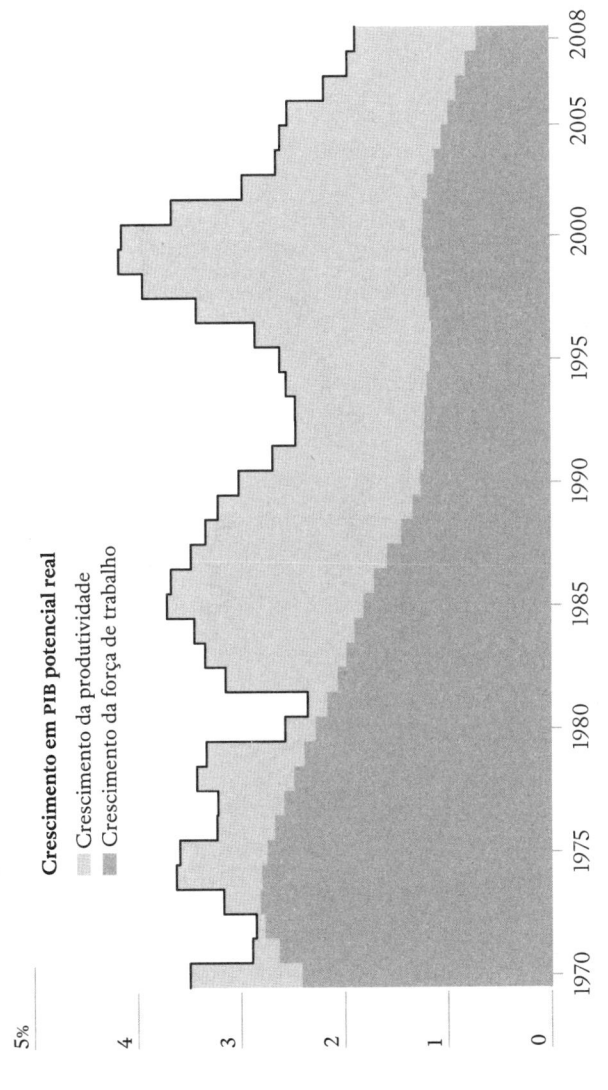

Crescimento em PIB potencial real

Crescimento da produtividade
Crescimento da força de trabalho

Fontes: Congressional Budget Office, "An Update to the Economic Outlook: 2018 to 2028"; cálculos dos autores.

A participação do total das pessoas em idade produtiva na força de trabalho vinha caindo, enquanto a participação das mulheres encolhia e a dos homens prosseguia num declínio de décadas.

Taxa de participação da força de trabalho civil de pessoas de 25-54 anos indexada a janeiro de 1990=100

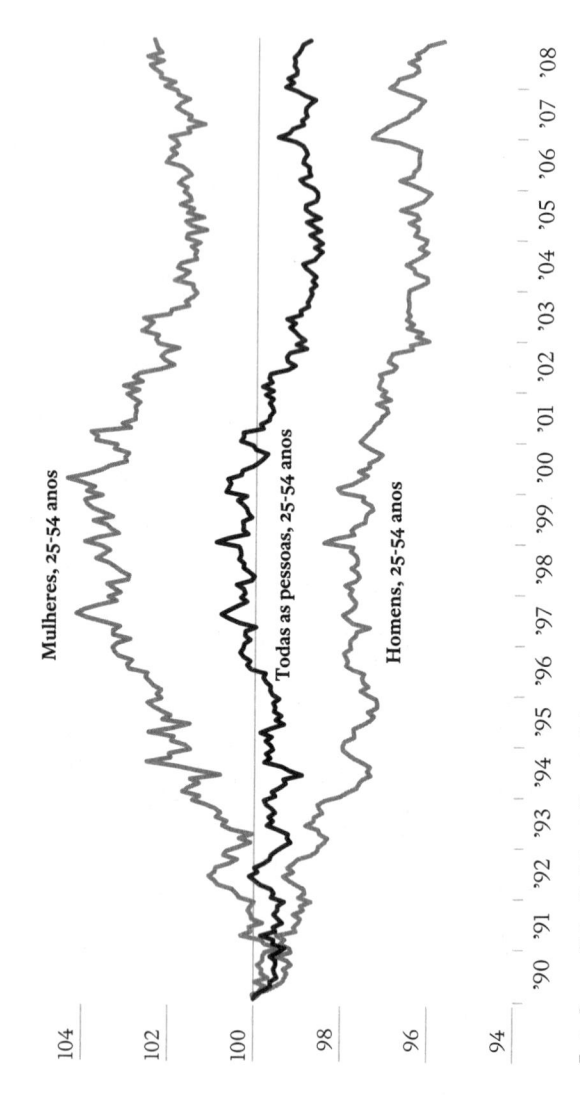

Mulheres, 25-54 anos

Todas as pessoas, 25-54 anos

Homens, 25-54 anos

'90 '91 '92 '93 '94 '95 '96 '97 '98 '99 '00 '01 '02 '03 '04 '05 '06 '07 '08

106 104 102 100 98 96 94

Fonte: Bureau of Labor Statistics via Haver Analytics.

O crescimento da renda do 1% mais rico aumentara muito, levando a desigualdade de renda a níveis não vistos desde os anos 1920.

Crescimento cumulativo em média de renda desde 1979, antes de transferências e impostos, por grupo de renda

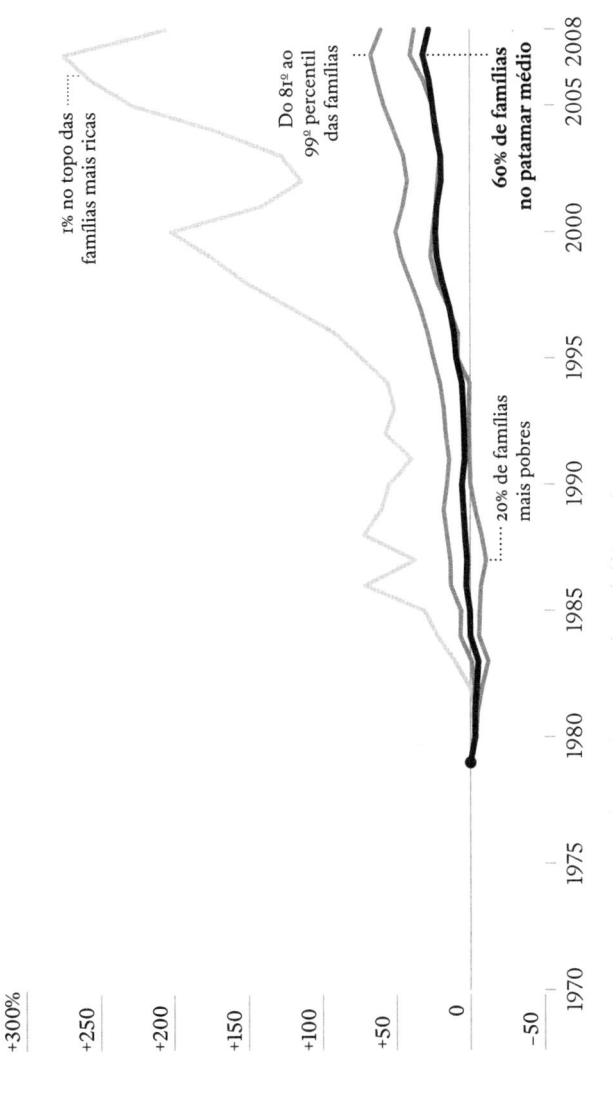

Fonte: Congressional Budget Office, "The Distribution of Household Income", 2014.

Enquanto isso, o sistema financeiro ficava cada vez mais frágil.

Um "período tranquilo" de relativamente poucas perdas bancárias estendeu-se por quase 70 anos e criou um falso sentimento de solidez.

Taxas bianuais de perdas de empréstimos de bancos comerciais

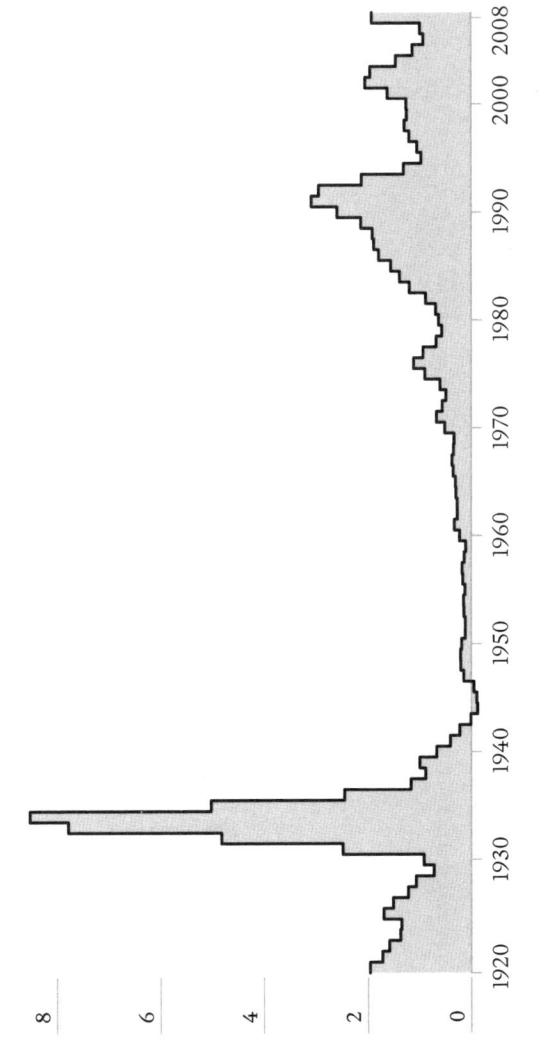

Fontes: Federal Deposit Insurance Corp.; Federal Reserve Board; International Monetary Fund.

A "Grande Moderação" — duas décadas de resultados econômicos mais estáveis com recessões mais curtas e menos profundas e inflação mais baixa — encorajou a complacência.

Crescimento trimestral real do PIB, mudança percentual em relação ao período precedente

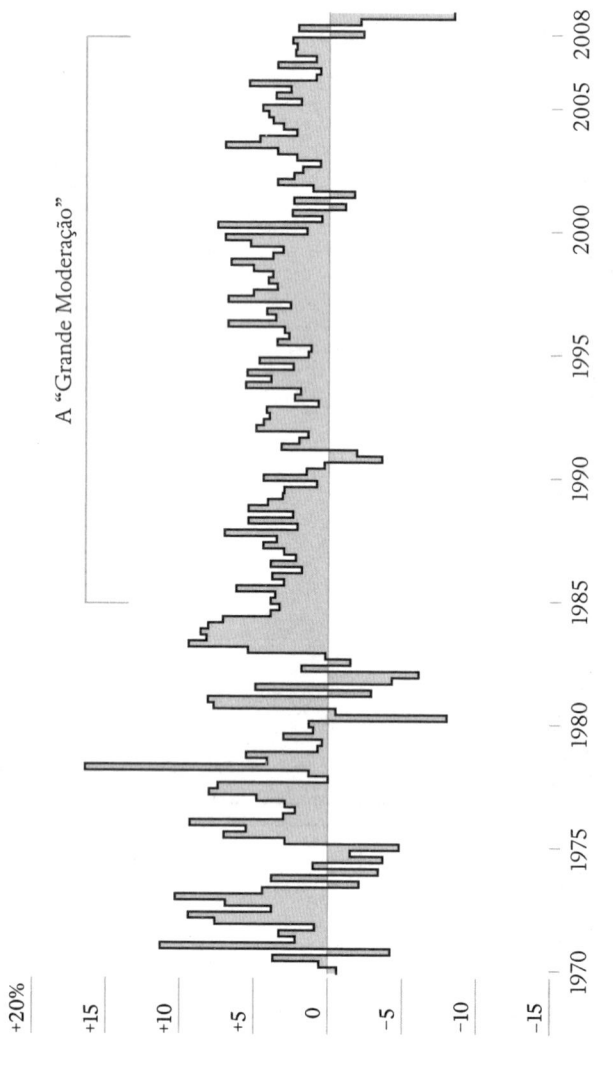

A "Grande Moderação"

Fonte: Bureau of Economic Analysis via Federal Reserve Economic Data (FRED).

As taxas de juros de longo prazo atravessaram décadas de queda, refletindo uma inflação decrescente, uma força de trabalho que envelhecia e um aumento da poupança total.

Taxas de juros de referência, mensal

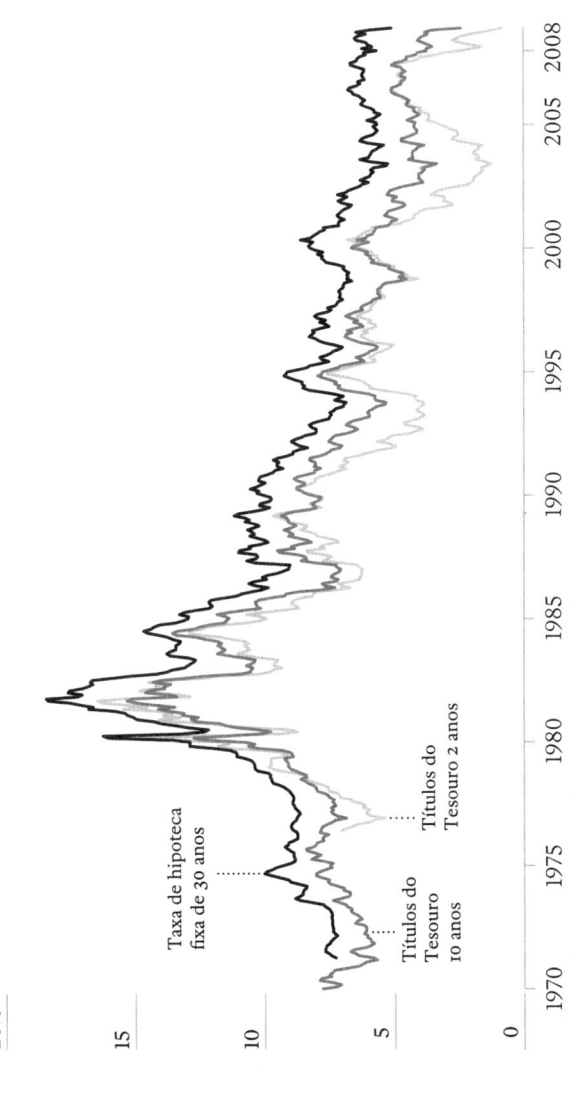

Taxa de hipoteca fixa de 30 anos

Títulos do Tesouro 10 anos

Títulos do Tesouro 2 anos

20%

15

10

5

0

1970   1975   1980   1985   1990   1995   2000   2005   2008

Fontes: Federal Reserve Board and Freddie Mac Primary Mortgage Market Survey® via Federal Reserve Economic Data (FRED).

O preço dos imóveis residenciais em todo o país vinha crescendo rapidamente havia quase uma década.

Índice do preço real dos imóveis residenciais, mudança percentual a partir de 1890

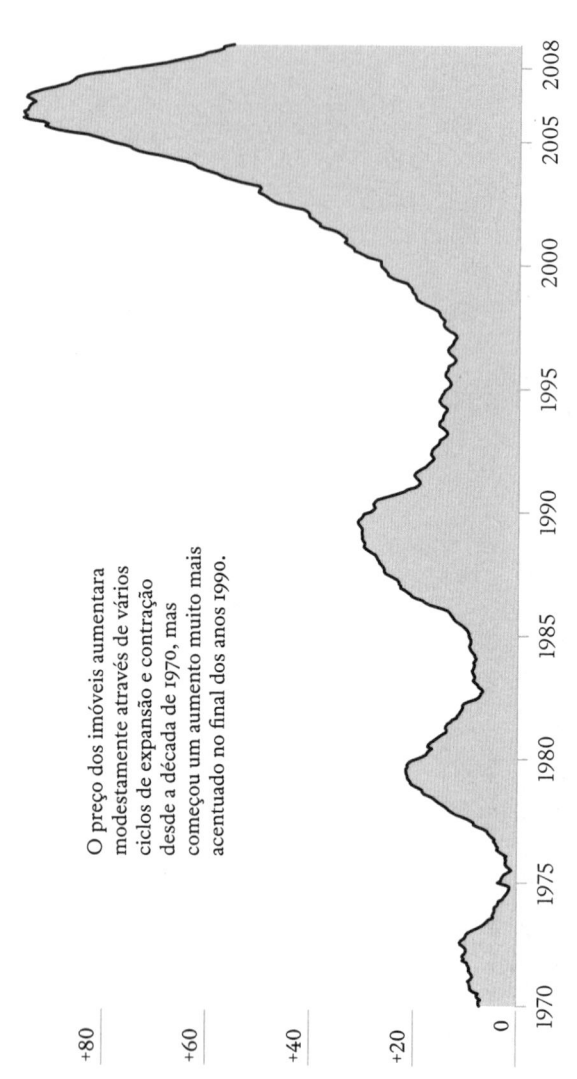

O preço dos imóveis aumentara modestamente através de vários ciclos de expansão e contração desde a década de 1970, mas começou um aumento muito mais acentuado no final dos anos 1990.

Fonte: U.S. Home Price and Related Data, Robert J. Shiller, *Irrational Exuberance*.

A dívida familiar como porcentagem da renda aumentou de forma alarmante.

Dívida familiar agregada como porcentagem da renda pessoal disponível

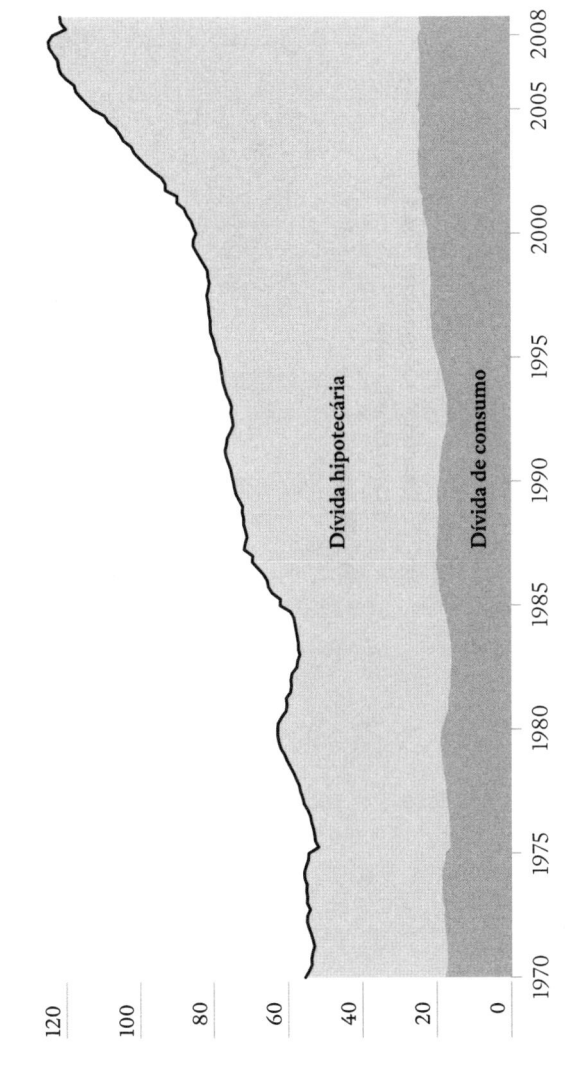

Fonte: Federal Reserve Board Financial Accounts of the United States, com base em Ahn et al. (2018).

Crédito e risco haviam migrado para fora do sistema bancário regulamentado.

Dívida no mercado de crédito, por titular, como porcentagem do PIB nominal

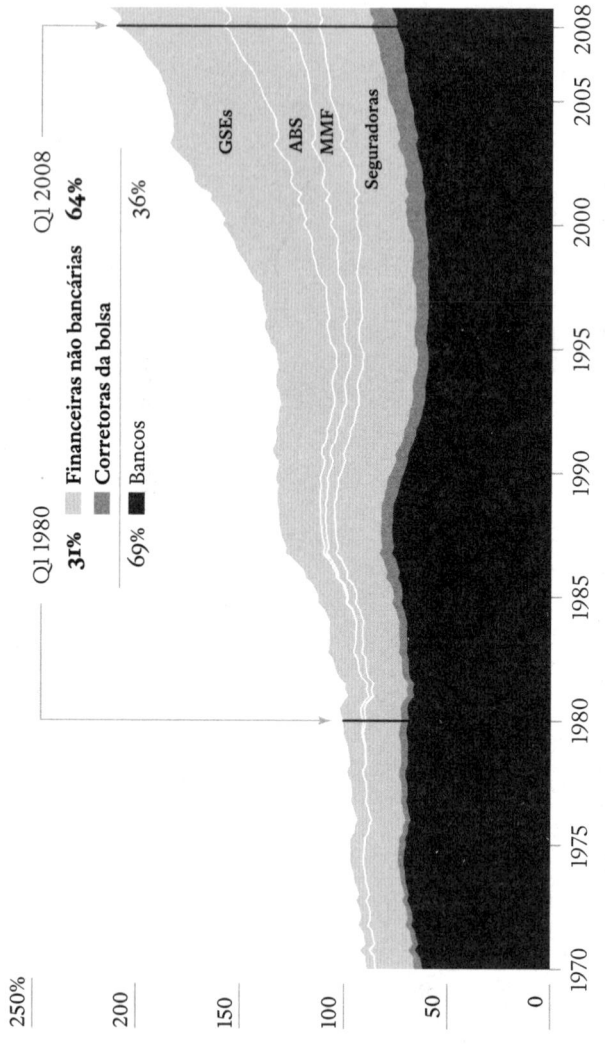

Q1 1980

31% Financeiras não bancárias

Corretoras da bolsa

69% **Bancos**

Q1 2008

64%

36%

GSEs

ABS

MMF

Seguradoras

250%

200

150

100

50

0

1970 1975 1980 1985 1990 1995 2000 2005 2008

Fonte: Federal Reserve Board Financial Accounts of the United States. Notas: GSE: empresas patrocinadas pelo governo (inclusive Fannie Mae e Freddie Mac); ABS: emissores de títulos lastreados em ativos; MMF: fundo de investimentos líquidos de curto prazo [Q: trimestre].

A quantidade de ativos financeiros financiados com dívidas de curto prazo também cresceu muito, aumentando a vulnerabilidade do sistema financeiro às corridas aos bancos.

Financiamento líquido de repos dos bancos e corretoras

US$ 2,00 trilhões

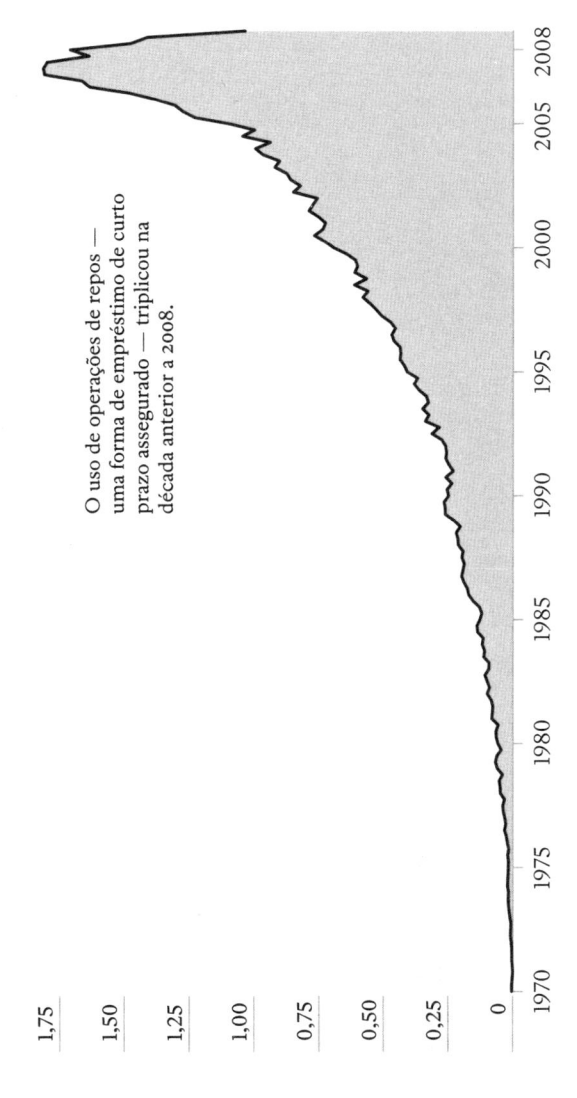

O uso de operações de repos — uma forma de empréstimo de curto prazo assegurado — triplicou na década anterior a 2008.

Fonte: Federal Reserve Board Financial Accounts of the United States.

O arco da crise

A crise financeira atravessou várias fases.

Spreads de credit default swap (CDS) bancário e spread da taxa Libor-OIS

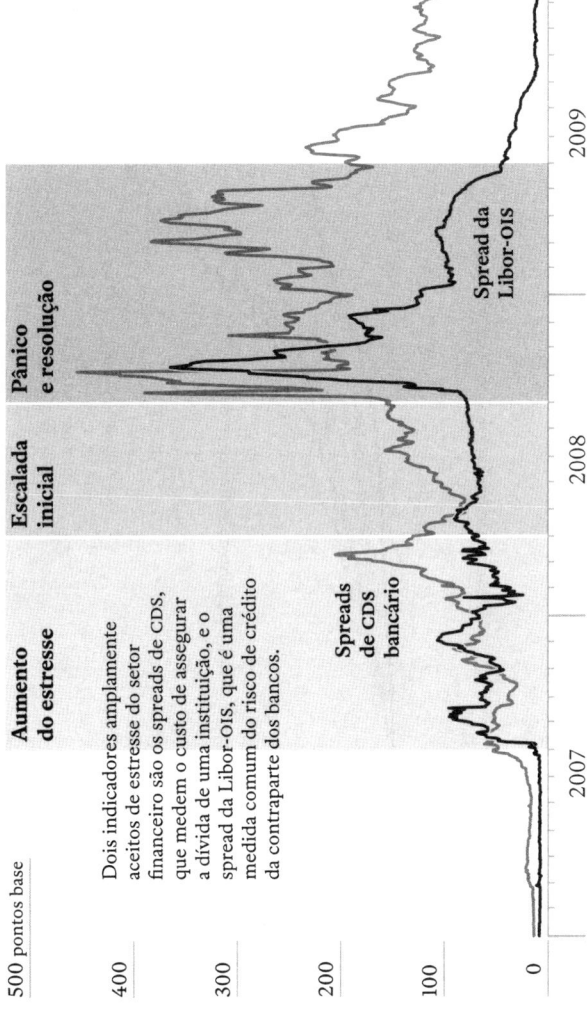

	Aumento do estresse	Escalada inicial	Pânico e resolução

Dois indicadores amplamente aceitos de estresse do setor financeiro são os spreads de CDS, que medem o custo de assegurar a dívida de uma instituição, e o spread da Libor-OIS, que é uma medida comum do risco de crédito da contraparte dos bancos.

Fontes: Libor-OIS: Bloomberg Finance L.P.; spreads de CDS bancário: Bloomberg Finance L.P., IHS Markit Notas: os spreads de CDS são médias igualmente ponderadas de JPMorgan Chase, Citigroup, Wells Fargo, Bank of America, Morgan Stanley e Goldman Sachs. O spread da Libor-OIS usado é aquele entre a taxa Libor de três meses e a taxa de três meses de swap indexado overnight do dólar americano.

O preço dos imóveis residenciais atingiu um pico nacional no verão de 2006, depois caiu rapidamente — oito grandes cidades tiveram declínio de mais de 20% até março de 2008.

Mudança nos índices de S&P CoreLogic Case-Shiller Home Price para vinte cidades e o país, a partir do pico nacional de julho de 2006, sem ajuste sazonal

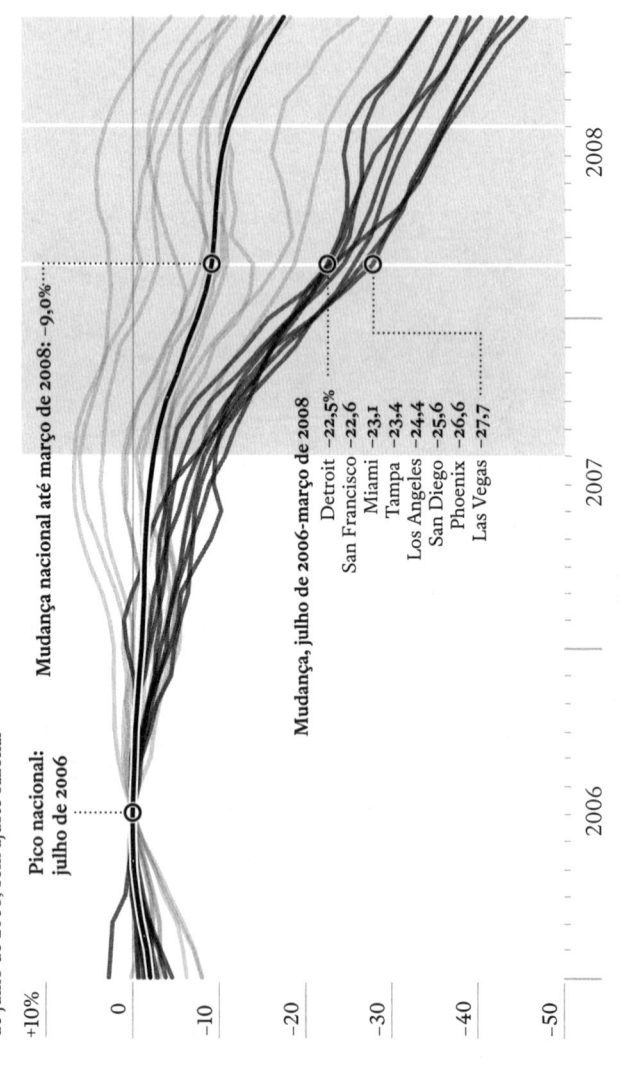

Fontes: S&P CoreLogic Case-Shiller Home Price Indexes para vinte cidades e National Home Price Index via Federal Reserve Economic Data (FRED).

188

O estresse no sistema financeiro aumentou gradualmente durante o final de 2007 e o início de 2008, à medida que cresciam os problemas com as hipotecas e os temores de recessão.

Spread Libor-OIS

400 pontos base

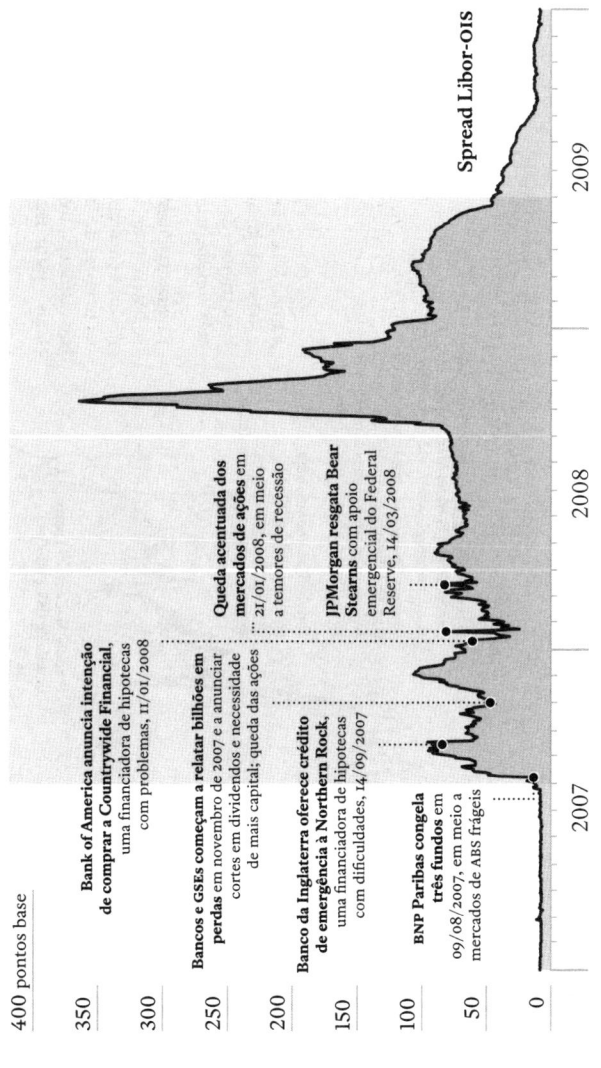

Bank of America anuncia intenção de comprar a Countrywide Financial, uma financiadora de hipotecas com problemas, 11/01/2008

Bancos e GSEs começam a relatar bilhões em perdas em novembro de 2007 e a anunciar cortes em dividendos e necessidade de mais capital; queda das ações

Banco da Inglaterra oferece crédito de emergência à Northern Rock, uma financiadora de hipotecas com dificuldades, 14/09/2007

BNP Paribas congela três fundos em 09/08/2007, em meio a mercados de ABS frágeis

Queda acentuada dos mercados de ações em 21/01/2008, em meio a temores de recessão

JPMorgan resgata Bear Stearns com apoio emergencial do Federal Reserve, 14/03/2008

Spread Libor-OIS

2007   2008   2009

350

300

250

200

150

100

50

0

Fonte: Bloomberg Finance L.P.
Nota: GSE: empresa patrocinada pelo governo.

Os investidores temiam que os gigantes da hipoteca Fannie Mae e Freddie Mac pudessem falir e causar danos severos ao mercado imobiliário.

Preço das ações de Fannie Mae e Freddie Mac

US$ 80 por ação

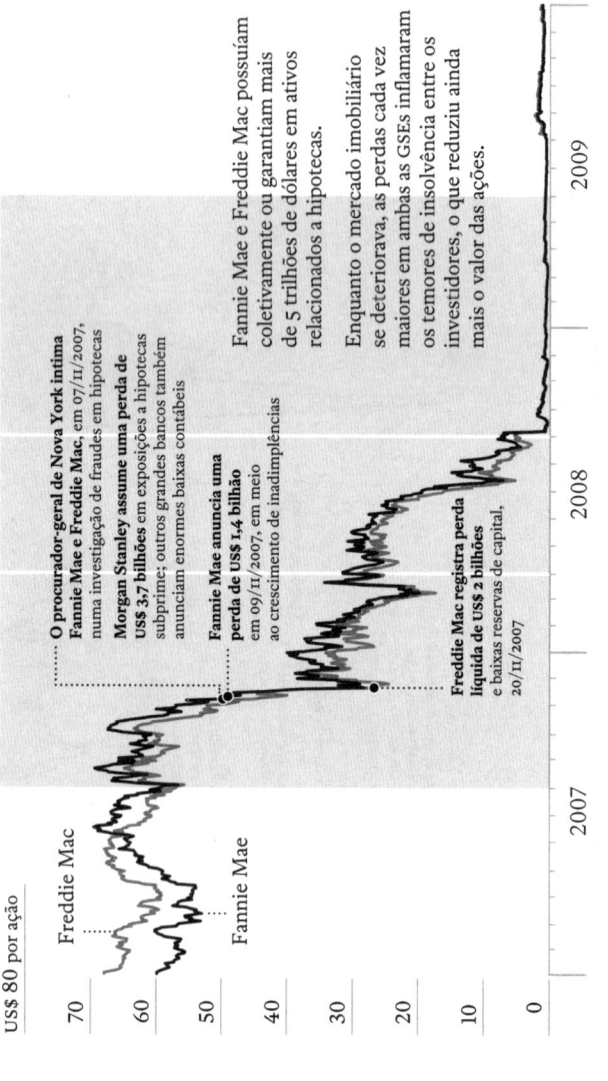

O procurador-geral de Nova York intima Fannie Mae e Freddie Mac, em 07/11/2007, numa investigação de fraudes em hipotecas

Morgan Stanley assume uma perda de US$ 3,7 bilhões em exposições a hipotecas subprime; outros grandes bancos também anunciam enormes baixas contábeis

Fannie Mae anuncia uma perda de US$ 1,4 bilhão em 09/11/2007, em meio ao crescimento de inadimplências

Freddie Mac registra perda líquida de US$ 2 bilhões e baixas reservas de capital, 20/11/2007

Fannie Mae e Freddie Mac possuíam coletivamente ou garantiam mais de 5 trilhões de dólares em ativos relacionados a hipotecas.

Enquanto o mercado imobiliário se deteriorava, as perdas cada vez maiores em ambas as GSEs inflamaram os temores de insolvência entre os investidores, o que reduziu ainda mais o valor das ações.

Fonte: The Center for Research in Security Prices at Chicago Booth via Wharton Research Data Services (WRDS).

À medida que o pânico se espalhava, os maiores bancos e bancos de investimento da nação pareciam cada vez mais vulneráveis à falência.

Nível do índice S&P 500 Financials e média dos spreads de CDS de seis bancos grandes em pontos base

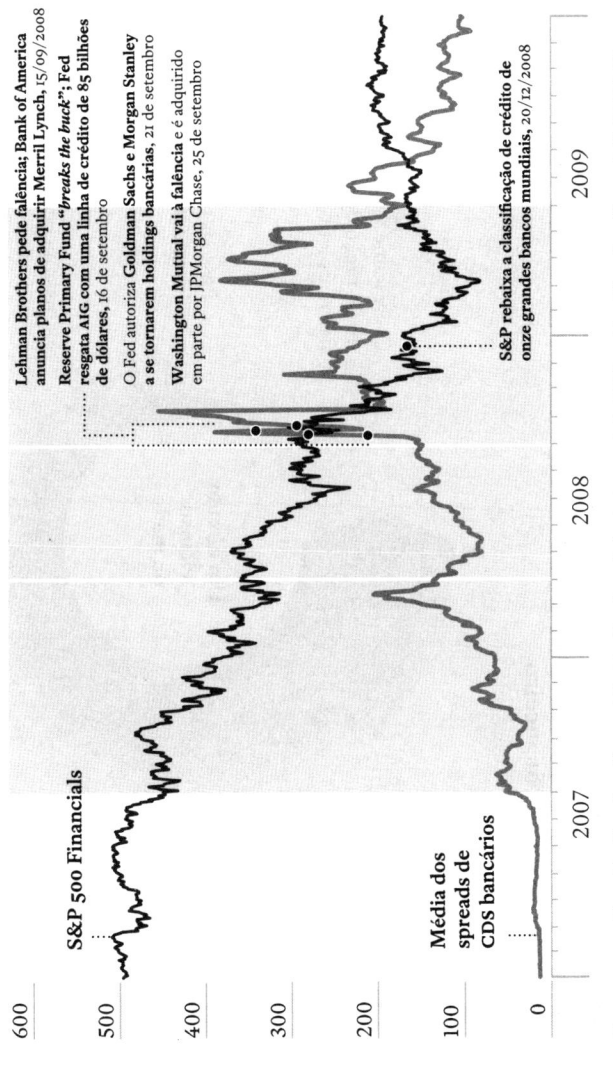

Lehman Brothers pede falência; Bank of America anuncia planos de adquirir Merrill Lynch, 15/09/2008
Reserve Primary Fund *"breaks the buck"*; Fed resgata AIG com uma linha de crédito de 85 bilhões de dólares, 16 de setembro

O Fed autoriza Goldman Sachs e Morgan Stanley a se tornarem holdings bancárias, 21 de setembro

Washington Mutual vai à falência e é adquirido em parte por JPMorgan Chase, 25 de setembro

S&P rebaixa a classificação de crédito de onze grandes bancos mundiais, 20/12/2008

S&P 500 Financials

Média dos spreads de CDS bancários

600
500
400
300
200
100
0

2007   2008   2009

Fontes: S&P 500 Financials: Bloomberg Finance L.P., S&P Dow Jones Index LLC; spreads de CDS bancários: Bloomberg Finance L.P., IHS Markit.
Nota: O spread de CDS é uma média ponderada de JPMorgan Chase, Citigroup, Wells Fargo, Bank of America, Morgan Stanley e Goldman Sachs.

O aumento das perdas, o temor de mais perdas e as pressões por liquidez fizeram o preço dos ativos financeiros despencar e intensificaram a preocupação com a solvência do sistema financeiro.

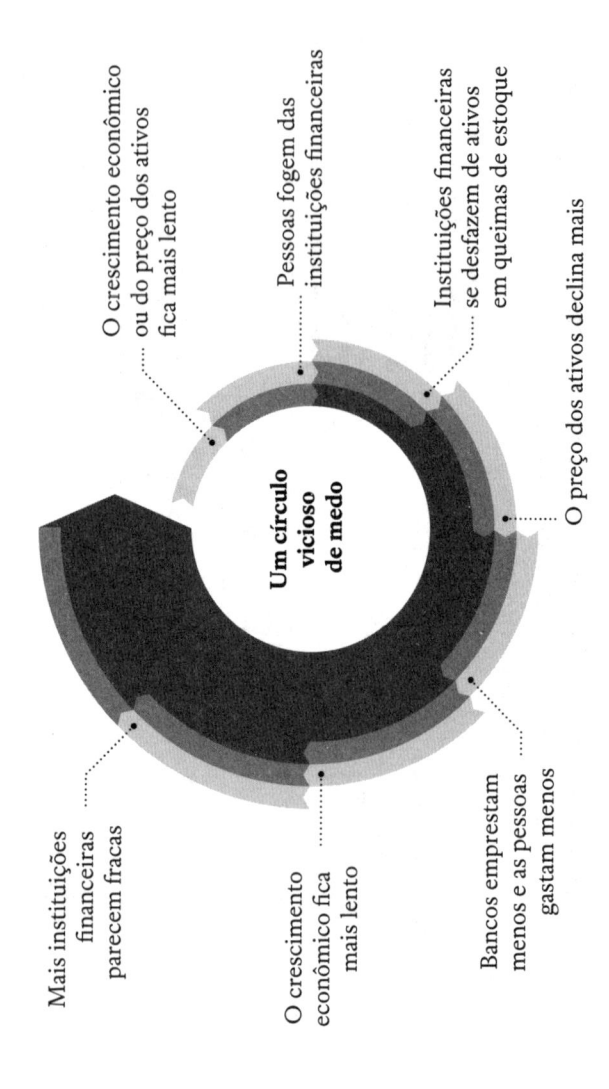

Mais instituições financeiras parecem fracas

O crescimento econômico fica mais lento

Bancos emprestam menos e as pessoas gastam menos

O crescimento econômico ou do preço dos ativos fica mais lento

Pessoas fogem das instituições financeiras

Instituições financeiras se desfazem de ativos em queimas de estoque

O preço dos ativos declina mais

Um círculo vicioso de medo

Ainda assim previsões econômicas sugeriam uma diminuição modesta e administrável do crescimento econômico. As previsões estavam erradas.

PIB real, mudança percentual em relação ao trimestre anterior, SAAR e pesquisas do Philadelphia Fed junto a profissionais da previsão econômica

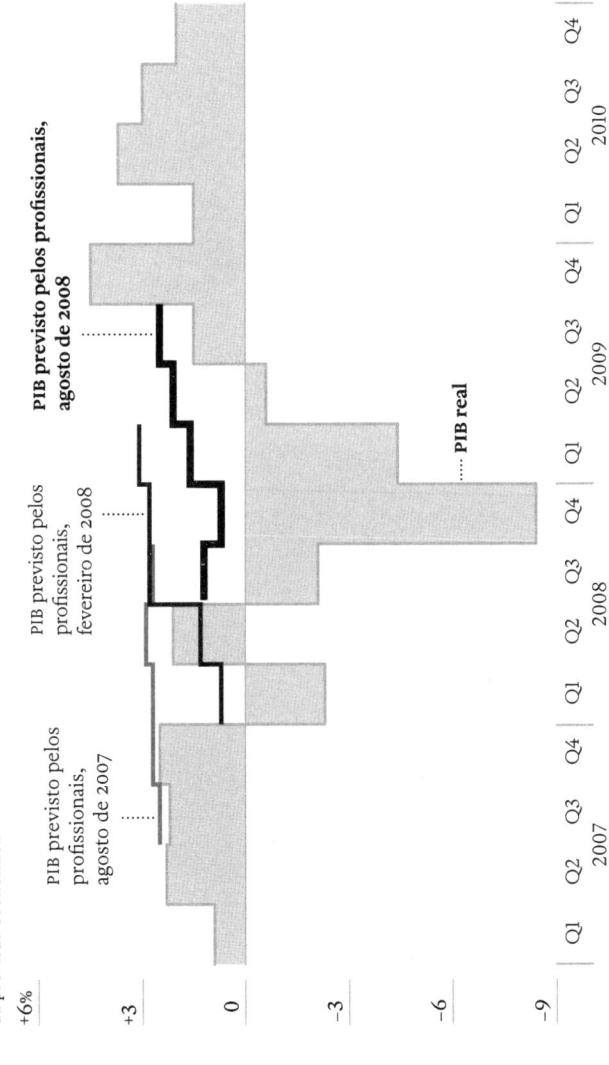

Fontes: Bureau of Economic Analysis via Federal Reserve Economic Data (FRED) (dados atualizados de 29/08/2018); Philadelphia Federal Reserve Survey of Professional Forecasters, Q3 2007 e Q1 e Q3 2008 [Q: trimestre].

193

A estratégia dos
Estados Unidos

Entre os principais elementos da política de reação americana estavam:

Uso dos poderes do Fed de financiador de última instância para além do sistema bancário, em bancos de investimento e mercados de financiamento.

Um uso expandido de garantias para evitar corridas aos fundos de investimentos líquidos de curto prazo e uma ampla gama de instituições financeiras.

Uma recapitalização agressiva do sistema financeiro, em duas etapas, respaldada por garantias expandidas da FDIC.

Um potente uso de política monetária e fiscal para limitar a gravidade da recessão e restaurar o crescimento econômico.

Uma ampla combinação de políticas habitacionais para evitar a falência das GSEs, diminuir o ritmo da desvalorização dos imóveis residenciais, reduzir as taxas hipotecárias e ajudar nos refinanciamentos.

Uma extensão da liquidez do dólar para o sistema financeiro global, combinada com a cooperação internacional e estímulos keynesianos.

A reação inicial do governo americano à crise foi gradual, e as ferramentas eram limitadas e antiquadas porque foram projetadas para os bancos tradicionais.

FERRAMENTAS DISPONÍVEIS	SEM PODER PARA
FDIC • Poder de resolução para bancos, com uma exceção em caso de risco sistêmico para permitir a provisão de garantias mais amplas • Seguro de depósito para bancos **Federal Reserve** • Janela de desconto para empréstimos a bancos e, in extremis, para outras instituições • Linhas de swap para bancos centrais estrangeiros	• Intervir a fim de gerir a falência ou estatizar instituições financeiras não bancárias • Garantir as dívidas mais amplas do sistema financeiro • Injetar capital no sistema financeiro • O Fed comprar ativos além dos títulos do Tesouro, de Agências e de Agência MBS* • Injetar capital ou garantir as GSEs

* Agências são títulos de dívida emitidos ou garantidos por agências federais americanas ou GSEs; agência MBS são títulos respaldados em hipotecas emitidos ou garantidos por agências federais americanas ou GSEs.

Mas a reação se tornou mais enérgica e abrangente à medida que a crise se intensificava e o Congresso fornecia mais poderes emergenciais.

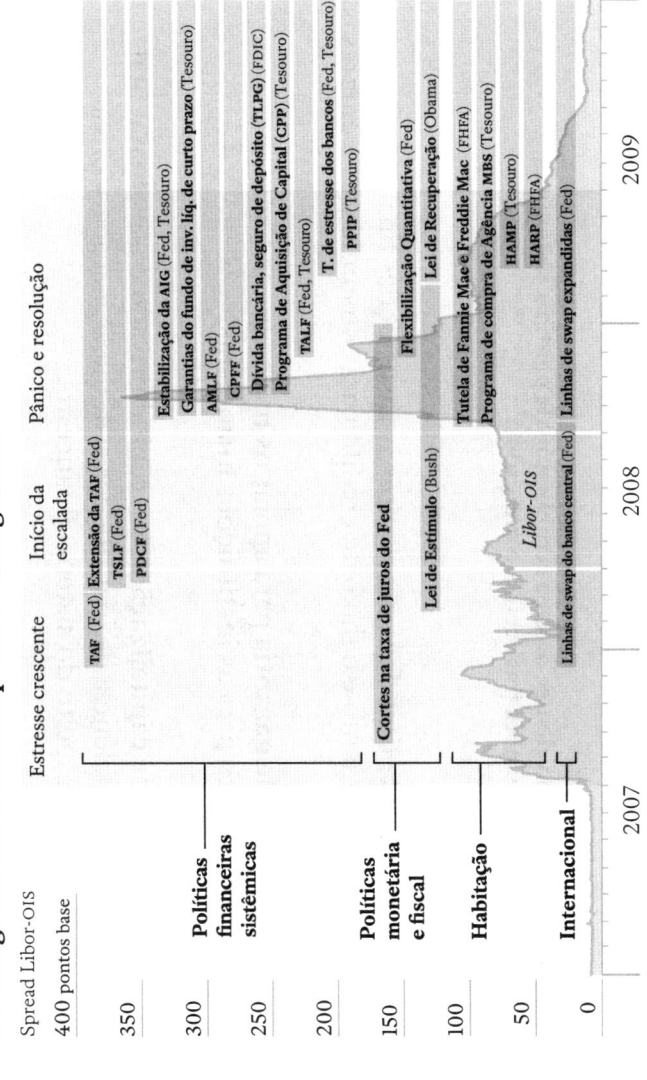

Fonte: Libor-OIS: Bloomberg Finance L.P. Nota: As datas de início dos programas referem-se à data de seus anúncios. O Federal Reserve aplicou os testes de estresse dos bancos dentro do SCAP enquanto o Tesouro estabeleceu um respaldo de capital dentro do CAP.

O governo americano valeu-se de uma combinação de políticas sistêmicas para estabilizar instituições financeiras e mercados:

198

Programas de liquidez para manter as instituições financeiras em funcionamento e o fluxo de crédito para consumidores e empresas.

Programas de garantia para apoiar os mercados críticos de financiamento para as instituições financeiras.

Estratégias de capitalização com capital privado e governamental para evitar a falência de instituições sistêmicas e acabar com a incerteza a respeito do sistema financeiro.

ESTRATÉGIA DOS ESTADOS UNIDOS

À medida que a crise se intensificava, os programas de liquidez do governo americano se expandiam em várias dimensões:

- Nacional ⟶ Internacional
- Tradicional ⟶ Novo
- Instituições ⟶ Mercados

O Federal Reserve utilizou inicialmente suas ferramentas de financiador de última instância para prover liquidez ao sistema bancário.

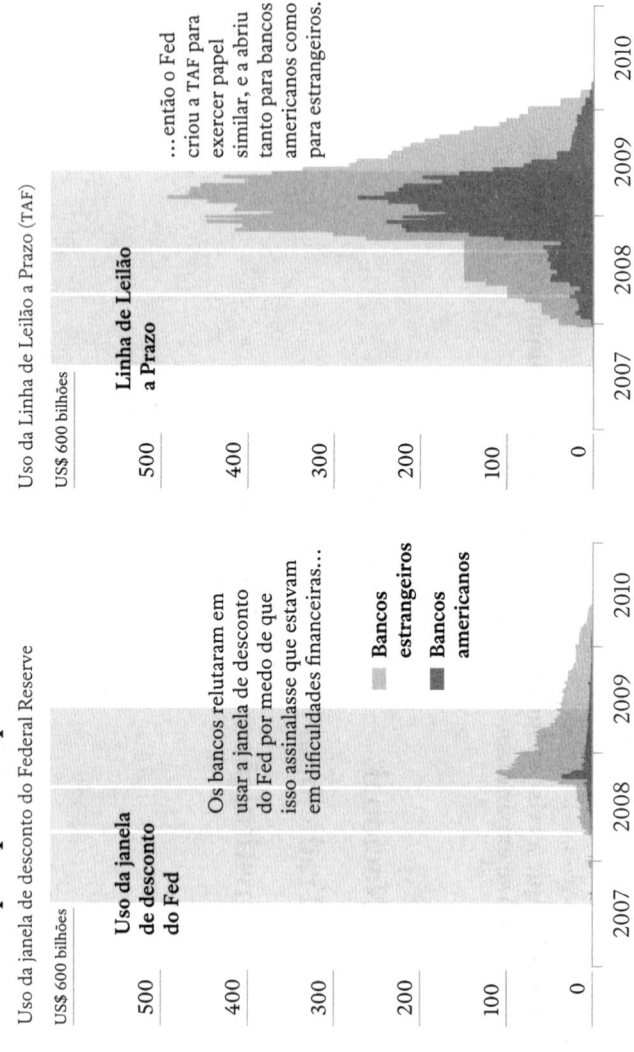

Uso da janela de desconto do Federal Reserve

US$ 600 bilhões

Uso da janela de desconto do Fed

Os bancos relutaram em usar a janela de desconto do Fed por medo de que isso assinalasse que estavam em dificuldades financeiras...

Uso da Linha de Leilão a Prazo (TAF)

US$ 600 bilhões

Linha de Leilão a Prazo

...então o Fed criou a TAF para exercer papel similar, e a abriu tanto para bancos americanos como para estrangeiros.

■ **Bancos estrangeiros**
■ **Bancos americanos**

Fonte: Federal Reserve Board, baseado em English e Mosser (2020). Os dados sobre transações de empréstimos na janela de desconto durante a crise foram liberados conforme decisões judiciais baseadas na Lei de Liberdade de Informação (ver: <https://www.federalreserve.gov/foia/servicecenter.htm>).

E depois o Fed expandiu suas ferramentas para apoiar dealers e mercados de financiamento.

Títulos emprestados a dealers: TSLF

US$ 600 bilhões

Títulos a prazo

O Fed criou a TSLF para promover a liquidez nos títulos do Tesouro americano e outros importantes mercados colaterais...

Empréstimos da PDCF

US$ 600 bilhões

Dealer primário

...e depois criou a PDCF para prover liquidez de emergência aos bancos de investimento, que não tinham acesso à janela de desconto.

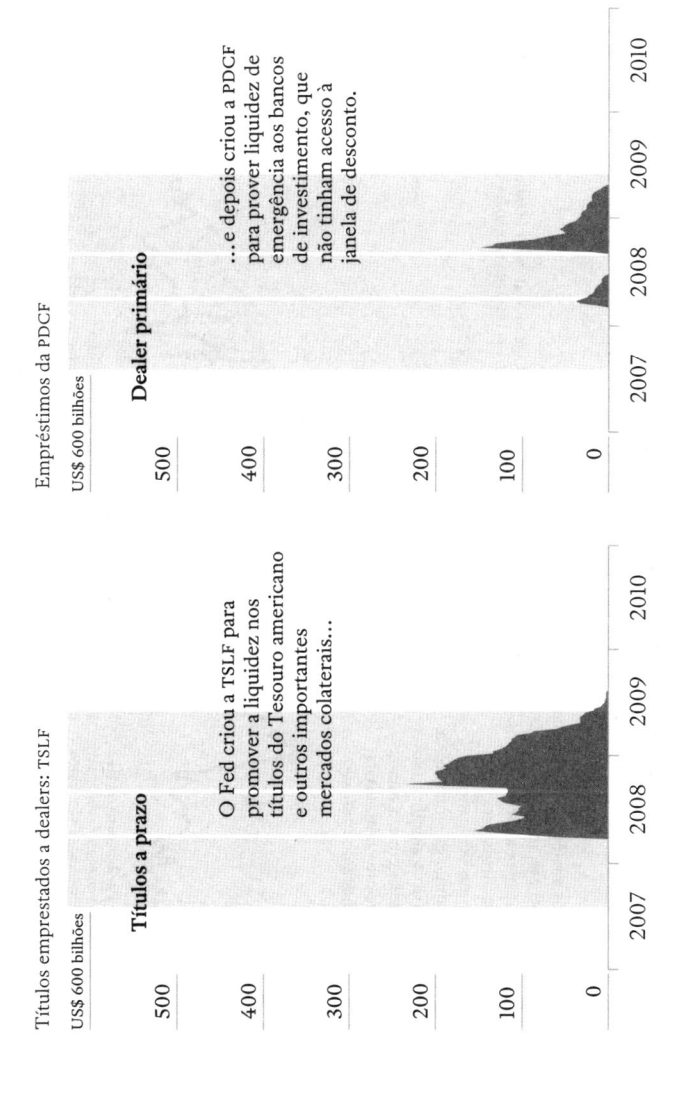

Fonte: Federal Reserve Board via Federal Reserve Economic Data (FRED).
Nota: A PDCF inclui empréstimos concedidos a outras corretoras de ações selecionadas.

O Fed e o Tesouro lançaram programas para combater a fragilidade no mercado de commercial papers, uma fonte importante de financiamento para instituições financeiras e empresas.

Emissão overnight como porcentagem do commercial paper em circulação

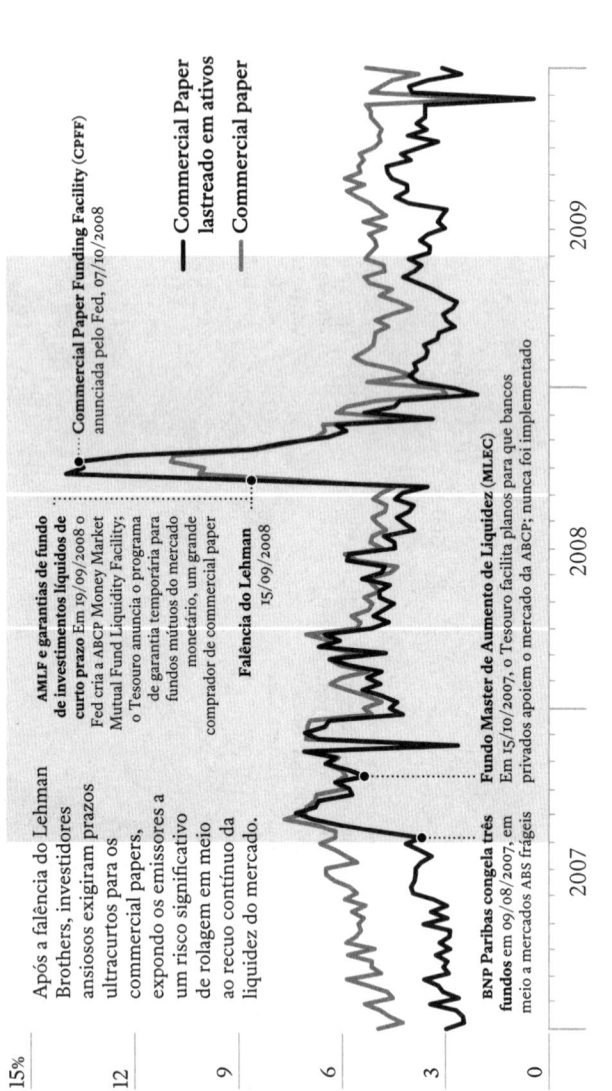

Após a falência do Lehman Brothers, investidores ansiosos exigiram prazos ultracurtos para os commercial papers, expondo os emissores a um risco significativo de rolagem em meio ao recuo contínuo da liquidez do mercado.

AMLF e garantias de fundo de investimentos líquidos de curto prazo Em 19/09/2008 o Fed cria a ABCP Money Market Mutual Fund Liquidity Facility; o Tesouro anuncia o programa de garantia temporária para fundos mútuos do mercado monetário, um grande comprador de commercial paper

Commercial Paper Funding Facility (CPFF) anunciada pelo Fed, 07/10/2008

Falência do Lehman 15/09/2008

BNP Paribas congela três fundos em 09/08/2007, em meio a mercados ABS frágeis

Fundo Master de Aumento de Liquidez (MLEC) Em 15/10/2007, o Tesouro facilita planos para que bancos privados apoiem o mercado da ABCP; nunca foi implementado

— **Commercial Paper lastreado em ativos**

— **Commercial paper**

2007   2008   2009

Fonte: Federal Reserve Bank of New York com base em dados do Federal Reserve Board of Governors, "Commercial Paper Rates and Outstanding Summary", derivado de dados fornecidos pela Depository Trust & Clearing Corporation.

O Fed e o Tesouro também ajudaram a recuperar o mercado de securitização garantido por ativos, uma fonte vital de financiamento para cartões de crédito, financiamento de automóveis e empréstimos hipotecários.

Emissão de títulos garantidos por ativos (classes elegíveis) e quantia empenhada na TALF

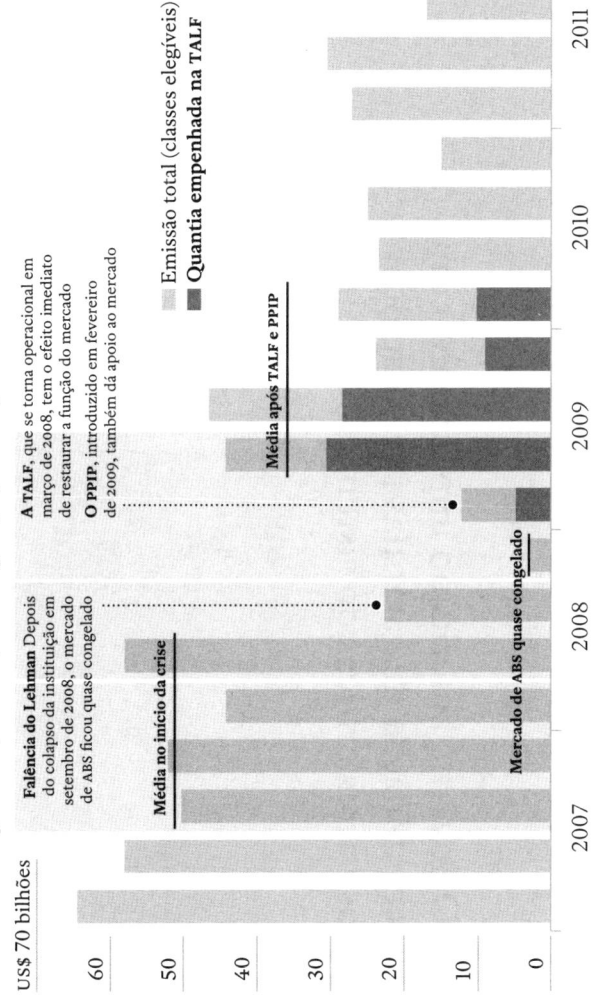

US$ 70 bilhões

Falência do Lehman Depois do colapso da instituição em setembro de 2008, o mercado de ABS ficou quase congelado

A TALF, que se torna operacional em março de 2008, tem o efeito imediato de restaurar a função do mercado

O PPIP, introduzido em fevereiro de 2009, também dá apoio ao mercado

Média no início da crise

Média após TALF e PPIP

Mercado de ABS quase congelado

Emissão total (classes elegíveis)
Quantia empenhada na TALF

Fontes: Federal Reserve Bank of New York com base em dados de JP Morgan, Bloomberg Finance L.P. e do Federal Reserve Board of Governors.

O governo americano implementou uma combinação de garantias para respaldar as partes críticas do sistema financeiro.

O Tesouro concordou em garantir cerca de US$ 3,2 trilhões de ativos de fundos de investimentos líquidos de curto prazo para impedir a corrida aos fundos de investimentos líquidos de curto prazo de primeira linha.

Fluxo diário dos fundos de investimentos líquidos de curto prazo americano

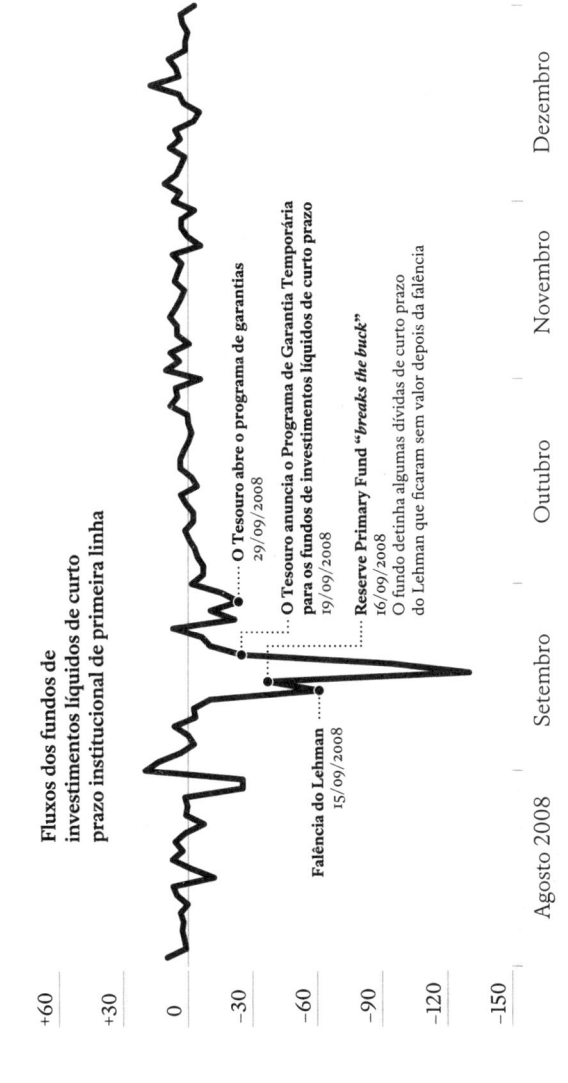

+US$ 90 bilhões

Fluxos dos fundos de investimentos líquidos de curto prazo institucional de primeira linha

+60

+30

0

−30

−60

−90

−120

−150

Falência do Lehman · · · · · · · 15/09/2008

O Tesouro abre o programa de garantias
29/09/2008

O Tesouro anuncia o Programa de Garantia Temporária para os fundos de investimentos líquidos de curto prazo
19/09/2008

Reserve Primary Fund *"breaks the buck"*
16/09/2008
O fundo detinha algumas dívidas de curto prazo do Lehman que ficaram sem valor depois da falência

Agosto 2008   Setembro   Outubro   Novembro   Dezembro

Fontes: iMoneyNet; cálculos dos autores baseados em Schmidt et al. (2016).

205

A FDIC expandiu seus limites de cobertura de seguro de depósitos para contas de consumidores e empresas, num esforço para evitar corridas bancárias.

Porcentagem do total de depósitos que a FDIC assegurou

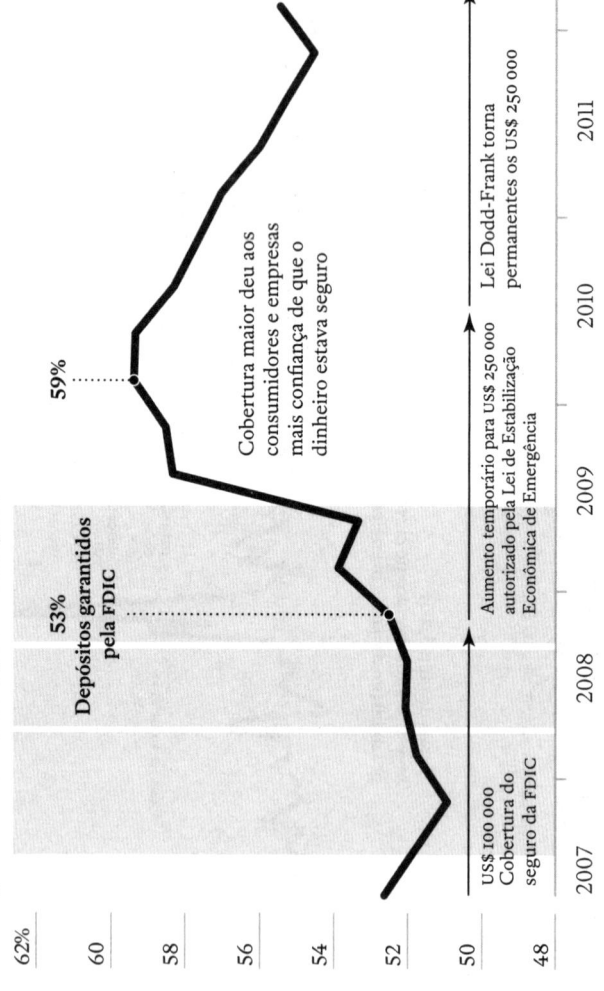

62%

60

58

56

54

52

50

48

2007   2008   2009   2010   2011

53%
Depósitos garantidos pela FDIC

59%

Cobertura maior deu aos consumidores e empresas mais confiança de que o dinheiro estava seguro

US$ 100 000
Cobertura do seguro da FDIC

Aumento temporário para US$ 250 000 autorizado pela Lei de Estabilização Económica de Emergência

Lei Dodd-Frank torna permanentes os US$ 250 000

Fonte: U.S. Treasury, "Reforming Wall Street, Protecting Main Street".
Nota: Não inclui montantes de contas-correntes não remuneradas seguradas pela Dodd-Frank até o final de 2012.

Ao concordar em garantir dívidas financeiras novas, a FDIC ajudou as instituições a obter financiamento mais estável.

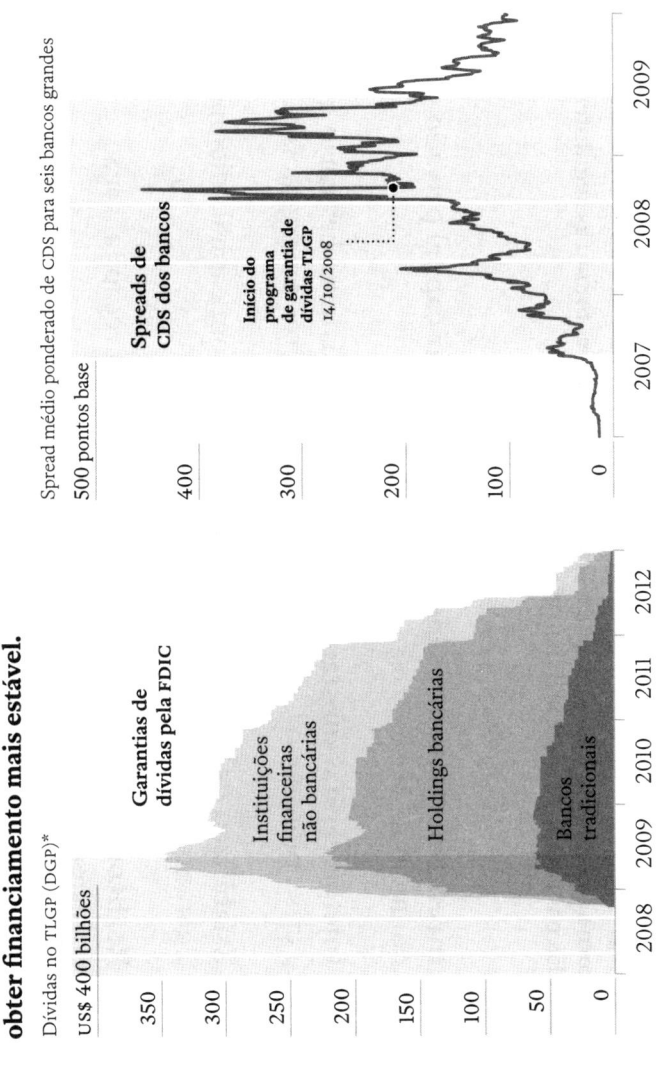

Dívidas no TLGP (DGP)*

US$ 400 bilhões

350
300
250
200
150
100
50
0

2008   2009   2010   2011   2012

Garantias de
dívidas pela FDIC

Instituições
financeiras
não bancárias

Holdings bancárias

Bancos
tradicionais

Spread médio ponderado de CDS para seis bancos grandes

500 pontos base

400
300
200
100
0

2007   2008   2009

Spreads de
CDS dos bancos

Início do
programa
de garantia de
dívidas TLGP
14/10/2008

Fontes: Emissão de dívidas: Federal Deposit Insurance Corp., cálculos dos autores; spreads de CDS: Bloomberg Finance L.P., IHS Markit.
* O Programa de Garantia de Dívidas cobria dívidas emitidas tanto pela matriz como pelas filiais de uma empresa.

O governo americano, à medida que a crise se intensificava, tomou as seguintes medidas para fortalecer o capital no sistema financeiro:

Incentivou as maiores instituições a levantar capital privado no início da crise.

Injetou capital substancial do governo no sistema bancário quando a crise piorou e o Congresso concedeu poderes emergenciais.

Estabilizou os bancos mais problemáticos com capital adicional e garantias de *ring-fence*.

Realizou testes de estresse para completar a recapitalização do sistema financeiro.

À medida que as perdas pioraram no início da crise, os formuladores de políticas americanos exortaram as instituições financeiras a levantar capital privado.

Capital privado captado entre 01/01/2007 e 13/10/2008 para os nove bancos que receberam investimentos governamentais iniciais

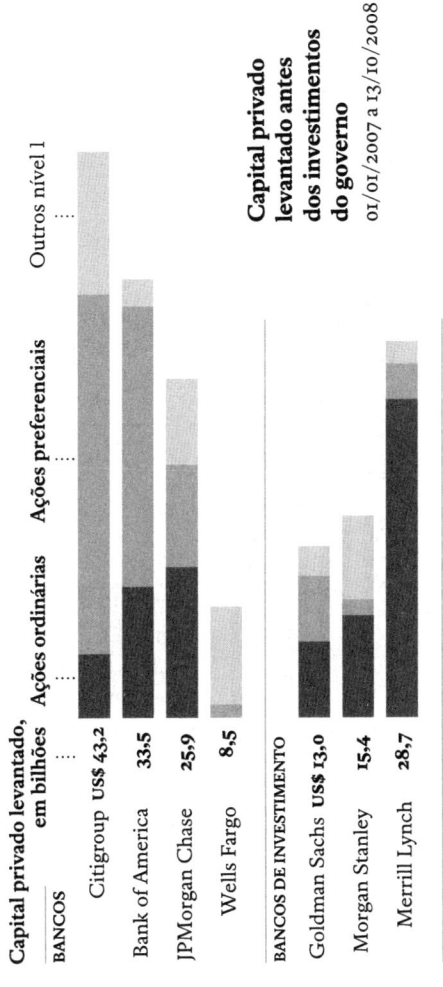

Capital privado levantado, em bilhões

BANCOS

Ações ordinárias   Ações preferenciais   Outros nível 1

Citigroup US$ 43,2
Bank of America 33,5
JPMorgan Chase 25,9
Wells Fargo 8,5

BANCOS DE INVESTIMENTO

Goldman Sachs US$ 13,0
Morgan Stanley 15,4
Merrill Lynch 28,7

BANCOS FIDUCIÁRIOS E DE PROCESSAMENTO

BNY Mellon **US$ 0**
State Street 4,1

Capital privado levantado antes dos investimentos do governo
01/01/2007 a 13/10/2008

Fonte: Goldman Sachs.

Então, quando o colapso do Lehman Brothers provocou pânico, o Tesouro fez grandes investimentos de capital nos maiores bancos, usando os novos poderes concedidos pelo Congresso...

Capitais do governo e outros levantados entre 14/10/2008 e 06/05/2009, no dia anterior à divulgação dos resultados dos testes de estresse

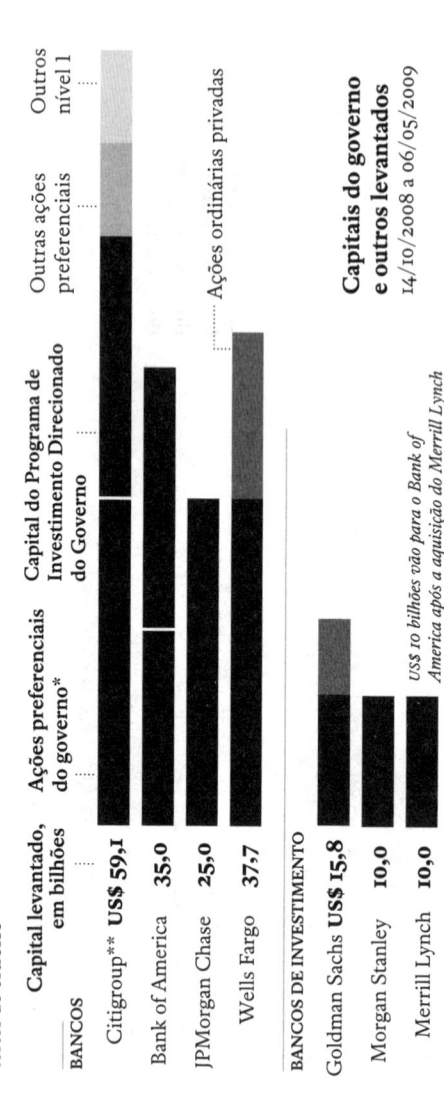

Capitais do governo e outros levantados
14/10/2008 a 06/05/2009

US$ 10 bilhões vão para o Bank of America após a aquisição do Merrill Lynch

Fonte: Goldman Sachs.

* Inclui injeções de capital feitas de acordo o Programa de Aquisição de Capital (CPP).

** O Citigroup converteu mais tarde aproximadamente US$ 58 bilhões de ações preferenciais e outros títulos em ações ordinárias.

... e usou fundos adicionais para fazer investimentos diretos do governo em centenas de bancos menores.

Principal em circulação para investimentos de capital do governo em bancos

US$ 300 bilhões

Investimentos de capital do governo em bancos

Até o final de 2008, mais de 200 bancos já haviam recebido recursos do Programa de Aquisição de Capital. No total, US$ 205 bilhões seriam distribuídos para 707 bancos.

Um adicional de US$ 40 bilhões do Programa de Investimento Direcionado foi dividido entre o Citigroup e o Bank of America.

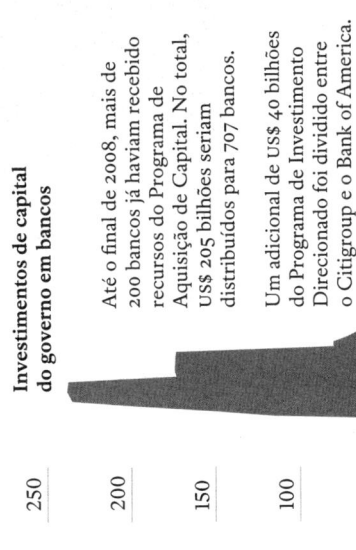

Distribuição de bancos participantes do Programa de Aquisição de Capital

Bancos que receberam fundos: por tamanho de ativos

Menos de US$ 1 bilhão	US$ 1 bilhão a US$ 10 bilhões	Mais de US$ 10 bilhões
473 bancos	177	57

Bancos que receberam fundos: por estados

☐ 0 ▨ 1 a 10 ▨ 11 a 20 ▨ 21 a 30 ■ 31 a 71

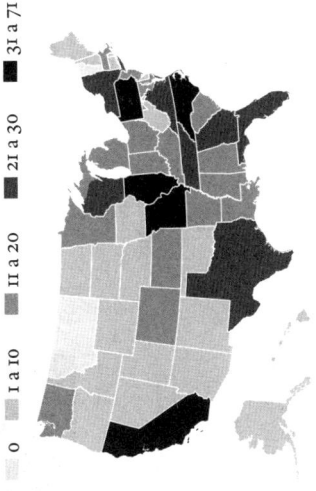

Fontes: Linha do tempo de fundos em circulação: TARP Tracker; bancos que receberam fundos, por tamanho de ativo: U.S. Treasury, "Troubled Asset Relief Program: Two Year Retrospective", SNL Financial; bancos que receberam fundos, por estado: Cálculos dos autores baseados em relatórios das transações do programa de investimentos TARP, 8 de agosto de 2018.

Além de injeções de capital, o governo expandiu suas ferramentas com garantias de ativos para os bancos mais problemáticos, Citigroup e Bank of America.

Programa de Ativos Garantidos (AGP), ativos do Citigroup e estrutura *"ring-fence"* de responsabilidade por perdas (Garantias de ativos para o Bank of America foram elaboradas, mas nunca implementadas.)

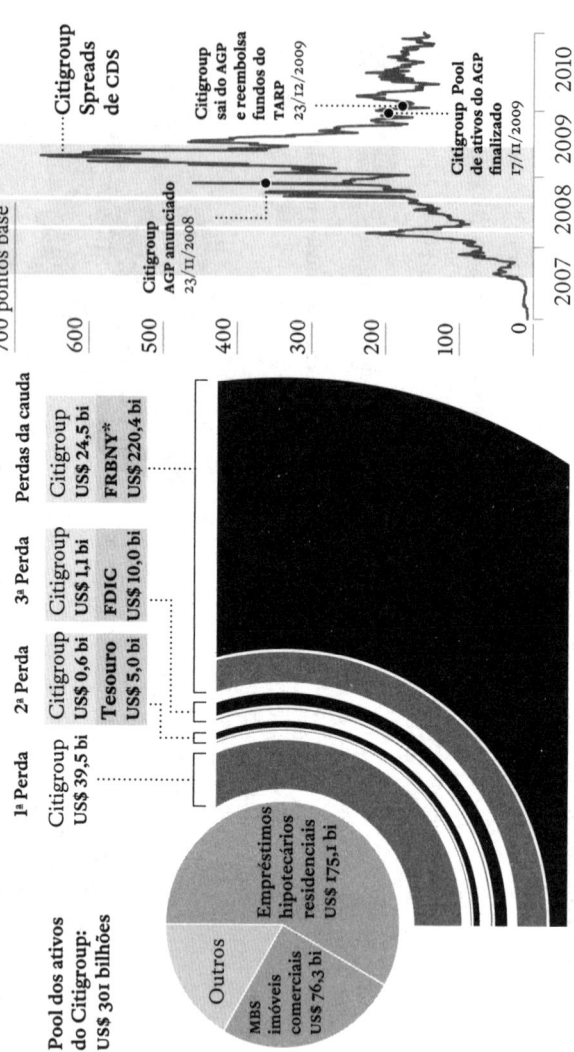

Pool dos ativos do Citigroup: US$ 301 bilhões

	1ª Perda	2ª Perda	3ª Perda	Perdas da cauda
	Citigroup US$ 39,5 bi	Citigroup US$ 0,6 bi	Citigroup US$ 1,1 bi	Citigroup US$ 24,5 bi
		Tesouro US$ 5,0 bi	FDIC US$ 10,0 bi	FRBNY* US$ 220,4 bi

Empréstimos hipotecários residenciais US$ 175,1 bi

Outros

MBS imóveis comerciais US$ 76,3 bi

Citigroup Spreads de CDS

Citigroup AGP anunciado 23/11/2008

Citigroup sai do AGP e reembolsa fundos do TARP 23/12/2009

Citigroup Pool de ativos do AGP finalizado 17/11/2009

700 pontos base

600

500

400

300

200

100

0

2007   2008   2009   2010

Fontes: Termos do AGP: Special Inspector General for TARP, "Extraordinary Financial Assistance Provided to Citigroup, Inc."; spreads de CDS: Bloomberg Finance L.P., IHS Markit.

*A posição de perda do Federal Reserve de Nova York foi estruturada na forma de um empréstimo não colateralizado.

O governo providenciou empréstimos de emergência, capital e garantias à AIG para evitar uma falência desorganizada que poderia tumultuar o sistema financeiro.

Limite de Funding disponível para a AIG

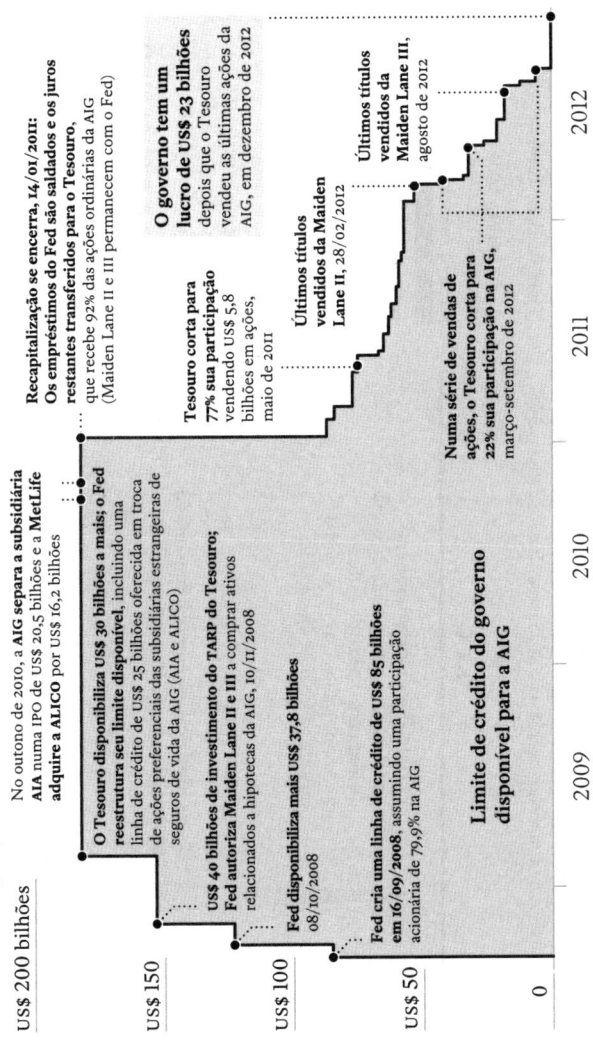

US$ 200 bilhões

No outono de 2010, a **AIG separa a subsidiária AIA** numa IPO de US$ 20,5 bilhões e a **MetLife adquire a ALICO** por US$ 16,2 bilhões

Recapitalização se encerra, 14/01/2011: Os empréstimos do Fed são saldados e os juros restantes transferidos para o Tesouro, que recebe 92% das ações ordinárias da AIG (Maiden Lane II e III permanecem com o Fed)

O **Tesouro disponibiliza US$ 30 bilhões a mais; o Fed reestrutura seu limite disponível,** incluindo uma linha de crédito de US$ 25 bilhões oferecida em troca de ações preferenciais das subsidiárias estrangeiras de seguros de vida da AIG (AIA e ALICO)

US$ 40 bilhões de investimento do TARP do Tesouro; Fed autoriza Maiden Lane II e III a comprar ativos relacionados a hipotecas da AIG, 10/11/2008

Fed disponibiliza mais US$ 37,8 bilhões 08/10/2008

Fed cria uma linha de crédito de US$ 85 bilhões em 16/09/2008, assumindo uma participação acionária de 79,9% na AIG

Limite de crédito do governo disponível para a AIG

Tesouro corta para 77% sua participação vendendo US$ 5,8 bilhões em ações, maio de 2011

O governo tem um lucro de US$ 23 bilhões depois que o Tesouro vendeu as últimas ações da AIG, em dezembro de 2012

Últimos títulos vendidos da Maiden Lane II, 28/02/2012

Últimos títulos vendidos da Maiden Lane III, agosto de 2012

Numa série de vendas de ações, o Tesouro corta para 22% sua participação na AIG, março-setembro de 2012

US$ 150

US$ 100

US$ 50

0

2009   2010   2011   2012

Fonte: U.S. Treasury.
Nota: Os reembolsos ocorreram no decorrer da duração da disponibilidade de limite de funding. Porém, qualquer redução na disponibilidade não está refletida até a transação de recapitalização de janeiro de 2011.

Enquanto a confiança nos bancos se deteriorava ainda mais, os "testes de estresse" do governo aumentaram a transparência, ajudando as agências reguladoras e os investidores a fazer projeções de perdas confiáveis...

Taxas históricas de empréstimo-perda de dois anos para bancos comerciais

Déficit de capital segundo o SCAP, 07/05/2009

Taxas históricas de empréstimos-perda de dois anos para bancos comerciais

9,1%

Em 9,1% dos empréstimos em circulação, as estimativas de perda do Fed para o teste de estresse foram mais altas do que as perdas no pico da Grande Depressão.

MAIORES ELEVAÇÕES DE CAPITAL NECESSÁRIAS, EM BILHÕES

Bank of America US$ 33,9
Wells Fargo US$ 13,7
GMAC US$ 11,5
Citigroup US$ 5,5*

*Aproximadamente US$ 58 bilhões em ações preferenciais e outros títulos foram posteriormente convertidos em ações ordinárias.

MENORES ELEVAÇÕES DE CAPITAL NECESSÁRIAS, EM BILHÕES

US$ 2,5 Regions Financial
US$ 2,2 SunTrust Banks
US$ 1,8 Morgan Stanley
US$ 1,8 KeyCorp
US$ 1,1 Fifth Third Bank
US$ 0,6 PNC Financial

Nove outras instituições não precisaram de capital

Fontes: Federal Deposit Insurance Corp.; Federal Reserve Board; International Monetary Fund.
Nota: As dezenove maiores holdings bancárias na época estavam sujeitas ao SCAP.

... e aceleraram o retorno do capital privado.

Capital privado levantado, de 07/05/2009 a 31/12/2010

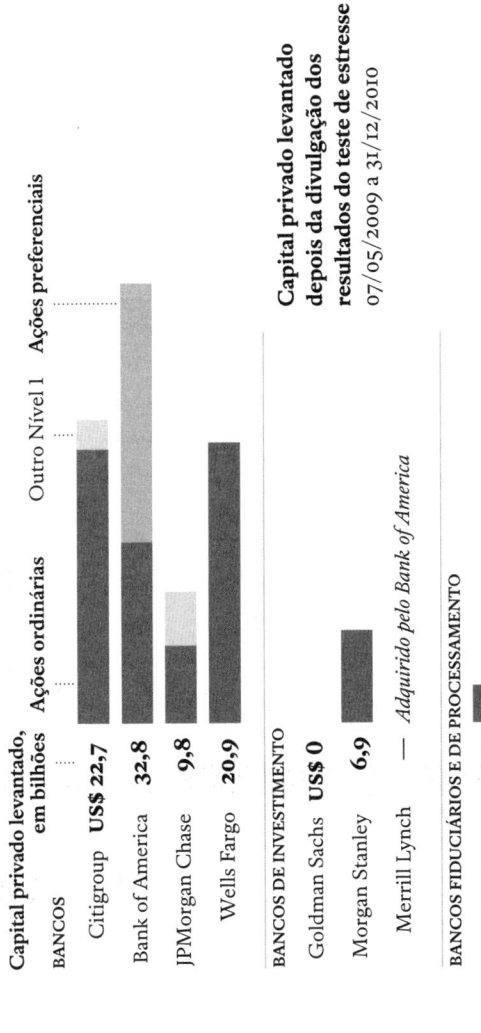

Capital privado levantado, em bilhões

BANCOS | Ações ordinárias | Outro Nível 1 | **Ações preferenciais**

Citigroup **US$ 22,7**

Bank of America **32,8**

JPMorgan Chase **9,8**

Wells Fargo **20,9**

BANCOS DE INVESTIMENTO | Goldman Sachs **US$ 0**

Morgan Stanley **6,9**

Merrill Lynch — *Adquirido pelo Bank of America*

BANCOS FIDUCIÁRIOS E DE PROCESSAMENTO

BNY Mellon **US$ 2,8**

State Street **2,3**

Capital privado levantado depois da divulgação dos resultados do teste de estresse
07/05/2009 a 31/12/2010

Fonte: Goldman Sachs.
Nota: Em abril de 2009, antes da divulgação dos resultados do teste de estresse, o Goldman Sachs levantou US$ 5,8 bilhões em capital para o reembolso dos fundos do TARP.

Com efeito, os Estados Unidos recapitalizaram seu sistema bancário de forma mais rápida e agressiva do que a Europa.

Capital levantado a cada ano

US$ 120 bilhões

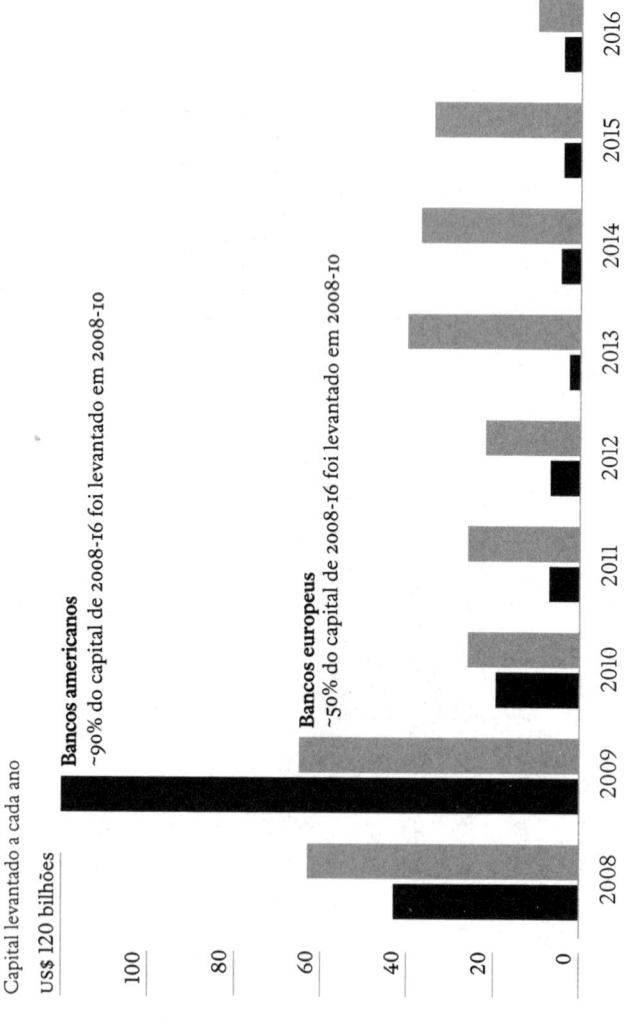

Bancos americanos
~90% do capital de 2008-16 foi levantado em 2008-10

Bancos europeus
~50% do capital de 2008-16 foi levantado em 2008-10

Fonte: Goldman Sachs.
Nota: Estimativas dos autores baseadas em dados do Goldman Sachs.

Paralelamente aos programas concebidos para resolver os problemas sistêmicos do sistema financeiro, o Fed e o Tesouro implementaram uma combinação vigorosa de política monetária e estímulo fiscal.

À medida que a taxa do Fed Funds se aproximava de zero, o Fed fez compras de ativos em grande escala para reduzir as taxas de juros de longo prazo — uma política conhecida como flexibilização quantitativa.

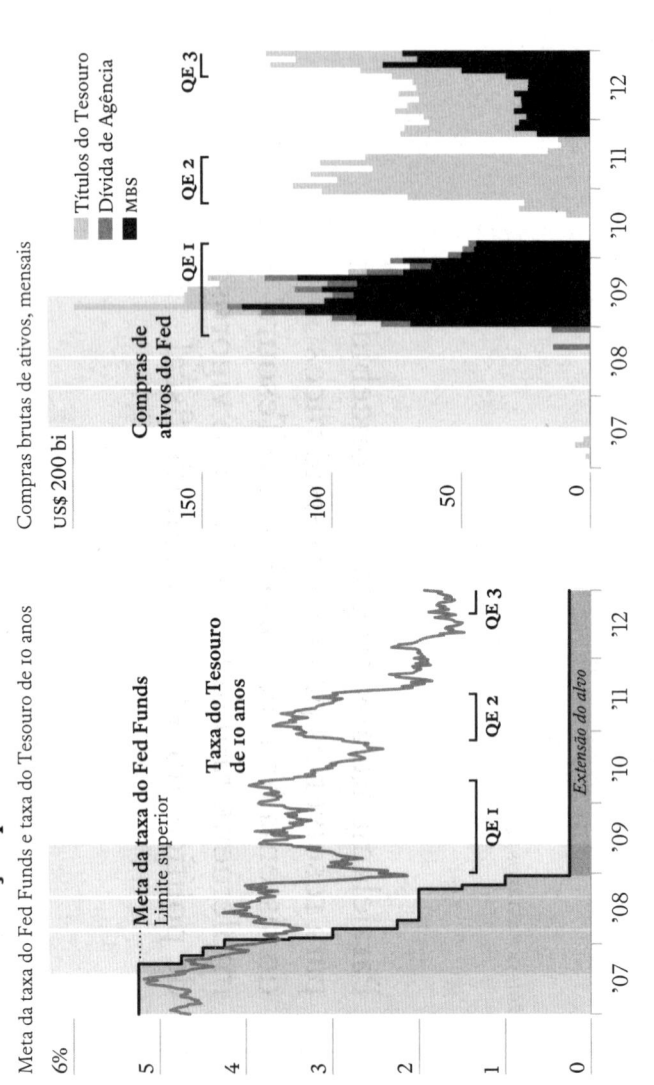

Meta da taxa do Fed Funds e taxa do Tesouro de 10 anos

Compras brutas de ativos, mensais

Fontes: Taxa-alvo: Federal Reserve Board; Tesouro de 10 anos: Federal Reserve Board via Federal Reserve Economic Data (FRED); compras mensais de ativos: Federal Reserve Bank of New York, Haver Analytics.

O país aprovou o primeiro estímulo fiscal bem no início da crise. Mas o valor, correspondente a US$ 168 bilhões, era relativamente pequeno e precisava de tempo para surtir efeito.

Efeito trimestral das medidas de estímulo fiscal sobre o PIB

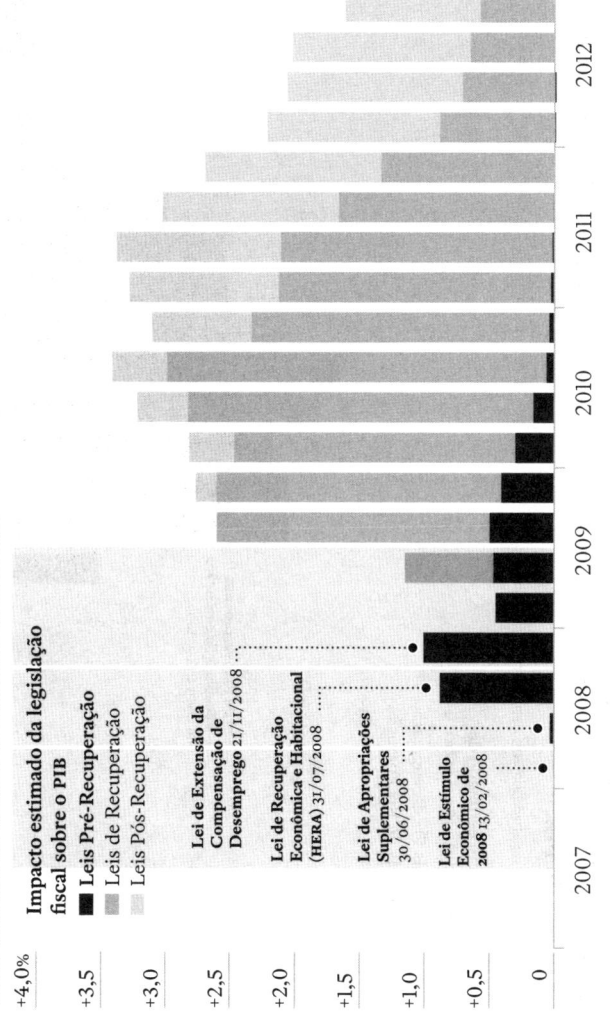

Fontes: Council of Economic Advisers; Congressional Budget Office; Bureau of Economic Analysis; cálculos de Jason Furman.
Nota: US$ 168 bilhões representam o estímulo combinado das medidas das Leis Pré-Recuperação até 2012.

A Lei de Recuperação de 2009 forneceu uma combinação maior — US$ 712 bilhões — de cortes de impostos e aumentos de gastos temporários, compensando uma parcela da queda do PIB.

Efeito trimestral das medidas de estímulo fiscal sobre o PIB

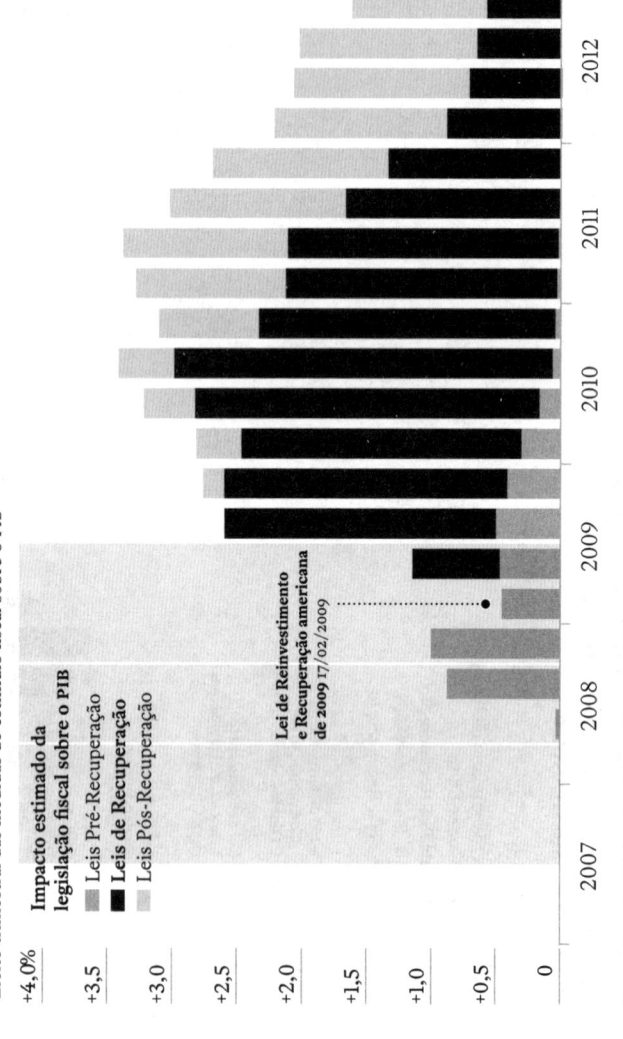

Impacto estimado da legislação fiscal sobre o PIB

- Leis Pré-Recuperação
- Leis de Recuperação
- Leis Pós-Recuperação

Lei de Reinvestimento e Recuperação americana de 2009 17/02/2009

Fontes: Council of Economic Advisers; Congressional Budget Office; Bureau of Economic Analysis; cálculos de Jason Furman. Nota: US$ 712 bilhões representam o estímulo da Lei de Recuperação até 2012.

Outros US$ 657 bilhões de uma série de medidas menores pós-Lei de Recuperação aumentaram o nível de apoio econômico...

Efeito trimestral das medidas de estímulo fiscal sobre o PIB

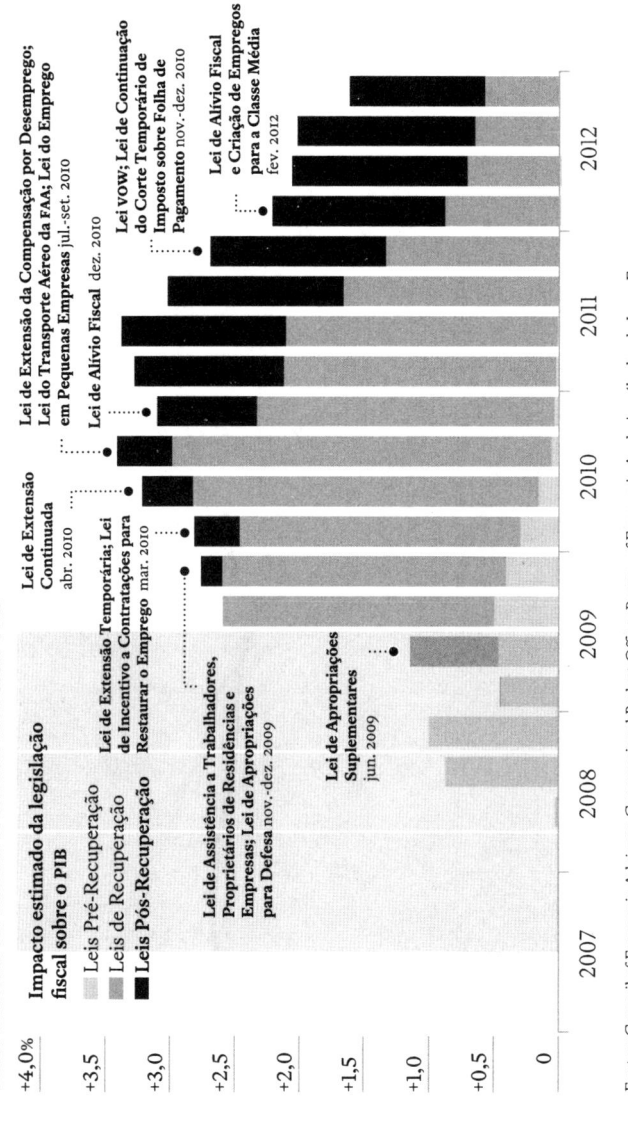

Fontes: Council of Economic Advisers; Congressional Budget Office; Bureau of Economic Analysis; cálculos de Jason Furman.

Nota: US$ 657 bilhões representam o estímulo combinado das medidas das Leis Pós-Recuperação até 2012. (FAA: Administração Federal da Aviação; VOW: Oportunidade de Trabalho para Veteranos [N. T.])

ESTRATÉGIA DOS ESTADOS UNIDOS

... mas mesmo com o governo federal redobrando os estímulos, os cortes estaduais e locais trabalharam contra o esforço.

Compras dos governos estaduais e locais durante as recuperações, 1960-2015, indexadas ao nível trimestral no fim da recessão

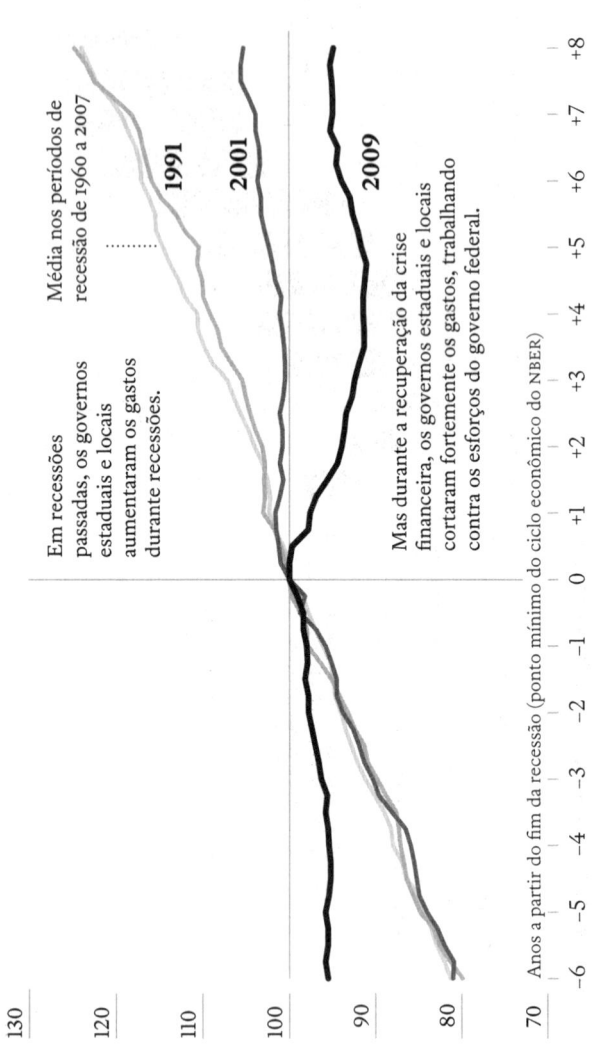

Fontes: Bureau of Economic Analysis via Haver Analytics; cálculos dos autores.
Nota: Média não inclui a recessão de 1980 devido à sobreposição com a recessão de 1981-2. (NBER: Bureau Nacional de Pesquisas Econômicas. [N. T.])

222

O governo implementou uma série de programas habitacionais para:

- Reduzir as taxas das hipotecas e garantir a disponibilidade de crédito

- Reduzir as execuções hipotecárias

- Ajudar mutuários em dificuldades a refinanciar hipotecas para aproveitar as taxas mais baixas

223

Os programas habitacionais do governo derrubaram as taxas das hipotecas e reduziram as execuções hipotecárias, mas não foram suficientemente fortes para conter os danos.

Taxa fixa hipotecária de 30 anos   Conclusões de execuções, taxa anual distribuída uniformemente em quatro trimestres

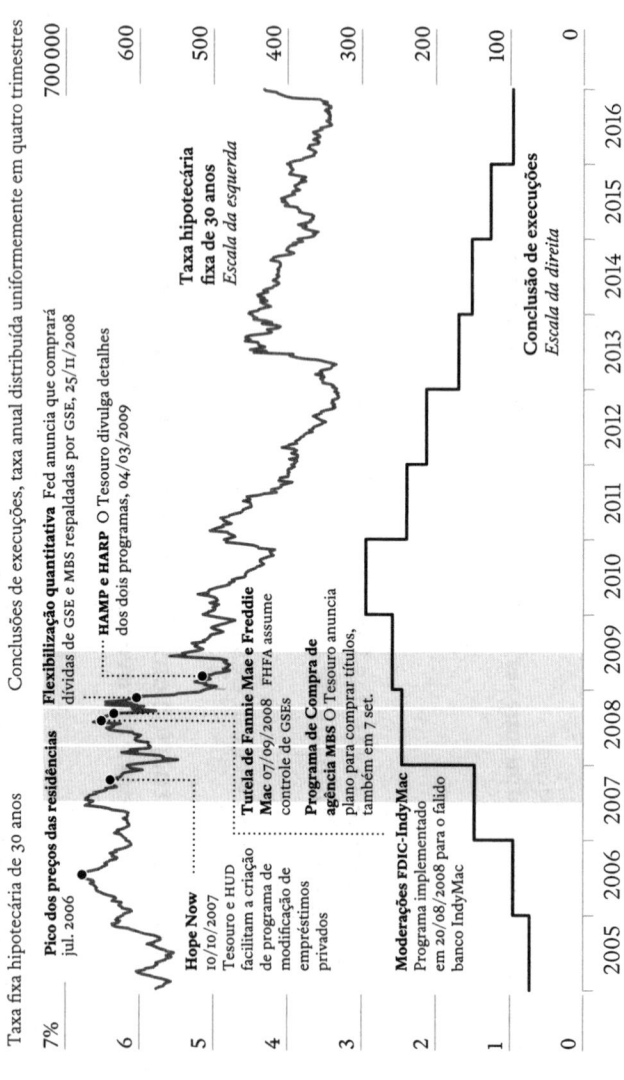

Fontes: Taxas hipotecárias: Freddie Mac Primary Mortgage Market Survey® via Federal Reserve Economic Data (FRED); conclusão de execuções: CoreLogic. (HUD: Departamento de Desenvolvimento Urbano e Habitacional. [N. T.])

O apoio do governo a Fannie Mae e Freddie Mac manteve o fluxo do crédito hipotecário e estabilizou o mercado imobiliário depois que os emissores privados recuaram.

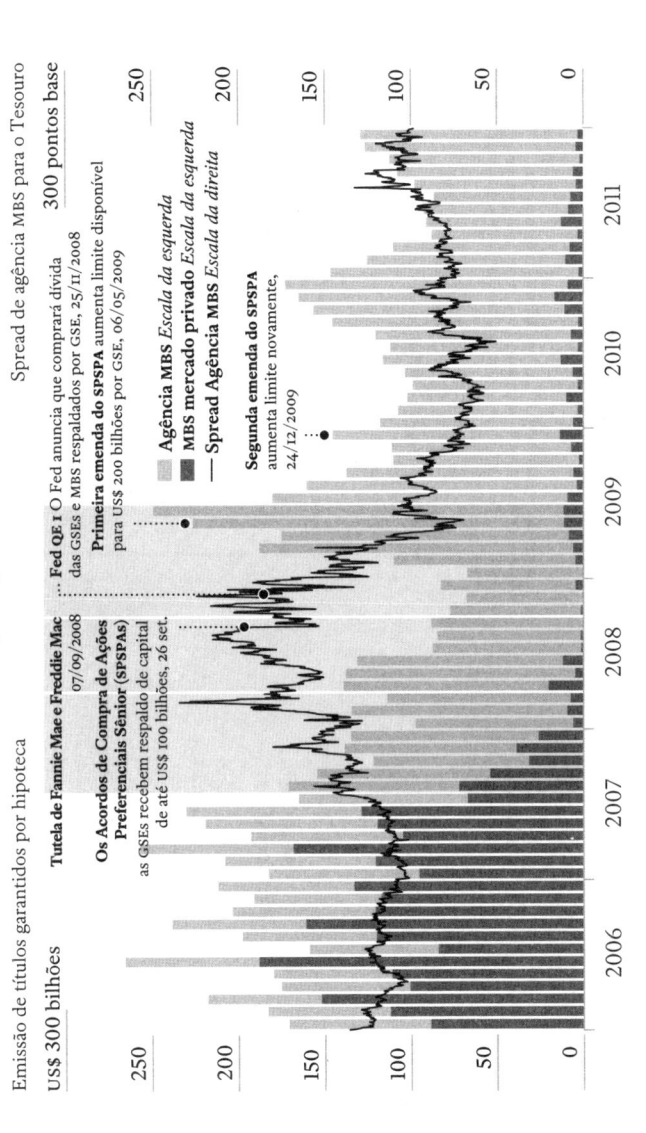

Emissão de títulos garantidos por hipoteca

Spread de agência MBS para o Tesouro

US$ 300 bilhões

300 pontos base

Tutela de Fannie Mae e Freddie Mac
07/09/2008

Os Acordos de Compra de Ações Preferenciais Sênior (SPSPAs)
as GSEs recebem respaldo de capital de até US$ 100 bilhões, 26 set.

... **Fed QE I** O Fed anuncia que comprará dívida das GSEs e MBS respaldados por GSE, 25/11/2008

Primeira emenda do SPSPA aumenta limite disponível para US$ 200 bilhões por GSE, 06/05/2009

Agência MBS *Escala da esquerda*
MBS mercado privado *Escala da esquerda*
— Spread Agência MBS *Escala da direita*

Segunda emenda do SPSPA
aumenta limite novamente,
24/12/2009

Fontes: Emissão de MBS: Securities Industry and Financial Markets Association; spread de agência MBS: Bloomberg Finance L.P., cálculos dos autores.

Os programas de modificação de empréstimos, inclusive o HAMP, ajudaram milhões de proprietários de imóveis em dificuldades com suas hipotecas.

Hipotecas modificadas ou que receberam auxílio de mitigação de perdas, de 01/04/2009 a 30/11/2016

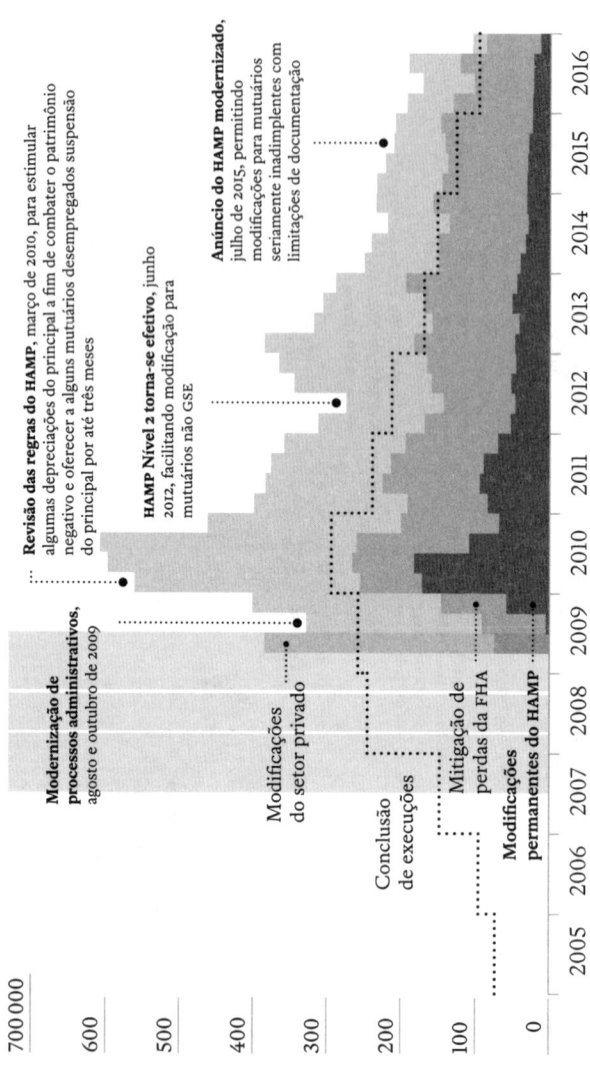

Revisão das regras do HAMP, março de 2010, para estimular algumas depreciações do principal a fim de combater o patrimônio negativo e oferecer a alguns mutuários desempregados suspensão do principal por até três meses

HAMP Nível 2 torna-se efetivo, junho 2012, facilitando modificação para mutuários não GSE

Anúncio do HAMP modernizado, julho de 2015, permitindo modificações para mutuários seriamente inadimplentes com limitações de documentação

Modernização de processos administrativos, agosto e outubro de 2009

Modificações do setor privado

Conclusão de execuções

Mitigação de perdas da FHA

Modificações permanentes do HAMP

Fontes: Mitigação de perdas da FHA: Dept. of Housing and Urban Development; modificações do HAMP: U.S. Treasury; modificações do setor privado: HOPE NOW; conclusão de execuções: CoreLogic. Nota: Moderações até nov. 2016; outros resultados do programa até 2016. As conclusões de execução estão plotadas usando-se uma taxa anual distribuída igualmente por quatro trimestres.

O Programa de Refinanciamento Acessível da Moradia reduziu as taxas hipotecárias, incentivou os refinanciamentos e ajudou os donos de residências *underwater* a evitar a execução de hipotecas.

Empréstimos refinanciados através do Programa de Refinanciamento Acessível da Moradia

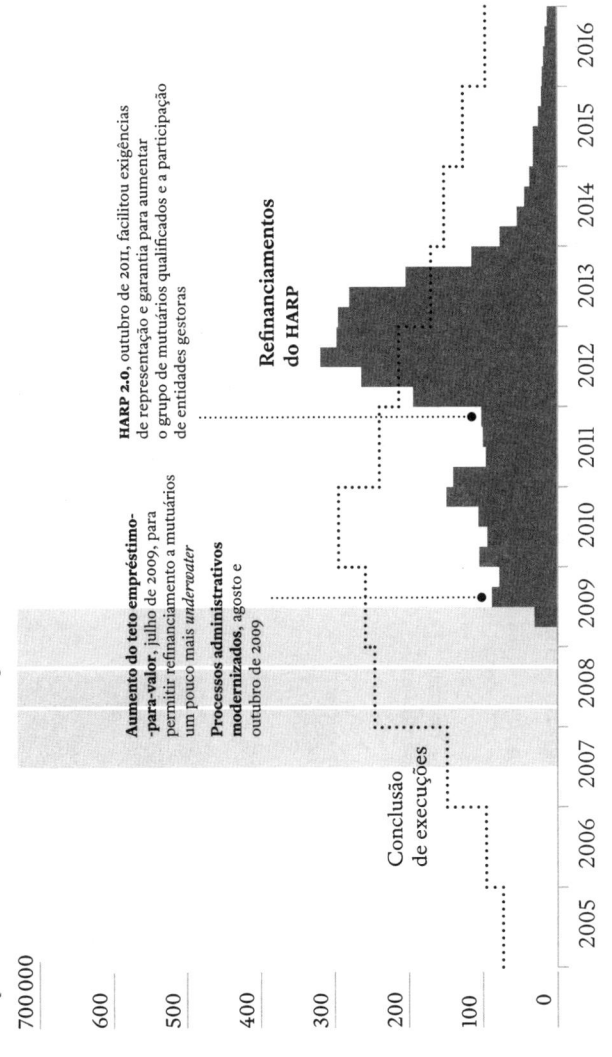

700 000

600

500

400

300

200

100

0

2005 2006 2007 2008 2009 2010 2011 2012 2013 2014 2015 2016

Aumento do teto empréstimo-para-valor, julho de 2009, para permitir refinanciamento a mutuários um pouco mais *underwater*

Processos administrativos modernizados, agosto e outubro de 2009

HARP 2.0, outubro de 2011, facilitou exigências de representação e garantia para aumentar o grupo de mutuários qualificados e a participação de entidades gestoras

Refinanciamentos do HARP

Conclusão de execuções

Fontes: Refinanciamentos: Federal Housing Finance Agency; conclusão de execuções: CoreLogic.

Nota: As conclusões de execução estão plotadas usando-se uma taxa anual distribuída igualmente por quatro trimestres.

227

Os programas do governo ajudaram milhões de proprietários de residências, mas demoraram a entrar em vigor e atingiram um número limitado de pessoas ameaçadas de execução.

Proprietários de residências ajudados por meio de programas de modificação de empréstimos na época da crise e outras ações de prevenção de execuções de hipotecas

12 milhões

Refinanciamentos especiais — 9,5 milhões

PROGRAMAS

HARP Refinanciamentos concluídos

FHFA Refinanciamentos modernizados

FHA Refinanciamentos concluídos

Modificações de empréstimos — 8,2 milhões

PROGRAMAS

HARP Todas as modificações de empréstimos temporárias e permanentes

HOPE NOW Modificações para proprietários

GSE Modificações padrão e modernizadas

MODERAÇÕES DA FHA Mitigação adicional de perdas

Outros auxílios a mutuários — 5,3 milhões

PROGRAMAS

FHFA Adiantamento HomeSaver; planos de reembolso; planos de adiamento e alternativas de execução de hipoteca

FHA Intervenções de mitigação de perdas

INICIATIVAS DE AGÊNCIAS DE FINANCIAMENTO HABITACIONAL ESTADUAIS E LOCAIS Hipotecas e unidades financiadas

FUNDO DOS MAIS ATINGIDOS Prevenção local de execução de hipoteca

Fonte: Barr et al. (2020).

Embora a crise tenha começado nos Estados Unidos, seu impacto repercutiu em todo o mundo — e a reação exigiu que os formuladores de políticas americanos trabalhassem em estreita colaboração com seus equivalentes globais para:

Estabelecer linhas de swap dos bancos centrais
para lidar com a escassez de captação em dólares

Coordenar a política monetária
para enviar uma mensagem potente aos mercados

Conseguir apoio do FMI
para mercados de países emergentes afetados pela crise

O Federal Reserve criou linhas de swap com mais de uma dúzia de bancos centrais estrangeiros para aliviar as pressões de financiamento decorrentes da escassez de dólares.

Swaps de liquidez de bancos centrais

US$ 600 bilhões   **Valores das linhas de swap em circulação**

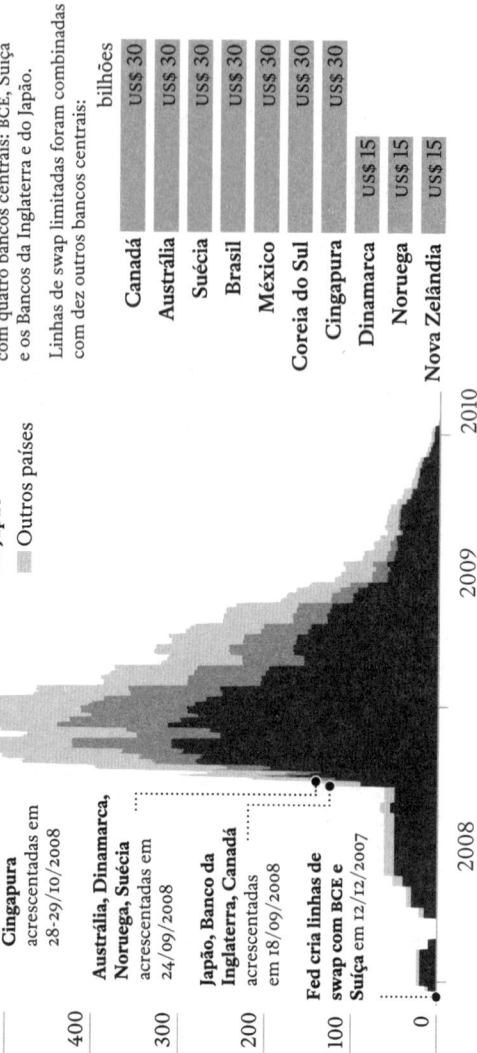

Brasil, México, Nova Zelândia, Coreia do Sul, Cingapura acrescentadas em 28-29/10/2008

Austrália, Dinamarca, Noruega, Suécia acrescentadas em 24/09/2008

Japão, Banco da Inglaterra, Canadá acrescentadas em 18/09/2008

Fed cria linhas de swap com BCE e Suíça em 12/12/2007

- ■ ECB
- ■ Japão
- ■ Outros países

Limites das linhas de swap

Até 14 de outubro de 2008, o Fed já havia expandido linhas de swap de moedas para valores essencialmente ilimitados com quatro bancos centrais: BCE, Suíça e os Bancos da Inglaterra e do Japão.

Linhas de swap limitadas foram combinadas com dez outros bancos centrais:

bilhões

Canadá	US$ 30
Austrália	US$ 30
Suécia	US$ 30
Brasil	US$ 30
México	US$ 30
Coreia do Sul	US$ 30
Cingapura	US$ 30
Dinamarca	US$ 15
Noruega	US$ 15
Nova Zelândia	US$ 15

Fontes: Valores em circulação: Federal Reserve Board, cálculos dos autores; limites de crédito máximos: Goldberg et al. (2010).

O Federal Reserve e os principais bancos centrais do mundo arquitetaram um corte coordenado das taxas de juros.

Alvos das taxas de juros dos bancos centrais de cada país (fim do mês)

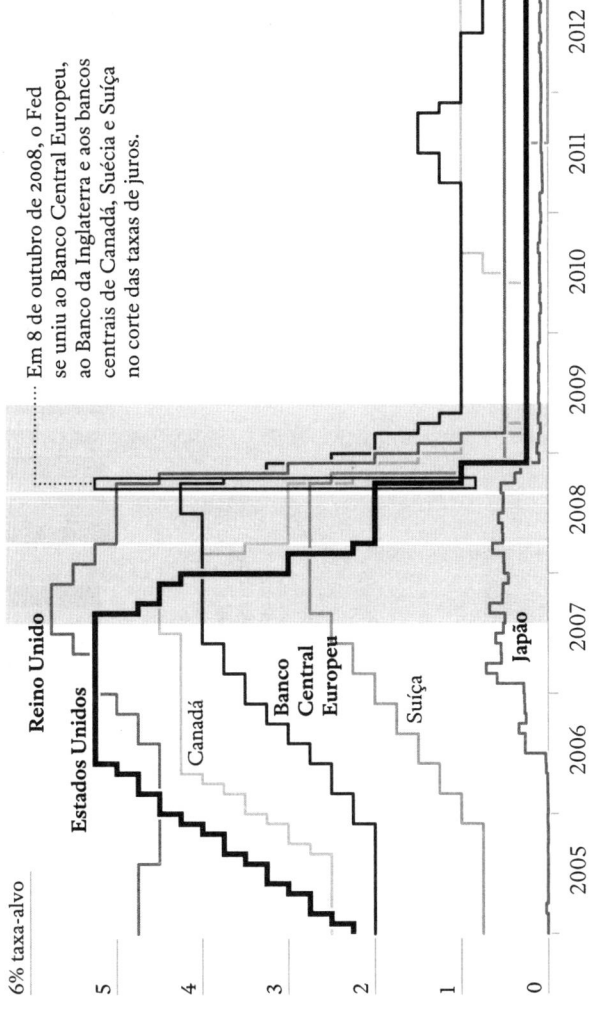

6% taxa-alvo

Em 8 de outubro de 2008, o Fed se uniu ao Banco Central Europeu, ao Banco da Inglaterra e aos bancos centrais de Canadá, Suécia e Suíça no corte das taxas de juros.

Reino Unido

Estados Unidos

Canadá

Banco Central Europeu

Suíça

Japão

Fonte: Bloomberg Finance L.P.

O FMI forneceu ajuda substancial aos países afetados pela crise, superando sua resposta à crise financeira asiática em 1997.

Aumento dos limites de empréstimos do FMI desde o início das crises financeiras asiática e mundial

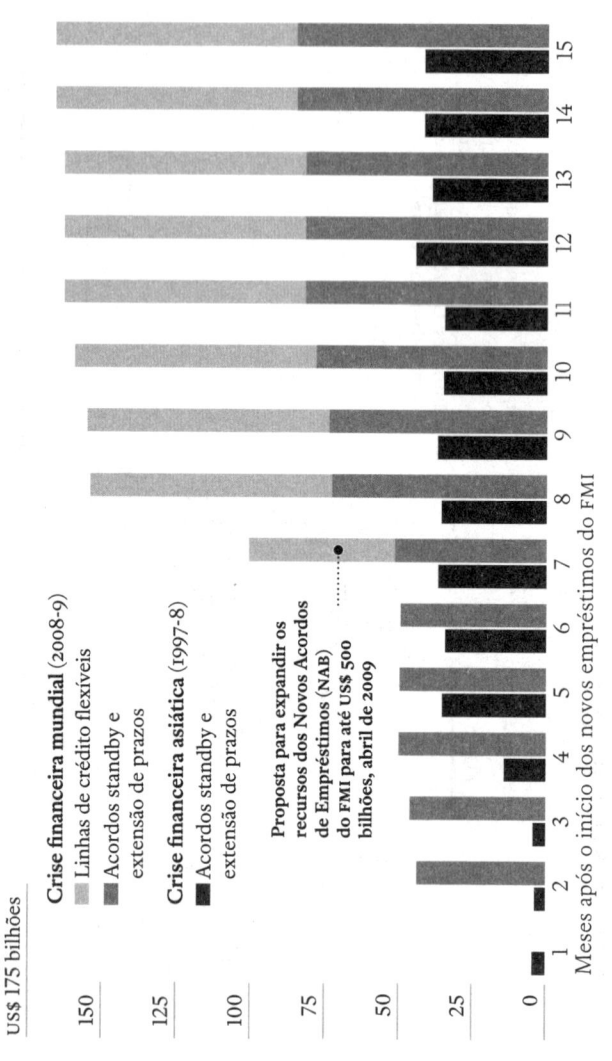

US$ 175 bilhões

Crise financeira mundial (2008-9)
- Linhas de crédito flexíveis
- Acordos standby e extensão de prazos

Crise financeira asiática (1997-8)
- Acordos standby e extensão de prazos

Proposta para expandir os recursos dos Novos Acordos de Empréstimos (NAB) do FMI para até US$ 500 bilhões, abril de 2009

Meses após o início dos novos empréstimos do FMI

Fontes: International Monetary Fund; cálculos dos autores baseados em Lowery et al. (2020). Nota: A data de início dos novos empréstimos do FMI para a crise financeira asiática (CFA) é julho de 1997, e para a crise financeira global (CFG) é setembro de 2008. Dados em SDR foram convertidos para dólares americanos à taxa de US$ 1,355820 por SDR (a taxa de 31 de julho de 1997) para a CFA, e US$ 1,557220 por SDR (a taxa de 30 de setembro de 2008) para a CFG.

Resultados

A gravidade do estresse da crise financeira de 2008 foi, em alguns aspectos, maior do que na Grande Depressão.

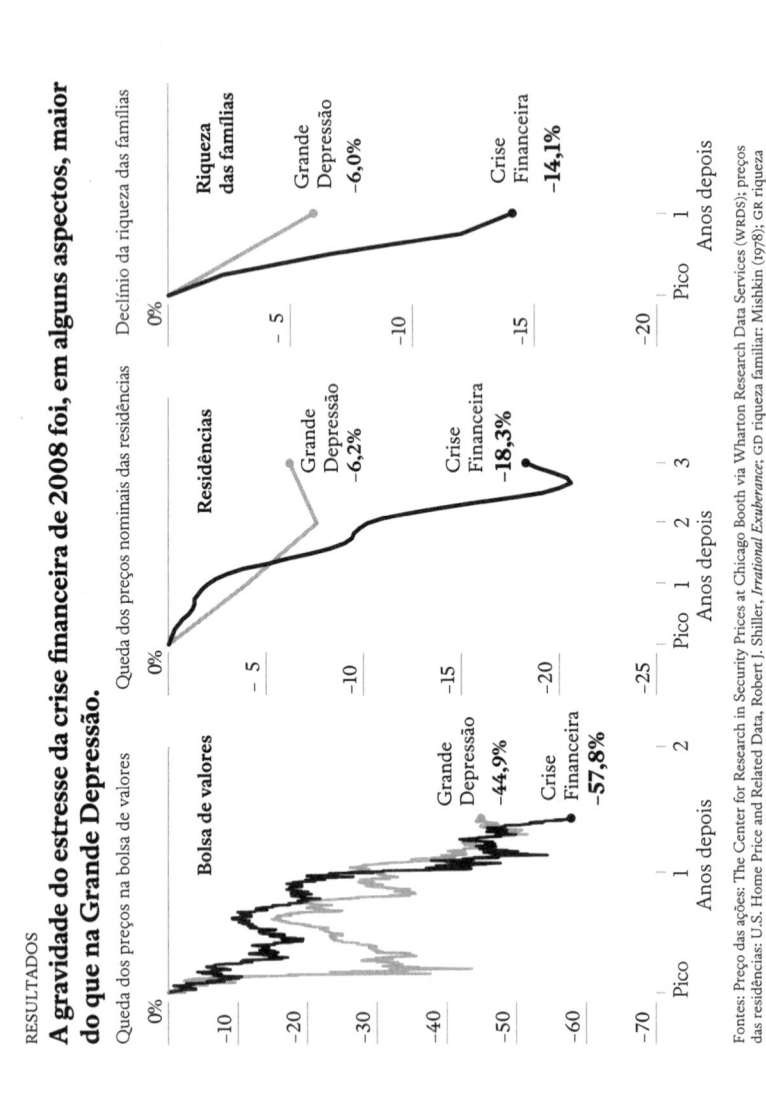

Queda dos preços na bolsa de valores

Bolsa de valores

Grande Depressão **-44,9%**

Crise Financeira **-57,8%**

Pico | 1 | 2
Anos depois

Queda dos preços nominais das residências

Residências

Grande Depressão **-6,2%**

Crise Financeira **-18,3%**

Pico | 1 | 2 | 3
Anos depois

Declínio da riqueza das famílias

Riqueza das famílias

Grande Depressão **-6,0%**

Crise Financeira **-14,1%**

Pico | 1
Anos depois

Fontes: Preço das ações: The Center for Research in Security Prices at Chicago Booth via Wharton Research Data Services (WRDS); preços das residências: U.S. Home Price and Related Data, Robert J. Shiller, *Irrational Exuberance*; GD riqueza familiar: Mishkin (1978); GR riqueza familiar: Federal Reserve Board Financial Accounts of the United States.

234

A reação do governo americano acabou com o pânico e estabilizou o sistema financeiro...

Spreads de CDS bancários e spread da Libor-OIS

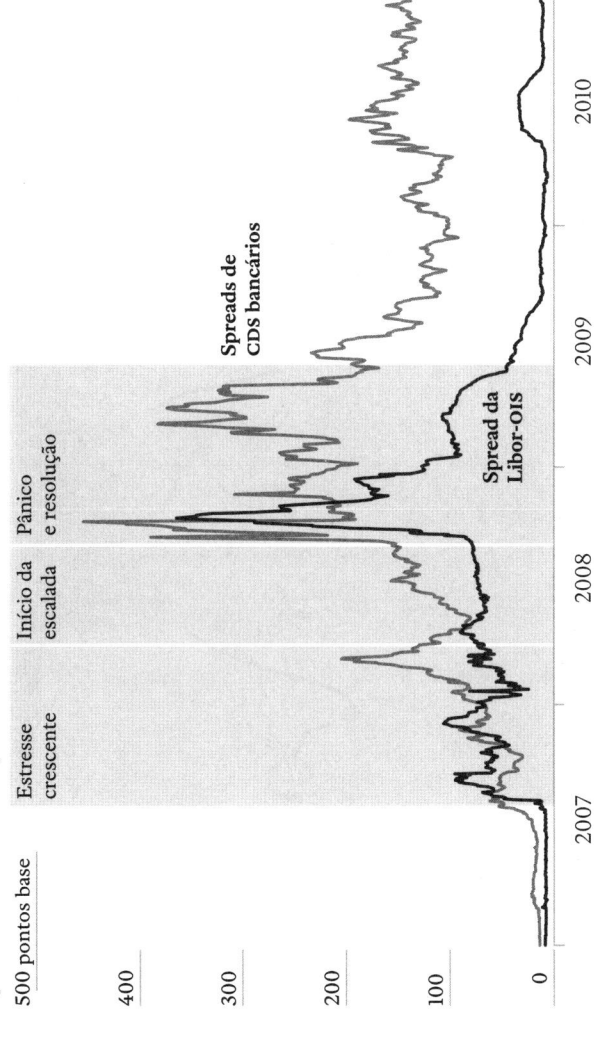

Fontes: Libor-OIS: Bloomberg Finance L.P.; spreads de CDS: Bloomberg Finance L.P., IHS Markit.
Nota: Os spreads de CDS são médias ponderadas de JPMorgan Chase, Citigroup, Wells Fargo, Bank of America, Morgan Stanley e Goldman Sachs.

... e permitiu que a economia começasse a sair lentamente de uma profunda recessão.

Exposições a risco do Tesouro, Federal Reserve e FDIC

PIB real e emprego, mudança percentual ano a ano (mensal)

Linhas de crédito do governo *Escala da esquerda*
- Garantias
- Outros programas
- TARP
- Liquidez do Fed

PIB real mudança ano a ano *Escala da direita*

Emprego mudança ano a ano *Escala da direita*

Fontes: Liang et al. (2020), com base em exposições do governo americano: Congressional Oversight Panel, "Guarantees and Contingent Payments in TARP and Related Programs" via Federal Reserve Bank of St. Louis, Federal Deposit Insurance Corp., Federal Reserve Board, Federal Housing Finance Agency, U.S. Treasury; emprego: Bureau of Labor Statistics; PIB real: Macroeconomic Advisers via Haver Analytics.

A reação ajudou na retomada dos mercados de crédito e empréstimos bancários, para que o financiamento fosse de novo mais barato e mais fácil de obter.

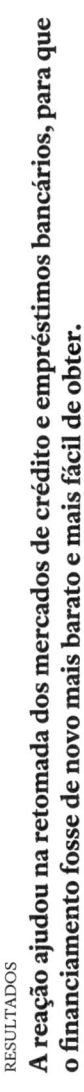

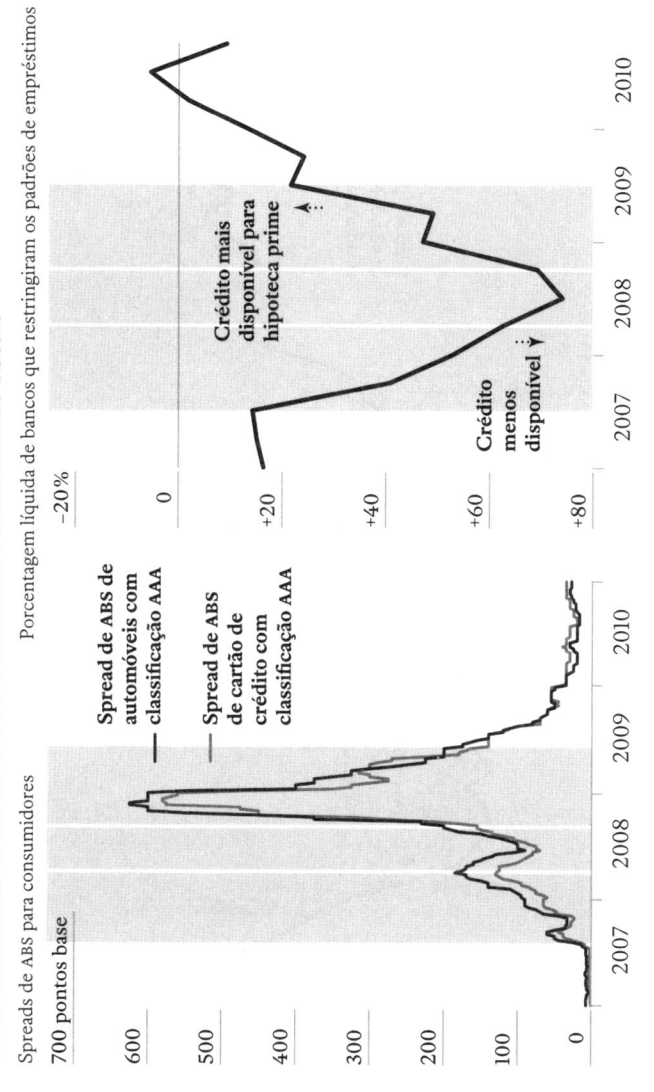

Spreads de ABS para consumidores

Porcentagem líquida de bancos que restringiram os padrões de empréstimos

Spreads de ABS: Federal Reserve Bank of New York com base em dados de JP Morgan e Bloomberg Finance L.P.; padrões de empréstimos: Federal Reserve Board.

Fontes: Spreads de ABS: Federal Reserve Bank of New York com base em dados de JP Morgan e Bloomberg Finance L.P.; padrões de empréstimos: Federal Reserve Board.

A disparada das execuções hipotecárias estabilizou-se e começou a declinar, e o preço dos imóveis residenciais começou finalmente a se recuperar.

Execuções hipotecárias como porcentagem
do total de empréstimos

S&P CoreLogic Case-Shiller U.S.
National Home Price Index

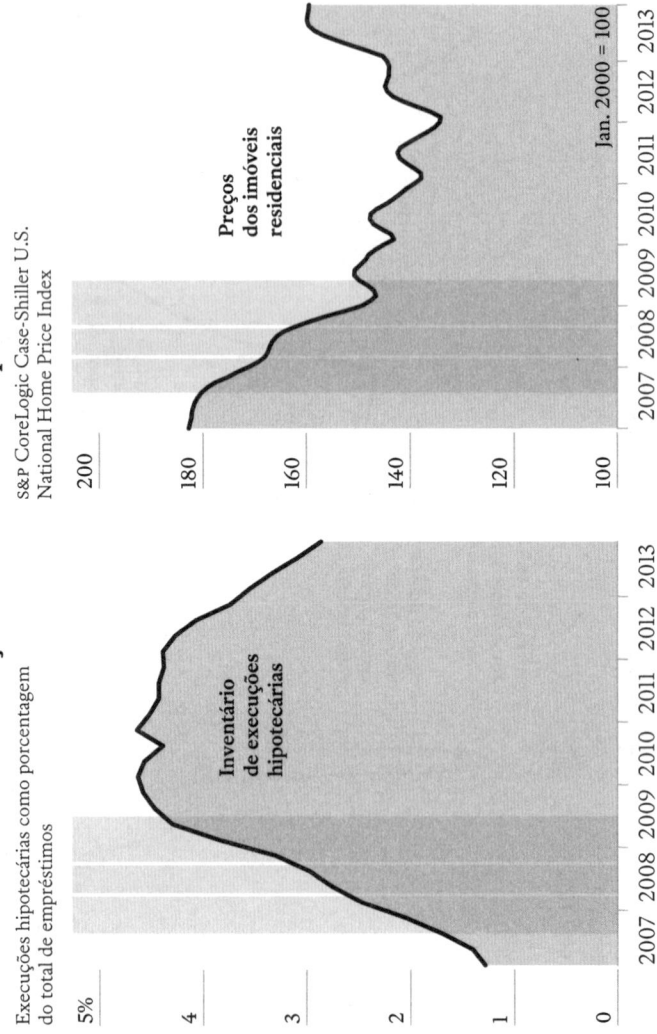

Inventário
de execuções
hipotecárias

Preços
dos imóveis
residenciais

Jan. 2000 = 100

Fontes: Inventário de execuções: Mortgage Bankers Association's National Delinquency Survey, Bloomberg Finance L.P.; índice de preços dos imóveis:
S&P CoreLogic Case-Shiller U.S. National Home Price Index, não ajustado sazonalmente, via Federal Reserve Economic Data (FRED).

O ritmo da recuperação nos Estados Unidos foi lento, como é típico após uma grave crise financeira...

Variação percentual do PIB real a partir do pico

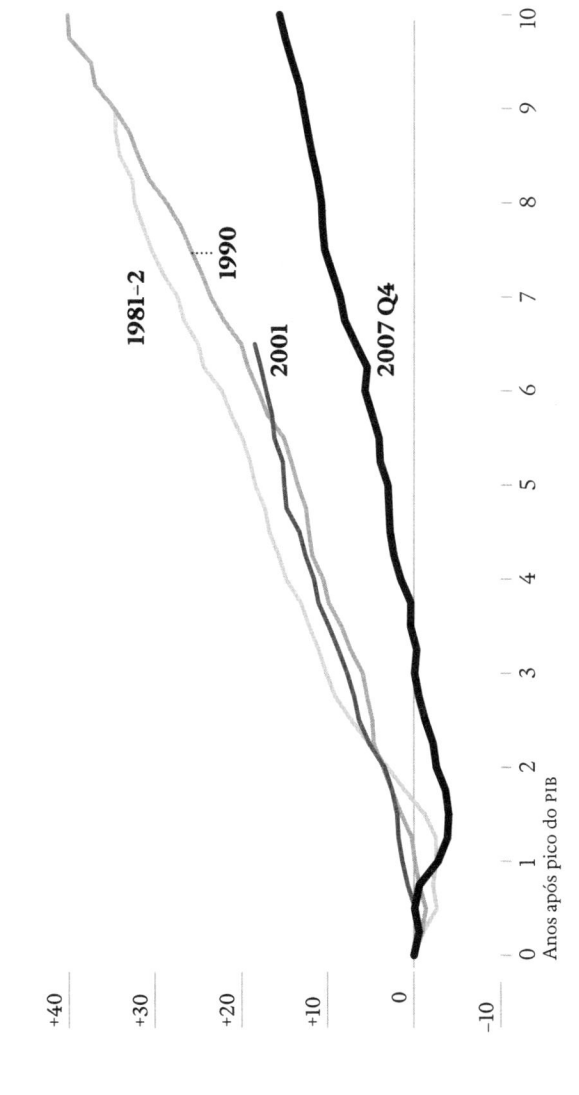

Fonte: Bureau of Economic Analysis via Federal Reserve Economic Data (FRED) [Q: trimestre].

... embora o crescimento tenha sido mais forte do que em muitos países europeus.

PIB real, variação percentual a partir do 4º trimestre de 2007

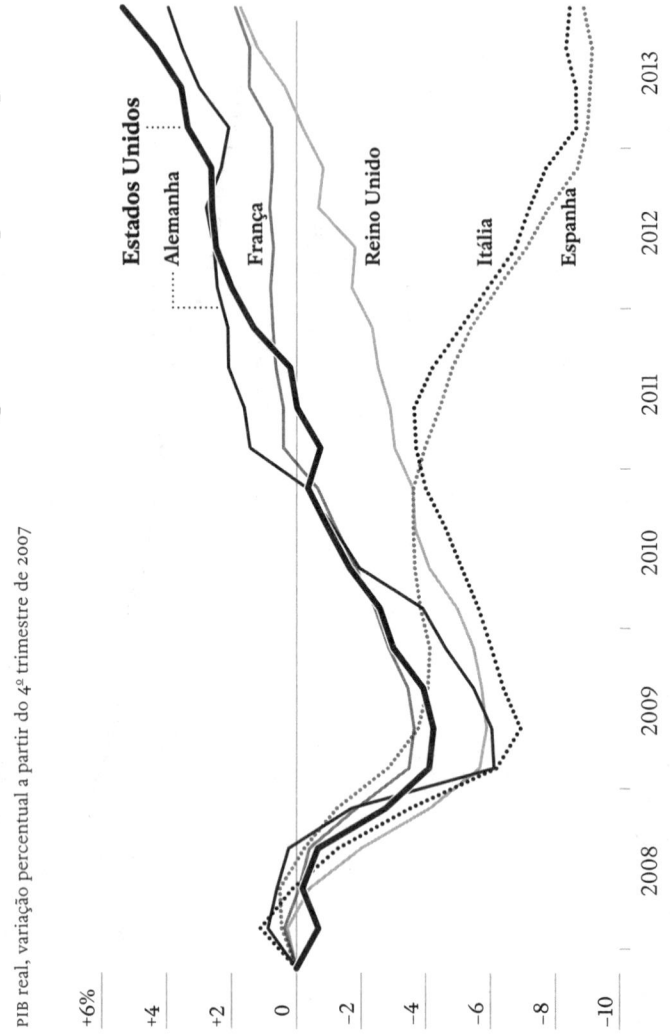

Fonte: Organization for Economic Co-operation and Development.

As crises financeiras são normalmente caras para a produção econômica, mas a estratégia americana foi capaz de limitar os danos em comparação com outras crises.

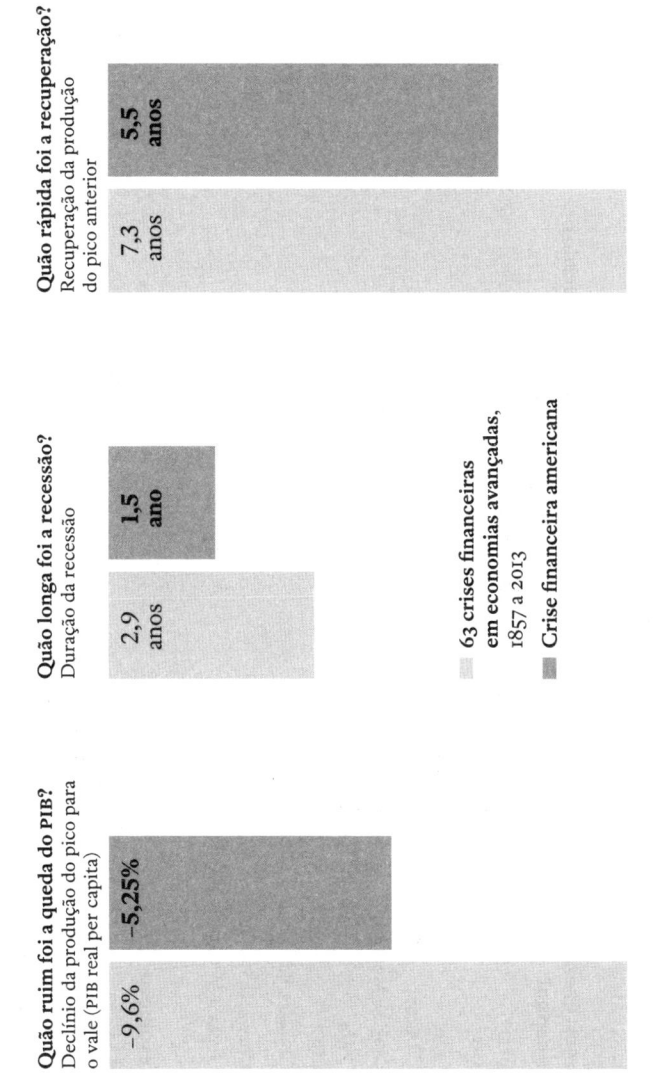

Quão ruim foi a queda do PIB?
Declínio da produção do pico para o vale (PIB real per capita)

-9,6%
-5,25%

Quão longa foi a recessão?
Duração da recessão

2,9 anos
1,5 ano

Quão rápida foi a recuperação?
Recuperação da produção do pico anterior

7,3 anos
5,5 anos

63 crises financeiras em economias avançadas, 1857 a 2013

Crise financeira americana

Fontes: Reinhart e Rogoff (2009); Bureau of Economic Analysis via Federal Reserve Economic Data (FRED); baseado em comparações de Liang et al. (2020).

RESULTADOS

Os contribuintes americanos lucraram com o resgate financeiro.

Renda ou custo dos programas de estabilização financeira

Investimentos de capital

em bilhões

	em bilhões
GSEs	+US$ 88,2
AIG	22,7
CPP	21,9
Citigroup	6,6
Bank of America	3,1
GMAC/Ally	2,4
CDCI	0,0
Chrysler Financial	0,0
Chrysler	–1,2
General Motors	–10,5

Liquidez/mercados de crédito

em bilhões

	em bilhões
Compras de dívidas das GSEs	+US$ 17,6
CPFF	6,1
TAF	4,1
PPIP	3,9
TALF	2,3
TSLF	0,8
Maiden Lane	0,8
PDCF	0,6
AMLF	0,5
SBA 7(a)	0,0

Resolução da FDIC

em bilhões

	em bilhões
Renda cumulativa, 2008-10	+US$ 45,4
Perdas do DIF, 2008-10	–60,0

Programas de garantia

em bilhões

	em bilhões
DGP	+US$ 10,2
MMF Guarantee	1,2
TAGP	–0,3

Fontes: Federal Deposit Insurance Corp.; Federal Housing Finance Agency; Federal Reserve Board; Labonte e Webel (2018); U.S. Treasury.

Hoje, o sistema financeiro tem capital significativamente maior e teria melhores condições de suportar as perdas no caso de uma crise econômica severa.

Ações ordinárias CET1 e Nível 1 como porcentagem dos ativos ponderados pelo risco

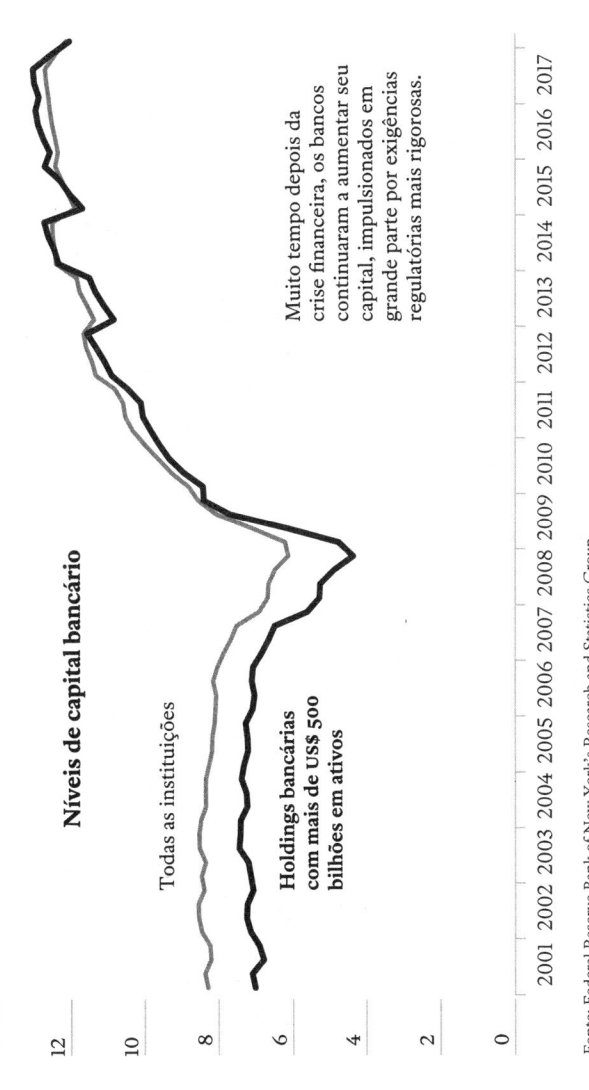

Níveis de capital bancário

Todas as instituições

Holdings bancárias com mais de US$ 500 bilhões em ativos

Muito tempo depois da crise financeira, os bancos continuaram a aumentar seu capital, impulsionados em grande parte por exigências regulatórias mais rigorosas.

Fonte: Federal Reserve Bank of New York's Research and Statistics Group.

Nota: A porcentagem de capital baseia-se nas ações ordinárias nível 1 pré-2014 e ações ordinárias nível 1 (CET1) de 2015, e é uma combinação das duas durante 2014.

Regras mais fortes sobre o capital são aplicadas a uma parcela muito mais ampla do sistema financeiro americano.

4º trimestre 2007

41% do sistema financeiro enfrentava restrições de alavancagem

Sem restrições de alavancagem

US$ 13 trilhões instituições de depósito	US$ 7,6 trilhões GSEs
	US$ 4,6 trilhões ABS
	US$ 4,7 trilhões corretoras / US$ 2,1 trilhões custos financeiros

US$ 32,1 trilhões total dos ativos financeiros

4º trimestre 2017

92% do sistema financeiro enfrentava restrições de alavancagem

GSEs continuam sob tutela do governo

US$ 18,8 trilhões instituições de depósito	US$ 8,9 trilhões GSEs
	US$ 3,2 trilhões corretoras
	US$ 1,5 trilhão custos financeiros / US$ 1,2 trilhão ABS

US$ 33,6 trilhões total dos ativos financeiros

Fonte: Federal Reserve Board Financial Accounts of the United States.

244

Não obstante, os poderes de emergência disponíveis nos Estados Unidos ainda são limitados demais para possibilitar uma reação eficaz a uma crise grave.

LIMITAÇÕES PRÉ-CRISE

- Alcance restrito de limites prudenciais para a alavancagem
- Cobertura de seguro de depósito limitada
- Nenhuma autoridade de resolução para as maiores holdings bancárias e instituições financeiras não bancárias
- Nenhuma competência para injetar capital em instituições financeiras
- Nenhuma autoridade para estabilizar as GSEs

PODERES ESSENCIAIS NA CRISE

- Fed expandiu credor de última instância
- Dívida mais ampla para a FDIC e garantias para o fundo de investimentos líquidos de curto prazo
- Tutela das GSEs
- Injeções de capital em instituições financeiras

FERRAMENTAS PÓS-CRISE

- Requisitos de capital mais fortes
- Maior liquidez e requisitos de financiamento
- Planos de contingência — seção 165(d) da Dodd-Frank —, falência e poder de resolução

LIMITAÇÕES PÓS-CRISE

- Limitações do credor de última instância do Fed
- Nenhuma garantia para fundo de investimentos líquidos de curto prazo ou garantias de dívida da FDIC sem ação do Congresso
- Nenhuma autoridade para injetar capital

Esta foi uma crise terrivelmente danosa. Não precisava ter sido tão ruim.

O dano ilustra os custos de administrar um sistema financeiro com supervisão fraca e de entrar numa crise sem as ferramentas essenciais para uma ação agressiva precoce a fim de evitar um desastre.

A recuperação foi lenta e frágil, ainda mais lenta pela adoção prematura de uma política fiscal mais rígida.

Mesmo depois de reparado o dano imediato, a economia americana ainda tem pela frente vários desafios de longo prazo, com causas anteriores à crise.

Agradecimentos

Este livro de gráficos foi produzido como parte de um esforço liderado por Ben S. Bernanke, Timothy F. Geithner e Henry M. Paulson Jr. para examinar as intervenções do governo americano na crise financeira de 2007-9, um projeto conjunto da Yale School of Management, Programa de Estabilidade Financeira, e da Brookings Institution, Hutchins Center on Fiscal and Monetary Policy.

Consultores do projeto do livro de gráficos: Timothy F. Geithner e Nellie Liang

Diretora editorial: Deborah McClellan

Diretor do projeto do livro de gráficos: Eric Dash

Visualização de dados: Seth W. Feaster

Analista chefe de dados: Ben Henken

Analista de dados: Aidan Lawson

Desejamos agradecer às seguintes pessoas e organizações:

Brookings/Hutchins: David Wessel, diretor; Sage Belz, Jeffrey Cheng, Vivien Lee, Michael Ng

Programa de estabilidade financeira de Yale: Andrew Metrick, diretor do programa; Alec Buchholtz, Anshu Chen, Greg Feldberg, Christian McNamara, Chase Ross, David Tam, Daniel Thompson, Rosalind Z. Wiggins

Golden Triangle Strategies: Monica Boyer, Emily Cincebeaux, Bill Marsh, Melissa Wohlgemuth

Outros: Charlie Anderson, Matthew Anderson, Christie Baer, Michael S. Barr, James Egelhof, Jason Furman, Robert Jackson, Annabel Jouard, Katherine Korsak, Lorie Logan, Francis Mahoney, Vivek Manjunath, Drew McKinley, Patrick Parkinson, Wilson Powell III, Ernie Tedeschi

Fontes dos dados: Bloomberg Finance L. P.; The Center for Research in Security Prices at Chicago Booth; CoreLogic®, uma empresa de análise e dados de propriedade; Freddie Mac; Goldman Sachs; Haver Analytics; IHS Markit; iMoneyNet; Mortgage Bankers Association; Securities Industry and Financial Markets Association; SNL Financial; S&P Dow Jones Indices LLC, Standard & Poor's (S&P® and S&P 500® são marcas registradas de Standard & Poor's Financial Services LLC, e Dow Jones®

Fontes adicionais de dados

Bureau of Economic Analysis; Bureau of Labor Statistics; Congressional Budget Office; Congressional Oversight Panel; Council of Economic Advisers; Federal Deposit Insurance Corp.; Federal Housing Finance Agency; Federal Reserve Bank of New York Financial Crisis Policy Response Timeline; Federal Reserve Bank of New York's Research and Statistics Group; Federal Reserve Bank of Philadelphia; Federal Reserve Bank of St. Louis; Federal Reserve Bank of St. Louis Financial Crisis Policy Response Timeline; Federal Reserve Board; Federal Reserve Economic Data (FRED); International Monetary Fund; Macroeconomic Advisers®; Mishkin (1978); Organisation for Economic Co-operation and Development; U.S. Dept. of Treasury

Notas

p. 177: Recriado com dados que estão na base da Figura 10, "The Distribution of Household Income, 2014", Congressional Budget Office (2018), <www.cbo.gov/publication/53597>. Ver link para as definições de renda e grupos de renda.

p. 182: Baseado na Figura 3.1, U.S. Home Price and Related Data, Robert J. Shiller, *Irrational Exuberance*, 3ª ed. (Princeton, NJ: Princeton University Press, 2015), tal como atualizado pelo autor, <www.econ.yale.edu/~shiller/data.htm>.

p. 183: Baseado na Figura 1, Painel 1, Michael Ahn, Michael Batty e Ralf Meisenzahl, "Household Debt-to-Income Ratios in the Enhanced Financial Accounts", *FEDS Notes* (Washington, DC: Board of Governors of the Federal Reserve System, 11 de janeiro de 2018), <https://doi.org/10.17016/2380-7172.2138>.

p. 184: Baseado na Figura 1, Scott G. Alvarez, William Dudley e Nellie Liang, "Nonbank Financial Institutions: New Vulnerabilities and Old Tools", em Ben

S. Bernanke, Timothy F. Geithner e Henry M. Paulson Jr., com Nellie Liang, (orgs.), *First Responders: Inside the U.S. Strategy for Fighting the 2007-2009 Global Financial Crisis* (New Haven: Yale University Press, 2020).

p. 185: Baseado no Documento 1, Gary Gorton e Andrew Metrick, "Who Ran on Repo?" (2012), <http://faculty.som.yale.edu/garygorton/documents/whorancom pleteoctober4.pdf.>
A parte dos bancos inclui passivos líquidos de acordos com fundos federais.

p. 200: Baseado nas Figuras 5 e 6, William English e Patricia Mosser, "The Use and Effectiveness of Conventional Liquidity Tools Early in the Financial Crisis", em Ben S. Bernanke, Timothy F. Geithner e Henry M. Paulson Jr., com Nellie Liang (orgs.), *First Responders: Inside the U.S. Strategy for Fighting the 2007-2009 Global Financial Crisis* (New Haven: Yale University Press, 2020).

p. 202: Baseado na Figura 7, Lorie Logan, William Nelson e Patrick Parkinson, "The Fed's Novel Lender of Last Resort Programs", em Ben S. Bernanke, Timothy F. Geithner e Henry M. Paulson Jr., com Nellie Liang (orgs.), *First Responders: Inside the U.S. Strategy for Fighting the 2007-2009 Global Financial Crisis* (New Haven: Yale University Press, 2020).

p. 203: Baseado no Gráfico 5, Adam Ashcraft, Allan Malz e Zoltan Pozsar, "The Federal Reserve's Term Asset-Backed Securities Loan Facility", *Federal Reserve Bank of New York Economic Policy Review*, v. 18, n. 3, pp. 29-66, nov. 2012, <https://www.newyorkfed.org/medialibrary/media/research/epr/2012/EPRvol18n3.pdf>.

p. 205: Baseado no Painel A, Lawrence Schmidt, Allan Timmermann e Russ Wermers, "Runs on Money Market Mutual Funds", *American Economic Review*, v. 106, n. 9, pp. 2625-57, 2016, <www.aeaweb.org/articles?id=10.1257/aer.20140678>.

p. 206: Baseado no Slide 4, "Reforming Wall Street, Protecting Main Street", U.S. Treasury, jul. 2012, <www.treasury.gov/connect/blog/Documents/20120719_DFA_FINAL5.pdf.>

p. 207: Bancos tradicionais incluem instituições de depósito. Holdings bancárias incluem holdings de bancos, de instituições de poupança e empréstimos, holdings de instituições financeiras e suas afiliadas de financiamento. Instituições financeiras não bancárias incluem essas instituições e suas afiliadas, bem como holdings de bancos com ativos não bancários de subsidiárias não bancárias compreendendo mais da metade de seus ativos totais.

p. 213: Baseado em dados do Tesouro americano e infográficos e cronologia da AIG, <www.treasury.gov/initiatives/financial-stability/TARP-Programs/aig/Pages/default.aspx>.

pp. 219, 220, 221: Baseados na Figura 3, Jason Furman, "The Fiscal Response to the Great Recession: Steps Taken, Paths Rejected, and Lessons for Next Time", em Ben S. Bernanke, Timothy F. Geithner e Henry M. Paulson Jr., com Nellie Liang (orgs.), *First Responders: Inside the U.S. Strategy for Fighting the 2007-2009 Global Financial Crisis* (New Haven: Yale University Press, 2020).

p. 225: Os números mensais de emissão de títulos relacionados com hipotecas podem não corresponder aos valores anuais reportados pela Associação dos Mercados Financeiros e da Indústria de Valores Mobiliários no seu website, devido a uma diferença metodológica no relato de cada série.

p. 226: Baseado na figura "Mortgage Aid Extended More than 9.9 Million Times, Outpacing Foreclosures", dez. 2016 Housing Scorecard, <www.hud. gov/sites/documents/SCORECARD_2016_12_508C.PDF>.

p. 228: Alguns dos proprietários de imóveis residenciais podem ter participado de mais de um programa; a soma dos proprietários ajudados em todas as categorias não reflete necessariamente o número de mutuários únicos ajudados.

Baseado no Gráfico 3, Michael Barr, Neel Kashkari, Andreas Lehnert, Phillip Swagel, "Crisis-Era Housing Programs", em Ben S. Bernanke, Timothy F. Geithner e Henry M. Paulson Jr., com Nellie Liang (orgs.), *First Responders: Inside the U.S. Strategy for Fighting the 2007-2009 Global Financial Crisis* (New Haven: Yale University Press, 2020).

p. 230: Os limites de crédito máximos foram tirados do Gráfico 2, Linda S. Goldberg, Craig Kennedy e Jason Miu, "Central Bank Dollar Swap Lines and Overseas Dollar Funding Costs", *Federal Reserve Bank of New York Economic Policy Review*, v. 17, n. 1, pp. 3-20, maio 2011, <www.newyorkfed.org/media-library/media/research/ epr/11v17n1/1105gold.pdf>.

p. 232: Baseado em Clay Lowery, Nathan Sheets e Edwin (Ted) Truman, "International Coordination of Financial and Economic Policies", em Ben S. Bernanke, Timothy F. Geithner e Henry M. Paulson Jr., com Nellie Liang (orgs.), *First Responders: Inside the U.S. Strategy for Fighting the 2007-2009 Global Financial Crisis* (New Haven: Yale University Press, 2020).

p. 234: O mercado de ações (NYSE/AMEX/NASDAQ/ARCA) é medido pelo valor total de mercado, conforme relatado pelo Center for Research in Security Prices, e é mostrado para o ponto mais grave da crise financeira. Os preços das casas são mostrados para três anos após o pico. A riqueza das famílias é uma comparação entre a mudança na média anual (em termos nominais) da riqueza das famílias de 1929 a 1930 e a mudança no nível nominal de riqueza das famílias do primeiro trimestre de 2008 para o primeiro trimestre de 2009.

As estimativas do patrimônio real (riqueza) das famílias durante a Grande Depressão foram extraídas do Gráfico 1, Frederic S. Mishkin, "The Household

Balance Sheet and the Great Depression", *The Journal of Economic History*, v. 38, n. 4, pp. 918-37, dez. 1978, <www.jstor.org/stable/2118664>.

p. 236: Garantias: Reflete os limites de crédito máximos do Tesouro americano no âmbito do Programa Temporário de Garantia para Fundos de investimentos líquidos de curto prazo e os limites máximos da FDIC no âmbito dos dois componentes do Programa Temporário de Garantia de Liquidez, do Programa de Garantia da Dívida e do Programa de Garantia das Contas de Transação.

Programa de Alívio de Ativos Problemáticos (TARP): Reflete o principal em circulação para os programas do TARP, incluindo programas de apoio a bancos, programas de mercado de crédito, apoio à indústria automobilística, assistência ao American International Group e programas habitacionais.

Programas de Liquidez do Federal Reserve: Reflete os montantes de empréstimos em circulação dentro dos programas de crédito e liquidez criados pelo Federal Reserve Board. Estes incluem empréstimos da janela de desconto (crédito primário, crédito secundário e crédito sazonal), crédito de leilão a prazo, a Primary Dealer Credit Facility, a Asset-Backed Commercial Paper Money Market Mutual Fund Liquidity Facility, a Term Asset-Backed Securities Loan Facility, a Commercial Paper Funding Facility e swaps de liquidez do banco central. Reflete também o valor de títulos em circulação emprestados por meio da Term Securities Lending Facility.

Outros Programas: refletem os limites de crédito do Federal Reserve, da FDIC e do Tesouro dentro do Asset Guarantee Program (AGP); a assistência do Federal Reserve Board às companhias Maiden Lane e o apoio à AIG; apoio do Tesouro para Fannie Mae e Freddie Mac por meio dos acordos de compra de ações preferenciais sênior, bem como o valor nominal do portfólio total de MBSs do Tesouro no final de cada mês, de outubro de 2008 a março de 2012.

As exposições via Programa Temporário de Garantia do Tesouro para Fundos de Investimentos Líquidos de Curto Prazo foram tiradas de "Guarantees and Contingent Payments in TARP and Related Programs: Congressional Oversight Panel November Oversight Report", Congressional Oversight Panel (nov. 2009), <https://fraser.stlouisfed.org/ title/5018>.

Baseado em Nellie Liang, Margaret M. McConnell e Phillip Swagel, "Evidence on Outcomes", em Ben S. Bernanke, Timothy F. Geithner e Henry M. Paulson Jr., com Nellie Liang, (orgs.), *First Responders: Inside the U.S. Strategy for Fighting the 2007-2009 Global Financial Crisis* (New Haven: Yale University Press, 2020).

p. 241: Os dados para 63 crises financeiras em economias avançadas, de 1857 a 2013, foram tirados de Carmen Reinhart e Kenneth Rogoff, "Recovery from Financial Crises: Evidence from 100 Episodes", *American Economic Review: Papers & Proceedings*, v. 104, n. 5, pp. 50-5, 2014, <https://scholar.harvard.edu/ files/rogoff/files/aer_104-5_50-55.pdf.>

Baseado em Nellie Liang, Margaret M. McConnell e Phillip Swagel, "Evidence on Outcomes", em Ben S. Bernanke, Timothy F. Geithner e Henry M. Paulson Jr., com Nellie Liang, (orgs.), *First Responders: Inside the U.S. Strategy for Fighting the 2007-2009 Global Financial Crisis* (New Haven: Yale University Press, 2020).

p. 242: Baseado no Gráfico 2 de Baird Webel e Marc Labonte, "Costs of Government Interventions in Response to the Financial Crisis: A Retrospective", Congressional Research Service (atualizado em setembro de 2018), <https://fas.org/sgp/crs/misc/R43413.pdf>.

Todos os números, exceto observação em contrário, são computados em regime de caixa e a partir de 1º de agosto de 2018. Compras de dívidas das GSEs, perdas e renda cumulativa do DIF e TAGP, a partir de 31 de dezembro de 2017; Maiden Lane, a partir de 31 de janeiro de 2018; e GSEs, a partir do segundo trimestre de 2018.

p. 244: Instituições de depósito incluem instituições de depósito com licença americana, agências de bancos estrangeiros nos Estados Unidos e uniões de crédito.

Índice remissivo

Os números de páginas em itálico referem-se a gráficos e tabelas da seção "A crise financeira em gráficos" do final do livro

A

AAA (classificação de títulos), 30, *237*
acionistas de instituições financeiras, 68-9, 86, 94
ações preferenciais, 109, 112-3, 118, *209-10*, *213*, *215*, *225*, 251n
Acordos de Compra de Ações Preferenciais Sênior (SPSPAs), *225*, 251n
Agência Federal de Financiamento Habitacional *ver* FHFA
agências de classificação, 30, 51, 81, 116, *191*, *237*
AGP (Programa de Ativos Garantidos), 212, 251n
AIG (seguradora): demissões na administração, 93; Divisão de Produtos Financeiros da, 92; e a falência do Lehman, 79-80, 83, 85, 91; e aceleração da crise, 35; e arsenal para lidar com crises futuras, 149; e expansão da crise, 96, *191*; e início da crise financeira, 47; e instabilidade do sistema financeiro, 106; e lucro do contribuinte com o resgate, *242*; e política de gestão de crises, 18; e políticas de reação à crise, 121, *197*, *213*; e reformas pós-crise, 144-5; e TARP, 108, 116-7, 119, 127; resgate da, 91-6
alavancagem: e aceleração da crise, 32, 37; e causas da crise financeira, 12; e deficiências do sistema regulatório americano, 37, 38, 41-2; e estado atual do sistema financeiro, 15; e faísca da crise, 27, 31; e falência do Lehman, 81; e política de gestão de crises, 158; e prevenção de crises financeiras, 139; e raízes da crise financeira, 21; e recuperação da crise, *244*; e reformas pós-crise, 140, 146; e resgate do Bear Stearns, 63; Fundo de Alavancagem Aumentada, 45
Alemanha, *240*
Ally Bank, 128
Alt-A (hipotecas), 52
América Latina, 47; crise da dívida latino-americana, 52
American Economic Review, 29
AMLF (Asset-Backed Commercial Paper Money Market Mutual Fund Liquidity Facility), 98, *197*, *202*, *242*, 251n
aposentadoria, fundos de, 89
Archstone-Smith (imobiliária), 30, 56

ARMs (taxas hipotecárias ajustáveis), 28

Ásia, 23, 57; crise financeira asiática, *232*

ativos: compra de, 108-9, 148; desvalorização de, 56; Programa de Ativos Garantidos (AGP), 212, 251*n*; títulos lastreados em ativos, 32, *184*, *202-3*; tóxicos, 65, 81; *ver também* AMLF (Asset-Backed Commercial Paper Money Market Mutual Fund Liquidity Facility); TARP (Programa de Alívio de Ativos Problemáticos)

autocorreção, 52

automóveis, montadoras de *ver* indústria automobilística

"autoridade de liquidação ordenada", 151

B

Bagehot, Walter, 48-9, 51, 54, 56, 58, 65, 149

Bair, Sheila, 103-4, 110, 113-4

baixa renda, mutuários de, 28

Baldwin, James, 16

Banco Central Europeu (BCE), 49, 59, 111, *231*

Banco da Inglaterra, 49, 111, *189*, *230-1*

Banco do Japão, *230*

bancos: comerciais, 14, 18, 34-6, 39, 58, 63, 99, 139, 158-9, *179*, *207*, *214*; de investimento, 11, 27, 35-6, 61, 64, 67, 70-1, 88, 93, 99, *191*, *195*, *209-10*, *215*; dívidas bancárias, 120; empréstimos interbancários, 106; europeus, 114, *216*; holdings bancárias, 100, 110, *191*, *207*, *243*; holdings de, 249*n*; lobistas de, 40;

tradicionais, 55, *196*, *207*; transações pela internet, 25; "zumbis", 46, 137

bancos centrais: e a falência do Lehman, 88; e abordagens teóricas das crises financeiras, 48-50, 53; e arsenal para lidar com crises futuras, 148, 150, 154; e corte coordenado da taxa de juros, *231*; e flexibilização quantitativa, 130; e linhas de swap, 59, *230*, 251*n*; e política de gestão de crises, 158; e políticas de reação à crise, 47, 129-30, *196-7*; e programas de liquidez do Fed, 251*n*; e reformas pós-crise, 147; e resgate do Bear Stearns, 65; e TARP, 111; estrangeiros, 59, 89

Bank of America: capital privado levantado durante a crise, *209*, *215*; e a falência do Lehman, 85; e causas da crise financeira, 13; e expansão da crise, *191*; e garantias federais de ativos, *212*; e início da crise financeira, *189*; e lucro do contribuinte com o resgate, *242*; e políticas de reação à crise, *121*; e reformas pós-crise, 144; e TARP, 119-20; e testes de estresse, *214*; e venda da Countrywide, 55; investimento do governo no, *210-1*

Bank of New York Mellon (BoNY), 54-5, *209-10*, 215

Barclays, 82, 85-7

Basileia III (regime regulatório global), 142

Bear Stearns: demissões na administração, 94; e a falência do Lehman, 79-81; e aceleração da crise, 35; e arsenal para lidar com crises futuras, 149, 151;

e estágios iniciais das crises financeiras, 47; e início da crise financeira, 45, *189*; e reformas pós-crise, 144; e testes de estresse, 128; e tutela de Fannie Mae/Freddie Mac, 72; resgate de, 62-71; supervisão de agência reguladora, 62

Bernanke, Ben: e a falência do Lehman, 90; e abordagens teóricas das crises financeiras, 49, 50, 53; e aceleração da crise, 37; e arsenal para lidar com crises futuras, 150, 154; e deficiências do sistema regulatório americano, 41-2; e esforços de estímulo monetário, 60; e estágios iniciais das crises financeiras, 47; e expansão da crise, 97; e expansão dos poderes emergenciais, 101; e faísca da crise, 27; e início da crise financeira, 9, 44; e políticas de reação à crise, 122-4, 129; e reformas pós-crise, 141, 148; e resgate da AIG, 95; e resgate do Bear Stearns, 67, 71; e TARP, 111, 117-8, 120; e TSLF, 61; e tutela de Fannie Mae/Freddie Mac, 75, 78; e venda da Countrywide, 55; especialista em Grande Depressão, 23, 137

BlackRock, 67

Blankfein, Lloyd, 99

BNP Paribas, 46, 49, *189, 202*

Boehner, John, 60

bolhas: bolha do ponto com, 33; e abordagens teóricas das crises financeiras, 51, 52; e aceleração da crise, 33-4; e causas da crise financeira, 12; e efeitos da crise de liquidez, 59; e início da crise financeira, 44; e raízes da crise

financeira, 22; e reformas pós-crise, 146

bolsa de valores, *234*

booms de crédito, 12, 21, 23, 27, 146, *184*

Brasil, *230*

Brookings Papers on Economic Activity, 134

Buffett, Warren, 100

Bunning, Jim, 68, 76

Bureau Nacional de Pesquisas Econômicas, 59

Bush, George W.: e expansão da crise, 62; e expansão dos poderes emergenciais, 101; e início da crise financeira, 9; e política de gestão de crises, 19; e TARP, 102, 117, 119-20, 132; e tutela de Fannie Mae/Freddie Mac, 76, 77

C

Câmara dos Deputados (EUA), 41, 153

Canadá, *230, 231*

capitalismo, 14, 51, 68, 95, 137; *ver também* níveis de capital

"CDOs-ao quadrado", 31

CDS (credit default swaps): e a falência do Lehman, 89; e efeito dos esforços de estabilização, 235; e expansão da crise, 96; e fases da crise financeira, *187*; e políticas de reação à crise, *207*; e resgate da AIG, 92

CEOs e executivos de instituições financeiras, 56, 69, 93-4, 105, 114

CFTC (Commodity Futures Trading Commission), 36, 145

chamadas adicionais de margem, 12-3, 26, 33, 44

Chrysler, 119, 122, 131, *242*

Citigroup: baixa contábil de ativos problemáticos, 56; capital privado levantado durante a crise, *209, 215*; demissões na administração, 94; e a crise do Wachovia, 104; e a falência do Lehman, 89; e aceleração da crise, 33; e garantias federais de ativos, *212*; e lucro do contribuinte com o resgate, *242*; e políticas de reação à crise, 121; e TARP, 117, 119-20, 127; e testes de estresse, 214; investimento governamental no, *210-1*; veículos estruturados de investimento, 56

classe média: insegurança da, 156; Lei de Alívio Fiscal e Criação de Empregos para a Classe Média, *221*

classificação AAA de títulos, 30, *237*

Coca-Cola, 97

Comissão de Valores Mobiliários *ver* SEC

Comissão Federal de Comércio, 36

Comitê Bancário do Senado, 74

Comitê de Serviços Financeiros da Câmara, 71

Comitê Federal do Mercado Aberto, 49, 60

commercial paper, mercado de, III; *ver também* CPFF (Commercial Paper Funding Facility)

complacência, 39, *180*

compra de ativos, 108-9, 148

confiança, excesso de, 17, 21, 36

Congresso americano: e arsenal para lidar com crises futuras, 149, 152; e causas da crise financeira, 10, 13; e desregulamentação do sistema financeiro, 40; e estímulo fiscal, 60, 129, 130; e falência do Lehman, 80, 90-1; e legado da crise financeira, 155; e poderes emergenciais para a gestão de crises, 100, *197, 208-16*; e política de gestão de crises, 19, 160; e políticas de reação à crise, 135; e reformas pós-crise, 141-3, 145; e resgate do Bear Stearns, 65, 71; e resolução da crise financeira, 137-8; e TARP, 100-2, 105-6, 112, 119-20; e tutela de Fannie Mae/Freddie Mac, 73-7

Conselho de Assessores Econômicos, 41

Conselho de Supervisão da Estabilidade Financeira (FSOC), 145

consumidor, crédito e dívida do, 118, 145, 151, *183, 203*

contribuições para campanhas políticas, 40

corridas a instituições financeiras: e aumento das dívidas de curto prazo, *185*; e expansão da crise, 97; e falência do Lehman, 87, 88, 90; e formas de dívida "resgatáveis", 21, 141; e início da crise financeira, 10; e natureza das crises financeiras, 25; e políticas de reação à crise, *195, 205-6*; e reformas pós-crise, 141, 147; e resgate da AIG, 92-3; e TARP, 113-4, 119; e vulnerabilidade do sistema financeiro, 24

Countrywide Financial: crise e venda da, 54-5; demissões na administração, 94; e expansão da crise, 62; e faísca da crise, 29; e início da crise financeira, 44, *189*; e reformas pós-crise, 144-5; e resgate da AIG, 91; e resgate do Bear Stearns, 64, 69;

e supervisão de instituições financeira não bancárias, 35

CPFF (Commercial Paper Funding Facility), 111, *197, 202, 242*

CPP (Programa de Aquisição de Capital), *197, 210-1, 242*

credit default swaps *ver* CDS

crédito: booms de, 12, 21, 23, 27, 146, *184*; crises de, 51, 135

crises: crise da dívida latino-americana, 52; crise europeia de dívida soberana, 154; crise financeira asiática, *232*; história de crises financeiras anteriores, 21, 22; memória das crises financeiras, 11, 13, 157; natureza recorrente das crises financeiras, 11; prevenção de crises financeiras, 17, 139-47; sinais de alerta das crises financeiras, 17

curto prazo, empréstimos e dívidas de: aumento em dívidas de curto prazo, *185*; e aceleração da crise, 34-5; e causas da crise financeira, 12; e deficiências do sistema regulatório americano, 39; e estado atual do sistemas financeiro, 15-7; e expansão da crise, 97; e falência do Lehman, 81; e raízes da crise financeira, 21; e reformas pós-crise, 141; e TARP, 110-1; e venda da Countrywide, 54; repos, 34, 54, 62-4, 66, 97, 142

D

Darling, Alistair, 87

déficits orçamentários, 130, 155-6

demissões, 83, 89, 107, 119, 130, 136

democratas *ver* Partido Democrata

Departamento de Proteção Financeira ao Consumidor, 145

Departamento do Tesouro: e arsenal para lidar com crises futuras, 152; e carreira de Geithner, 23; e expansão da crise das hipotecas, 107; e poderes emergenciais para a gestão de crises, 101, 105; e política de gestão de crises, 19; e políticas de reação à crise, 125, *202-3, 205, 224*; e resgate do Bear Stearns, 65; e TARP, 109, 112, 117; e testes de estresse, 128; e tutela de Fannie Mae/Freddie Mac, 75, 77-8; Fundo de Estabilização Cambial do, 98

depósitos, seguro de, 25, 34-5, 48, *196-7, 206*; Fundo de Seguros de Depósitos, 103, 110

derivativos: e a falência do Lehman, 81; e aceleração da crise, 36; e deficiências do sistema regulatório americano, 39, 42; e faísca da crise, 31; e raízes da crise financeira, 23; e reformas pós-crise, 140, 142, 145-6; e resgate da AIG, 92; e resgate do Bear Stearns, 64, 70

desemprego, 127, 131, 135, *226*; Lei de Extensão da Compensação de Desemprego, *219, 221*; seguro-desemprego, 135

desigualdade de renda, 22, 156, *177*

desigualdade de riqueza, 136

destruição criativa, capitalismo e, 51

desvalorização de ativos, 56

"Dia do Livre Mercado", 93-4

Diamond, Bob, 86

Dimon, Jamie, 66

direitos sociais, gastos com, 156

dívida: bancária, 120; CDOs ("obrigações de dívida colateralizada"), 31, 56, 61; crise da dívida latino-americana, 52;

dívida: bancária (*continuação*), crise europeia de dívida soberana, 154; e causas da crise financeira, 12; e faísca da crise, 26, 31; e reformas pós-crise, 140; e TARP, 110; formas de dívidas "resgatáveis", 21, 149; níveis da dívida das famílias, 27, *183*; níveis da dívida federal, 156; Programa de Garantia de Dívidas, *207*, 251*n*

dividendos, 57, *189*

Divisão de Produtos Financeiros da AIG, 92

Dodd, Christopher, 74, 102

"Doomsday Book", 148

Dugan, John, 114

E

E. coli, efeito, 45, 57-8

"efeito tequila", 52

eleições presidenciais, 103, 117, 120

emergência, ações de *ver* poderes emergenciais

emprego, níveis de, 13, 115, 119, 135, 138, *175*, *236*

empresas: braços financeiros de, 35; obrigações das, 96; patrocinadas pelo governo *ver* GSEs

empréstimos, 27, 56, 73; de "mentirosos", 28; empréstimo-ponte, 85, 88; geradores de, 28-9; interbancários, 106; não convencionais, 10; "ninja", 28; programas de modificação de, 133-4, *226-8*; sem documentação, 42; serviços de, 133; taxas de perdas de, *179*

Enhanced Leverage Fund, 45

Espanha, *240*

estabilidade financeira, unidades de, 147

estagnação econômica, 15

estatização de instituições financeiras, 71-8, 108, 115, 123, 125, 134, *216*

estímulos: keynesianos, 60, 140, 153-4; programas de, 18, 59, 129-30

estoque, queimas de, 12-3, 64, *192*

Europa, 107, *216*; Banco Central Europeu (BCE), 49, 59, 111, *231*; bancos europeus, 114, *216*; crise de dívida soberana na, 154; recuperação europeia, *240*

"exceção de risco sistêmico", 104

excesso de confiança, 17, 21, 36

"excesso de poupança global", 27

execuções hipotecárias: e causas da crise financeira, 13; e estratégias do mercado imobiliário, 133, 136; e o efeito *E. coli*, 58; e políticas de reação à crise, 122, *224*, *226-7*; e recuperação da crise, *238*

executivos, remuneração dos, 102, 105

F

FAA (Administração Federal da Aviação), Lei do Transporte Aéreo da, 221

falências, 88, 93-4, 119; problema do "grande demais para falir", 38, 144; *ver também instituições financeiras específicas*

famílias: níveis de endividamento das, 27; riqueza das, *234*, 250*n*

Fannie Mae: demissões na administração, 94; e a falência do Lehman, 79-80; e aceleração da crise, 35; e arsenal para lidar com crises futuras, 148; e causas da crise financeira, 13; e deficiências do sistema regulatório americano, 41; e estágios iniciais das crises financeiras, 47; e início da crise financeira, *190*; e instabilidade do sistema financeiro, 106; e migração do risco para fora do sistema regulador, *184*; e política de gestão de crises, 19, 158; e políticas de reação à crise, 121, 132-4, 224-5; e reformas pós-crise, 144; e resgate do Bear Stearns, 64, 69; e TARP, 108; e testes de estresse, 128; tutela da, 72-8, *197*, *225*

FDIC (Federal Deposit Insurance Corporation): e a crise do Wachovia, 103-4; e a falência do Lehman, 81; e abordagens teóricas das crises financeiras, 48; e aceleração da crise, 35-6; e lucro do contribuinte com o resgate, 242; e política de gestão de crises, 19, 159-60; e políticas de reação à crise, *195*, *197*, *206-7*, *224*; e recuperação de crises, *243*; e resgate da AIG, 92; e resgate do Bear Stearns, 64; e TARP, 110, 112, 114; e testes de estresse, 128; e tutela de Fannie Mae/Freddie Mac, 72; "exceção de risco sistêmico", 104

Federal Deposit Insurance Corporation *ver* FDIC

Federal Reserve (Fed): e aceleração da crise, 35; e arsenal para lidar com crises futuras, 148-53; e esforços de estímulo fiscal, 127; e estágios iniciais das crises financeiras, 47, 48; e expansão da crise, 107; e falência do Lehman, 83, 87; e linhas de swap, 58, 59; e política de gestão de crises, 19; e políticas de reação à crise, 133, *196*, *203*; e reformas pós-crise, 141,

144-5; e resgate da AIG, 92, *213*; e resgate do Bear Stearns, 65-6; e TARP, 116, 117; e testes de estresse, 127; janela de desconto, 34, 48-9, 55-6, 58, *196*, *200-1*, 251*n*; jurisdição, 14; Lei do Federal Reserve, 55; papel de credor de última instância, 48, 56, 59, 88, 148, 151, *195*, 200, *245*; poderes emergenciais, 55, 60-1, 65-6, 67, 118; programas de estímulo monetário e fiscal, 218-22; Programas de Liquidez do, 251*n*

Felicidade não se compra, A (filme), 24

FHFA (Agência Federal de Financiamento Habitacional), 77, *197*

Financial Times, 83

financiamentos overnight, 142

flexibilização quantitativa, 130, 154, *197*, *224*

Flórida, mercado imobiliário da, 30

FMI (Fundo Monetário Internacional), 229, *232*

FOMC (Comitê Federal do Mercado Aberto), 49, 60

força de trabalho, 92, *175-6*, *181*

Ford, 97

fragilidade dos sistemas financeiros, 25-6, 38, *179*, *202*

França, 46, *240*

Frank, Barney, 41, 71, 93, 105, 125

Freddie Mac: demissões na administração, 94; e aceleração da crise, 35; e arsenal para lidar com crises futuras, 148; e causas da crise financeira, 13; e deficiências do sistema regulatório americano, 41; e estágios iniciais das crises financeiras, 47; e falência do Lehman, 79, 83; e início da crise financeira, *190*;

Freddie Mac (*continuação*), e instabilidade do sistema financeiro, 106; e migração do risco para fora do sistema regulador, *184*; e política de gestão de crises, 19, 158; e políticas de reação à crise, 121, 132-4, *224-5*; e reformas pós-crise, 144; e resgate do Bear Stearns, 64, 69; e TARP, 108; e testes de estresse, 128; tutela de, *197, 225*; tutela de, 72-8

FSOC (Conselho de Supervisão da Estabilidade Financeira), 145

Fuld, Dick, 81-2

Fundo de Alavancagem Aumentada, 45

Fundo de Estabilização Cambial, 98

Fundo de Seguros de Depósitos, 103, 110

fundos de aposentadoria, 89

fundos de investimentos líquidos de curto prazo: e aceleração da crise, 35; e expansão da crise, 97; e lucro do contribuinte com o resgate, *242*; e migração do risco para fora do sistema regulatório, *184*; e políticas de reação à crise, *197, 205*; e TARP, 110; e testes de estresse, 128

fundos de pensão, 64, 89

fundos federais, taxa dos, 154

fundos overnight, 36

fundos soberanos, 57, 74

fusões, 99, 143

G

G-7, 112

garantias: CDOs ("obrigações de dívida colateralizada"), 31, 56; e a falência do Lehman, 80-1, 87-8; e aceleração da crise, 32, 34, 37; e arsenal para lidar com crises futuras, 148; e processo de triagem, 55; e resgate da AIG, 92, 94; e resgate do Bear Stearns, 62, 72; e TARP, 118; financiamento colateralizado, 37; programas de, *198*

gastos deficitários, 131, 155-56, 160

GE Capital, 35

Geithner, Timothy F.: condição "Geithner Put", 127; currículo, 23; e abordagens teóricas das crises financeiras, 49; e arsenal para lidar com crises futuras, 148, 150; e deficiências do sistema regulatório americano, 42; e esforços de fusão, 99; e estágios iniciais das crises financeiras, 47; e expansão dos poderes emergenciais, 103; e faísca da crise, 27; e falência do Lehman, 81, 84, 86; e início da crise financeira, 9, 44; e políticas de reação à crise, 121-2, 124-6, 132-4; e reformas pós-crise, 141, 145; e resgate do Bear Stearns, 64, 67, 71; e TARP, 117; e TSLF, 61; e venda da Countrywide, 55

General Electric, 89, 97

General Motors, 119, 122, 131, *242*

"gerar para distribuir" (modelo hipotecário), 29

GMAC, 35, 128, *214, 242*

Goldman Sachs: capital privado levantado durante a crise, *209, 215*; e carreira de Paulson, 23; e esforços de fusão, 99; e expansão da crise, 96, 99, *191*; e falência do Lehman, 82, 88; e resgate do Bear Stearns, 68, 70; investimento do governo no, *210*; títulos do Tesouro como garantia, 32

Goldstone, Larry, 61

Gorton, Gary, 45

Government Accountability Office, 144

"grande demais para falir", problema do, 38, 144

Grande Depressão: conhecimento de Bernanke sobre, 23, 137; crise financeira de 2008 comparada com, 9, 14, 138, *234*; e falência de bancos pequenos, 144; e história das crises financeiras, 47; e intervenção federal no sistema financeiro, 78; e modelo para testes de estresse, 126, *214*; e políticas do Fed, 49; e sistema regulatório americano, 43

"Grande Moderação", *180*

Grécia, 137

GSEs (empresas patrocinadas pelo governo): e aceleração da crise, 35; e deficiências do sistema regulatório americano, 40-1; e início da crise financeira, *189-90*; e lucro do contribuinte com o resgate, *242*; e migração do risco para fora do sistema regulador, *184*; e recuperação da crise, *244*; e tutela de Fannie Mae/Freddie Mac, 73; programas de refinanciamento e modificação de empréstimos, *228*; *ver também* Fannie Mae; Freddie Mac

H

haircuts (descontos), 95, 110, 113, 116, 159

HAMP (Programa de Modificação Acessível da Moradia), 132-3, *197*, *224*, *226*

HARP (Programa de Refinanciamento Acessível da Moradia), 132-3, *197*, *224*, *227-8*

hedge funds, 23, 45, 56, 62, 64, 81, 92

hiperinflação, 15, 137

hipotecas: Alt-A, 52; ARMs (taxas hipotecárias ajustáveis), 28; modelo hipotecário "gerar para distribuir", 29; *ver também* mercado de hipotecas; subprime, hipotecas; títulos lastreados em hipotecas

história de crises financeiras anteriores, 21-2

holdings bancárias, 100, 110, *191*, *207*, *243*

Hope Now, *224*, *226*, *228*

I

imóveis *ver* mercado imobiliário; mercado de hipotecas

impacto global da crise financeira, 27, 161, *229-32*

impostos e política tributária: cortes de impostos e créditos, 60; e estímulo fiscal, 130; e faísca da crise, 30; e legado da crise financeira, 155; e modelos para crises futuras, 159-60

imprensa, cobertura da da crise financeira pela, 83, 123

inadimplência, 33; russa, 23

incerteza, 31, 78; *ver também* medo; pânicos

indústria automobilística, 116, 119, 122, 129, 131, 134-5

IndyMac Bank, 72, 89, 91, 103, *224*

inflação, 48, 50-1, 60, *180*, *181*

Inglaterra, Banco da, 49, 111, *189*, *230-1*

instituições financeiras não bancárias (*nonbanks*): e aceleração da crise, 35, 36; e arsenal para lidar com crises futuras, 148, 150;

instituições financeiras não bancárias (*continuação*), e deficiências do sistema regulatório americano, 39-40, *245*; e expansão da crise, 97; e falência do Lehman, 79, 81; e holdings bancárias, 249*n*; e migração do risco para fora do sistema regulatório, *184*; e políticas de reação à crise, *196, 207*; e reformas pós-crise, 142-3; e resgate da AIG, 92; e resgate do Bear Stearns, 63, 65-6, 69, 71; e TSLF, 61; e venda da Countrywide, 54; *ver também instituições específicas*

interbancários, empréstimos, 106

internet, bolha da, 33

investidores estrangeiros, 57, 74, 118

investidores privados: e falência do Lehman, 83-5; e holdings bancárias, 100; e políticas de reação à crise, 124, *209*; e TARP, 109; e testes de estresse, 127, *215*

Itália, *240*

J

James, Bill, 97

janela de desconto: e abordagens teóricas das crises financeiras, 48, 49; e aceleração da crise, 34; e políticas de reação à crise, *196, 200-1*; e programas de liquidez do Fed, 251*n*; e venda da Countrywide, 55; estigma associado a empréstimos do Fed, 56; fracasso em amenizar a crise, 58

Japão, *231*; Banco do, *230*; bancos "zumbis" no, 137

JPMorgan Chase: capital privado levantado durante a crise, 209, 215; e expansão da crise, 63; e expansão dos poderes emergenciais, 103; e falência do Lehman, 80; e início da crise financeira, *189*; e reformas pós-crise, *144*; e resgate do Bear Stearns, 66, 70; investimento do governo no, *210*

juros *ver* taxas de juros

K

keynesianos, estímulos, 60, 140, 153-4

Kindleberger, Charles, 21

King, Mervyn, 49, 111

L

Lacker, Jeffrey, 50

Lazear, Edward, 90

Lehman Brothers: aquisição da Archstone-Smith, 56; demissões na administração, 94; e aceleração da crise, 35; e arsenal para lidar com crises futuras, 151; e causas da crise financeira, 13; e expansão da crise, 96, *191*; e faísca da crise, 30; e política de gestão de crises, 18; e políticas de reação à crise, *202, 203, 210*; e reformas pós-crise, 144; e resgate do Bear Stearns, 63, 68, 70; e tutela de Fannie Mae/ Freddie Mac, 78; falência e esforços de resgate, 79-91

Lei Americana de Recuperação e Reinvestimento, 130, 132, 155, *197, 220*

Lei de Alívio Fiscal, *221*

Lei de Alívio Fiscal e Criação de Empregos para a Classe Média, *221*
Lei de Apropriações para Defesa, *221*
Lei de Apropriações Suplementares, *219, 221*
Lei de Assistência a Trabalhadores, Proprietários de Residências e Empresas, *221*
Lei de Continuação, *221*
Lei de Continuação do Corte Temporário de Imposto sobre Folha de Pagamento, *221*
Lei de Estabilização Econômica de Emergência, 206
Lei de Estímulo, *197*
Lei de Estímulo Econômico, *219*
Lei de Extensão, *221*
Lei de Extensão da Compensação de Desemprego, *219, 221*
Lei de Extensão Temporária, *221*
Lei de Habitação e Recuperação Econômica, 76, *219*
Lei de Incentivo a Contratações para Restaurar o Emprego, *221*
Lei do Emprego em Pequenas Empresas, *221*
Lei do Federal Reserve, 55
Lei do Transporte Aéreo, *221*
Lei Dodd-Frank (Reforma e Defesa do Consumidor de Wall Street), 141-5, 150-1, 159, 206
Lei Glass-Steagall, 144
Lei Gramm-Leach-Bliley, 40
Lei VOW, *221*
Lênin, Vladímir, 13
Libor-OIS (spread), *187, 189, 197,* 235
Linha de Empréstimos de Títulos a Termo *ver* TSLF
linhas de swap, 89, *196-7, 229-30*
liquidez: and TSLF, 61; e abordagens teóricas das crises financeiras, 49, 51; e deficiências da regulamentação, 39; e estado atual do sistema financeiro, 15; e excesso de alavancagem no sistema financeiro, 32; e expansão da crise, 96-7, *192*; e falência do Lehman, 88; e início da crise financeira, 46; e políticas de reação à crise, *195, 198, 200*; e raízes da crise financeira, 23; e recuperação da crise, *236*; e reformas pós-crise, 140-1; e resgate do Bear Stearns, 63, 70; e TARP, 109, 113; e venda da Countrywide, 54; programas do Fed promovendo, 58
livre mercado, 14, 52, 89-91, 137; "Dia do Livre Mercado", 93-4
lobby, 40
Lombard Street (Bagehot), 48
LTCM (Long-Term Capital Management), 82
lucros de resgates, 15, 73, 96

M

Mack, John, 99
Maiden Lane, 67, *213, 242,* 251*n*, 252*n*
manias, 139, 146
McCain, John, 102, 105
McCarthy, Callum, 86
McConnell, Meg, 148
medo: como fonte de pânico, 46; e abordagens teóricas das crises financeiras, 53; e efeito *E. coli*, 57-8; e expansão da crise, *192*; e início da crise financeira, 45; e natureza das crises financeiras, 25-6; e políticas de reação à crise, 121, 123; *ver também* pânico
memória das crises financeiras, 11, 13, 157
mentalidade de rebanho, 26, 146
mercado de commercial paper, 111

mercado de hipotecas: ativos relacionados a hipotecas, 32; e causas da crise financeira, 11; e deficiências do sistema regulatório americano, 40, 42; e faísca da crise, 27-32; e flexibilização quantitativa, 130; e instabilidade do sistema financeiro, 107; e políticas de reação à crise, 130-2, 134, *203*, *224-8*; e recuperação da crise, *237*; e resgate do Bear Stearns, 69; e taxas de juros de longo prazo, *181*; e tutela de Fannie Mae/Freddie Mac, 72-8; mercado hipotecário secundário, 73; programas de modificação de empréstimos, 132, 134, *226-8*; *ver também* títulos lastreados em hipotecas

mercado imobiliário: da Flórida e de Nevada, 30; e causas da crise financeira, 12; e esforços de estímulo fiscal, 129; e faísca da crise, 29; e início da crise financeira, 44; e legado da crise financeira, 154; e políticas de reação à crise, 132, *195*, *224-8*; e reformas pós-crise, 140; e resolução da crise financeira, 138; e tutela de Fannie Mae/Freddie Mac, 72-8; esforços de alívio para donos de imóveis, 122, 134; ideal da casa própria, 43; preços dos imóveis, 12, 135, 138, *182*, *188*, *238*, 250n

Merrill Lynch: capital privado levantado durante a crise, *209*, *215*; demissões na administração, 94; e baixa contábil de ativos problemáticos, 56; e causas da crise financeira, 13; e expansão da crise, 96, *191*; e falência do Lehman, 79, 82, 85; e instabilidade do sistema financeiro, 106; e investimento estrangeiro, 56; e reformas pós-crise, 144; e resgate do Bear Stearns, 68, 70; e TARP, 119-20; investimento do governo no, *210*

México, 23, 52, *230*

mídia, cobertura da crise financeira pela, 83, 123

Minsky, Hyman, 23

Mitsubishi, 100

moedas, trocas de, 59, *230*

monoline, seguradoras, 61

montadoras *ver* indústria automobilística

Morgan Stanley: capital privado levantado durante a crise, *209*, *215*; credit default swaps (CDS), 96; e expansão da crise, 99, *191*; e falência do Lehman, 82, 88; e início da crise financeira, *190*; e investimento estrangeiro, 57; e resgate do Bear Stearns, 68, 70; e tutela de Fannie Mae/Freddie Mac, 77; investimento do governo no, *210*

Mozilo, Angelo, 54-5

mutuários de baixa renda, 28

N

natureza recorrente das crises financeiras, 11

negociação de esforços de alívio, 83

Nevada, mercado imobiliário de, 30

New York Fed, 38-9, 82, 84, 148

New York Times, 89

"ninja", empréstimos, 28

níveis de capital: e deficiências do sistema regulatório americano, 38, 40; e estado atual do sistema financeiro, 15; e início da crise financeira, 44; e política de gestão de crises, 158; e políticas de

reação à crise, 208-16; e reformas pós-crise, 147; e TARP, 112; e tutela de Fannie Mae/Freddie Mac, 73, 77; estratégias de capitalização, *198*
nonbanks ver instituições financeiras não bancárias
Northern Rock, *189*

O

Obama, Barack: e arsenal para lidar com crises futuras, 150, 155; e início da crise financeira, 9; e legado da crise financeira, 155; e política de gestão de crises, 19; e políticas de reação à crise, *197*; e reação governamental à crise, 102, 105, 117, 129-32, 134; e reformas pós-crise, 141; e TARP, 121-2, 125, 131, 134; eleição, 117
Office of the Comptroller of the Currency (OCC), 35, 76
Office of Thrift Supervision (OTS), 35
orçamentos: déficits orçamentários, 130, 155-6; locais, *222*
otimismo, 29, 146
overnight, fundos, 36

P

pânicos: causas de, 11; e ativos de hipotecas tóxicos, 57; e falência do Lehman, 90; e início da crise financeira, 10, 45, 46; e prevenção de crises financeiras, 139; e reformas pós-crise, 140, 141; e resgate do Bear Stearns, 65; e TARP, 109; efeito de contágio de, 52, 139; vulnerabilidade inerente a, 24-6

Partido Democrata, 14, 19, 41, 60, 71, 76, 102, 105, 120, 131, 161
Partido Republicano, 14, 19, 68, 74, 76, 102-3, 105, 130, 161
Paulson Jr., Henry M.: currículo, 23; e abordagens teóricas das crises financeiras, 51; e arsenal para lidar com crises futuras, 148, 155; e deficiências do sistema regulatório americano, 41; e efeitos da crise de liquidez, 59; e esforços de estímulo fiscal, 60; e expansão da crise, 97; e expansão dos poderes emergenciais, 101-2, 105, 107; e faísca da crise, 32; e falência do Lehman, 80-1, 83-5, 90; e fundo "Super SIV", 57; e início da crise financeira, 9, 44; e políticas de reação à crise, 125, 132; e reação do governo Bush à crise, 62; e reformas pós-crise, 145; e resgate do Bear Stearns, 66-7, 69-70; e TARP, 108, 111-2, 116, 120; e tutela de Fannie Mae/Freddie Mac, 73-8; expertise em mercado financeiro, 137
PDCF (Primary Dealer Credit Facility), 67, 71, *197, 201, 242*
Pelosi, Nancy, 60
"penalização", taxa de, 49
pensão, fundos de, 64, 89
poderes emergenciais: arsenal para lidar com crises futuras, 148-56, *245*; e início da crise financeira, 61; e resgate do Bear Stearns, 65-7; e TARP, 117; e venda da Countrywide, 55; expansão dos, 100-5
política das crises financeiras: e abordagens teóricas das crises financeiras, 51; e arsenal para lidar com crises futuras, 153, 155-6; e contexto de reações a crises, 18;

política das crises financeiras (*continuação*), e deficiências do sistema regulatório americano, 40, 43; e falência do Lehman, 83; e modelos para a gestão de crises futuras, 159-61; e TARP, 102, 116, 119, 120

política fiscal: e flexibilização quantitativa, 130; e legado de crises financeiras, 155; e o início da crise financeira, 60; e políticas de reação à crise, 122, *195*, *197*, *218-22*; e prevenção de crises financeiras, 140; responsabilidade fiscal, 159, 160

política monetária: e início da crise financeira, 60; e legado da crise financeira, 155; e políticas de reação à crise, *195*, *197*, *218-22*; e prevenção de crises financeiras, 139, 140; e TARP, 109

ponto com, bolha do, 33

poupança, 27, 151, *181*; crise de, 72; "excesso de poupança global", 27; instituições de, 35, 42, 72

Powell, Jerome, 154

PPIP (Programa de Investimento Público-Privado), 125, 127, *197*, *203*, *242*

previsão e prevenção de crises financeiras, 17, 139-47

Prince, Chuck, 33

problema do "grande demais para falir", 38, 144

processo de triagem, 55; *ver também* testes de estresse

produção econômica, *241*

produtividade, crescimento da, 22, *175*

programa de "redução do principal", 134

Programa de Alívio de Ativos Problemáticos *ver* TARP

Programa de Aquisição de Capital (CPP), *197*, *210-1*, *242*

Programa de Ativos Garantidos (AGP), 212, 251*n*

Programa de Garantia das Contas de Transação, 251*n*

Programa de Garantia de Dívidas, *207*, 251*n*

Programa de Investimento Direcionado, *211*

Programa de Modificação Acessível da Moradia (HAMP), 132-3, *197*, *224*, *226*

Programa de Refinanciamento Acessível da Moradia (HARP), 132-3, *197*, *224*, *227-8*

Programa Temporário de Garantia de Liquidez (TLGP), *207*, 251*n*

Programa Temporário de Garantia do Tesouro para Fundos de Investimentos Líquidos de Curto Prazo, 251*n*

programas de estímulo, 18, 59, 129-30

programas de garantias, *198*

Programas de Liquidez do Federal Reserve, 251*n*

programas de refinanciamento, 132, 228

Q

quantitative easing ver flexibilização quantitativa

queimas de estoque, 12, 13, 64, *192*

R

rebanho, mentalidade de, 26, 146

recessão: e efeitos da crise de liquidez, 59; e expansão da crise, 107; e legado da crise financeira, 156; e políticas de reação à crise, 123; e programas de estímulo fiscal, 130; e TARP,

114-5; estabilidade conducente à complacência, *180*
recuperação da crise financeira, *236-44*
"redução do principal", programa de, 134
refinanciamento, programas de, 132, *228*
regulamentação: deficiências do sistema regulatório americano, 37-43; e aceleração da crise, 34-6; e falência do Lehman, 86; e migração de risco para fora do sistema regulatório, *184*; e política de gestão de crises, 18; e prevenção de crises financeiras, 138-9; e recuperação da crise, *244*; e reformas pós-crise, 140-7, 157-8; e resgate da AIG, 91-6; e seguro de depósito, 25; e supervisão de instituições financeiras não bancárias, 34-5; e tutela de Fannie Mae/Freddie Mac, 75; natureza fragmentada do sistema americano, 12, 139,159
Reino Unido, 86, 87; Banco da Inglaterra, 49, III, *189, 230-1*
remuneração dos executivos, 102, 105
renda: desigualdade de, 22, 156, *177;* mutuários de baixa renda, 28
repos, 34, 54-5, 61-2, 64, 66, 70, 97, 142, *185;* "tri-party-repo", 32
republicanos *ver* Partido Republicano
Reserve Primary Fund, 97, *191, 205*
resgates e salvações, 10, 16, 20; *ver também instituições financeiras específicas*
riqueza, desigualdade de, 136
riscos e gestão de riscos: e aceleração da crise, 31-7; e arsenal para lidar com crises futuras, 158, 160; e deficiências

do sistema regulatório americano, 39; e faísca da crise, 27; e migração de risco para fora do sistema regulatório, *184*; e política de gestão de crises, 160; e reformas pós-crise, 140-8; e risco moral, 17; e TARP, 110; e tutela de Fannie Mae/Freddie Mac, 73; e vulnerabilidade a pânicos, 24-6; risco sistêmico, 36; "exceção de risco sistêmico", 104
risco moral: e abordagens teóricas das crises financeiras, 51-2; e deficiências do sistema regulatório americano, 41; e estado atual do sistema financeiro, 18; e estágios iniciais das crises financeiras, 46; e Fundo de Seguro de Depósitos da Federal Deposit Insurance Corporation (FDIC), 103; e resgate da AIG, 94; e resgate do Bear Stearns, 68; e tutela de Fannie Mae/Freddie Mac, 73
Rússia: inadimplência russa, 23

S

Sachs, Lee, 103
salários, 22, 135
Santelli, Rick, 132
Sarkozy, Nicolas, 51
SEC (Comissão de Valores Mobiliários), 36, 62, 65, 99
secundário, mercado hipotecário, 73
securitização, boom de, 30
seguradoras monoline, 61
seguro-desemprego, 135
seguros: de depósitos, 34-5, 48, 103, 110, *196-7, 206*; e aceleração da crise, 35; e expansão da crise, 97-8; e falência do Lehman, 88;

seguros (*continuação*), e modelos para a gestão de crises futuras, 160; e resgate da AIG, 91-2; e TARP, 128; *ver também* FDIC (Federal Deposit Insurance Corporation)

Senado (EUA), 41, 105, 131, 153; Comitê Bancário do, 74

Shelby, Richard, 74

sinais de alerta das crises financeiras, 17

sistema bancário fantasma: e aceleração da crise, 34, 39; e arsenal para lidar com crises futuras, 147; e deficiências do sistema regulatório americano, 39, 42; e reformas pós-crise, 140-2; e TSLF, 61

"sistemicamente importante" (designação de instituição), 69, 79, 112, 145, 152

sistêmico, risco, 36

SIVs ("veículos de investimento estruturados"), 57

"socialismo", acusações de, 68, 76, 102

sonho americano, 43

SPSPas (Acordos de Compra de Ações Preferenciais Sênior), 225, 251n

State Street, 215

subprime, hipotecas: e deficiências do sistema regulatório americano, 42; e faísca da crise, 27, 30, 31; e falência do Lehman, 81; e início da crise financeira, 44-6, 59; e raízes da crise financeira, 21-2; exposição do Citigroup a, 56

Suíça, 230-1

Summers, Larry, 123

Sun Tzu, 157

"super-senior CDOs", 56

Supervisory Capital Assessment Program (Programa Supervisor de Avaliação de Capital), 124; *ver também* testes de estresse

suportes/respaldos: e a falência do Lehman, 86; e arsenal para lidar com crises futuras, 150-1; e causas da crise financeira, 13; e início da crise financeira, 10; e políticas de reação à crise, 205-7; e resgate do Bear Stearns, 66; e TARP, 112; e tutela de Fannie Mae/Freddie Mac, 74

T

TAF (Term Auction Facility), 58, 197, 200, 242

TALF (Term Asset-Backed Securities Loan Facility), 118, 124, 197, 203, 242

TARP (Programa de Alívio de Ativos Problemáticos): como ponto de inflexão na reação à crise, 106; e arsenal para lidar com crises futuras, 150; e políticas de reação à crise, 120-8, 131, 134, 211-3, 215, 236, 251n; e recuperação da crise, 236; e resgate da AIG, 213; implementação, 108-20; negociações no Congresso sobre, 101-2; negociações políticas sobre, 101-5

"taxa de penalização", 49

taxa dos fundos federais, 154

taxas de juros: cortes coordenados de taxas de juros, 231; de longo prazo, 181; e legado da crise financeira, 154; e papel dos bancos centrais, 48; e políticas de reação à crise, 122, 132, 197; e programas de estímulo, 59; e vulnerabilidade do sistema financeiro, 24

Term Asset-Backed Securities Loan Facility *ver* TALF

Term Auction Facility *ver* TAF
Term Securities Lending Facility *ver* TSLF
Tesouro (EUA) *ver* Departamento do Tesouro; títulos do Tesouro
testes de estresse: e deficiências do sistema regulatório americano, 39; e fases da crise financeira, *187*; e investimentos do Tesouro em bancos, *210*; e políticas de reação à crise, *197*, *208*, *214-5*; e reformas pós-crise, 143-4, 146; e resgate do Bear Stearns, 70; e TARP, 116, 124-7
Thornburg Mortgage, 61
títulos do Tesouro: e abordagens teóricas das crises financeiras, 49; e arsenal para lidar com crises futuras, 148; e faísca da crise, 30-2; e flexibilização quantitativa, 130; e intervenção na Countrywide, 55; e políticas de reação à crise, *196*, *201*, *218*; e taxas de juros de longo prazo, *181*
títulos lastreados em ativos, 32, *184*, *202*, *203*
títulos lastreados em hipotecas: e causas da crise financeira, 12; e faísca da crise, 28-31; e legado da crise financeira, 154; e políticas de reação à crise, 133, *224-5*; e raízes da crise financeira, 22
TLGP (Programa Temporário de Garantia de Liquidez), *207*, *251n*
tóxicos, ativos, 65, 81
tradicionais, bancos, 55, *196*, *207*
transformação de prazos, 24-5, 35, 147, 159
transparência, 123, 149, 151, *214*
"tri-party-repo", 32
trocas de moedas, 59, *230*
TSLF (Term Securities Lending Facility), 61, 65, 67, *197*, *201*, *242*
Twain, Mark, 21

U

unidades de estabilidade financeira, 147

V

"veículos de investimento estruturados" (SIVs), 57
vendas a descoberto, 81, 99
Volcker, Paul, 68

W

Wachovia, 13, 94, 99, 104-5, 108, 144
Wall Street Journal, 83, 89
Washington Mutual: e causas da crise financeira, 13; e expansão da crise, *191*; e falência do Lehman, 89; e reformas pós-crise, 144; e resgate da AIG, 95; e TARP, 108; e tutela de Fannie Mae/Freddie Mac, 72; falência, 103
Wells Fargo: capital privado levantado durante a crise, *209*, *215*; e crise do Wachovia, 104; e expansão dos poderes emergenciais, 104; e reformas pós-crise, 144; e testes de estresse, *214*; investimento do governo no, *210*

Y

Yellen, Janet, 154

Z

Zimbábue, 137
"zumbis", bancos, 46, 137

Grafia atualizada segundo o Acordo Ortográfico da Língua Portuguesa de 1990, que entrou em vigor no Brasil em 2009.

capa
Celso Longo
revisão técnica
Milton Castiel
preparação
Ana Cecília Agua de Melo
índice remissivo
Luciano Marchiori
revisão
Huendel Viana
Tomoe Moroizumi

Dados Internacionais de Catalogação na Publicação (CIP)

— —

Bernanke, Ben S. (1953-); Geithner, Timothy F. (1961-); Paulson Jr., Henry M. (1946-)
Apagando o incêndio: A crise financeira e suas lições: Ben S. Bernanke,
Timothy F. Geithner e Henry M. Paulson Jr.
Título original: *Firefighting: The Financial Crisis and Its Lessons*
Tradução: Pedro Maia Soares
São Paulo: Todavia, 1ª ed., 2020
272 páginas

ISBN 978-65-5692-009-2

1. Ciências sociais 2. Economia 3. Crise financeira de 2008-9
I. Soares, Pedro Maia II. Título

CDD 330.9

— —

Índice para catálogo sistemático:
1. Ciências sociais: Economia 330.9

todavia
Rua Luís Anhaia, 44
05433.020 São Paulo SP
T. 55 11. 3094 0500
www.todavialivros.com.br

fonte
Register*
papel
Munken print cream
$80\,g/m^2$
impressão
Geográfica

FSC
www.fsc.org
MISTO
Papel produzido
a partir de
fontes responsáveis
FSC® C019498